D0543965

L'AUTORITÉ DES PARENTS DANS LA FAMILLE

Couverture

- Maquette:
  GAÉTAN FORCILLO

Maquette intérieure

- Conception graphique:
  JEAN-GUY FOURNIER

DISTRIBUTEURS EXCLUSIFS:

- Pour le Canada:
  AGENCE DE DISTRIBUTION POPULAIRE INC.*
  955, rue Amherst, Montréal H2L 3K4 (tél.: 514-523-1182)
  *Filiale de Sogides Ltée
- Pour la France et l'Afrique:
  INTER-FORUM
  13, rue de la Glacière, 75013 Paris (tél.: 570-1180)
- Pour la Belgique, la Suisse, le Portugal, les pays de l'Est:
  S.A. VANDER
  Avenue des Volontaires 321, 1150 Bruxelles (tél.: 02-762-0662)

John K. Rosemond

L'AUTORITÉ DES PARENTS DANS LA FAMILLE

traduit de l'américain
par
Jean-Paul Lapierre

Les Éditions de l'Homme*

CANADA: 955, rue Amherst, Montréal H2L 3K4

*Division de Sogides Ltée

Ce livre a été publié en américain sous le titre:
Parent Power!
chez East Woods Press

Bibliothèque nationale du Québec
Dépôt légal — 4e trimestre 1982

ISBN 2-7619-0253-X

À
Willie, Éric et Amy,
avec tout mon amour

Remerciements

• Du fond du coeur, je remercie...

Anda Cochran

Beth Resler

Cathy Culpepper Wilder

Janet Johnston, Ed. D., pour les suggestions apportées sur le manuscrit et tout particulièrement pour son aide inestimable à la deuxième partie.

Anita Miller, pour la dactylographie du manuscrit et ses nombreux commentaires constructifs.

Susie Anthony, pour la correction des épreuves et ses nombreuses suggestions utiles.

Toute l'équipe du *Charlotte Observer* pour l'appui et l'encouragement qu'elle m'a témoigné ces dernières années et en particulier Lew Powel (pour la prime), Dannye Romine, Stuart Dim, Bob Ashley, Tom Jones, Joel Blackwell, Polly Paddock, Ken Friedline, Jerry Beldsoe, Pat Borden, Rich Oppel, Dot Jackson et Cynthia Struby.

Les gens d'East Woods Press: Sally Hill Mc Millan, Barbara Campbell et tout particulièrement Linda Benefield, pour sa participation patiente et attentive à la mise en forme du manuscrit.

Et à Willie, pour la dactylographie, la correction des épreuves, les critiques, l'amour et le soutien témoignés et la nourriture de l'âme.

Introduction

Ce livre a vu le jour le matin du 22 janvier 1969. Comme les premiers rayons du soleil perçaient le ciel d'hiver, mon premier-né annonça son arrivée.

J'avais 16 ans et j'allais vers mes 17 ans. Ma femme, Willie, bien plus âgée et bien plus sage, avait 19 ans (et allait, elle, vers ses 20 ans). Nous baptisâmes notre fils Éric Brian parce que cela sonnait avec force et audace. Il était, nous n'en doutions pas, voué à de grandes choses. Lui donner un tel nom, c'était bien le moins que nous puissions faire pour l'aider dans sa marche triomphale.

À cette époque, j'étais au milieu de ma dernière année de baccalauréat et je venais d'être accepté à un programme de maîtrise en psychologie. Oui, le papa d'Éric Brian allait devenir un psychologue. Vous savez: prédire l'avenir, lire dans les esprits, et connaître la question de toutes les réponses.

Élever Éric allait être du gâteau. Après tout, mes intentions étaient pures ("Je lui donnerai toujours ce que je peux de mieux"), mes idéaux élevés ("Je ne le traiterai jamais comme mes parents m'ont traité") et de plus, j'allais bientôt savoir tout ce que l'on peut connaître des êtres humains, de la naissance à la mort, l'intérieur comme l'extérieur.

Et puis, il y avait Willie. Elle avait grandi au milieu de cinq frères et soeurs plus jeunes et connaissait donc tout ce qu'il fallait savoir sur le plan pratique de la façon d'élever les enfants: les nourrir, les changer, leur faire faire leur renvoi, les baigner et le reste. La mère idéale! Le père idéal! Et donc, l'enfant parfait, sans problème!

Éric nous fit bientôt savoir que notre perfection ne l'impressionnait guère. Pendant quelques semaines, Willie lui donna le sein (la mère parfaite). Éric lui témoignait le peu de cas qu'il faisait de cette générosité en hurlant avant et après chaque tétée. Willie en conclut qu'elle n'avait pas assez de lait (la mère un peu moins parfaite); elle changea (en fait, nous changeâmes) pour le lait en bouteille. Mais Éric continuait à hurler.

Éric criait chaque fois que nous le posions. Alors nous le faisions rarement. Quand il était éveillé, c'est-à-dire la plupart du temps, l'un d'entre nous devait le tenir... à la verticale. Horizontalement, ça n'allait pas. Bientôt, même cela n'était pas assez. Il exigeait que nous nous asseyions et rebondissions sans arrêt avec lui avant de daigner cesser ses hurlements. Et pas des petits sauts, s'il vous plaît, mais plutôt de la haute-voltige. En peu de temps les ressorts des deux seuls meubles rembourrés que nous possédions rendirent l'âme.

Cela ne prit guère de temps avant qu'Éric, le fort et l'audacieux, n'exige en hurlant que nous parcourions avec lui toute la maison en pliant et en dépliant constamment les genoux. Évidemment, nous le faisions. Il arrivait parfois qu'il daigne dormir. Mais seulement le jour. La nuit, il hurlait. Willie et moi nous remplaçions pour faire semblant de dormir. Après plusieurs mois de cette vie, nous avons appelé un médecin. "Éric hurle vraiment beaucoup", lui avons-nous dit. Il nous a répondu de relaxer.

Quelques jours plus tard, nous l'appelions à nouveau. "Éric hurle quand nous essayons de relaxer", lui avons-nous dit cette fois. Il nous a répondu que ce n'était qu'une étape. "Est-ce que ça s'arrange?" avons-nous demandé. "En temps voulu", nous assura-t-il.

Nous tenions avec le docteur une ou plusieurs conversations existentielles de ce genre chaque semaine. Rien ne changeait.

Vers l'âge de quinze mois, Éric commença à parler. Ses hurlements devinrent intelligibles. Enfin, presque. Passé maître dans l'art de souligner nos imperfections, il criait pour un verre de lait: "Leu! Leu! " Nous lui apportions le leu. Il le regardait, le jetait à terre et criait pour du jus d'orange: "Juange!" Nous lui apportions le juange. Il le jetait à terre et criait parce que nous n'avions pas pris le verre qu'il fallait. Le bon verre, c'était celui du leu. Nous n'apprenions vraiment pas vite.

Il courait partout et rentrait partout. Willie et moi lui courions après, mettant les choses hors de sa portée. Il apprit alors à grimper.

Lorsque je revois ces quelques premières années de chaos, je m'aperçois que, dans une large mesure, mon éducation ne m'a nullement rendu la tâche de parent plus facile. Au contraire, même. Au lieu de m'aider à comprendre les difficultés qu'en tant que nouveaux parents nous éprouvions, mes études supérieures ne faisaient qu'ajouter à ma confusion. Elles m'avaient appris à accorder trop d'importance à des bricoles.

C'est, je crois, une tendance qu'ont tous les parents et qui leur nuit: ils pensent trop. C'est là notre erreur. Nous nous interrogeons sur ce qu'il faut faire ou sur ce qu'il aurait fallu faire. Nous nous torturons à propos de ce que nous avons fait ou pas fait. Nous nous tracassons avec le conditionnel "qu'est-ce-qui-se-passe-si". Nous cherchons le sens caché du comportement de notre enfant. Réfléchir, réfléchir, réfléchir. Le parent parfait est un parfait penseur. En essayant si fort de refaire le passé et de voir l'avenir, il perd tout contact avec la seule chose qui compte, la seule qui existe: le présent.

Les parents qui attrapent cette étrange maladie deviennent si préoccupés de leurs enfants qu'ils s'oublient eux-mêmes, tellement pris par leurs enfants qu'il leur devient pratiquement impossible de reconnaître qui que ce soit. Ils pensent tellement qu'ils en oublient d'agir. Leur spontanéité sombre dans un océan de soucis et de culpabilité. Ils finissent inévitablement par perdre toute confiance en eux, toute confiance en leurs propres sentiments et en leur bon sens qui pourtant leur dictent ce qui est bien ou mal pour eux et pour eux seul.

Pendant les quatre dernières années, j'ai tenu dans un hebdomadaire une rubrique consacrée à des commentaires et des avis donnés aux parents (et à tous ceux qui s'intéressent un tant soit peu aux enfants et à la famille). Cette rubrique paraît d'abord dans le *Charlotte Observer* puis elle est diffusée dans tout le pays par la chaîne de publications Kinght-Ridder. Ce livre est le fruit de ces écrits hebdomadaires (1978-1981).

Je prétends changer la façon de penser à vos enfants et la façon de penser votre relation avec eux; je prétends vous offrir plus de choix, modifier la manière dont vous réagissez à vos enfants; je veux vous faire partager une compréhension pratique de l'enfance; je veux vous amener à reconsidérer quelques-unes des idées que vous preniez pour acquises et infrangibles.

Mais par-dessus tout, je veux vous aider à améliorer la qualité de vie que vous menez avec vos enfants.

Le texte commence par une histoire: *Des magiciens, des rois et des êtres vivants*, une histoire d'enfants et une fable allégorique pour adultes. *Les magiciens* forment le coeur de ce livre.

Ce qui suit a été divisé en quatre parties. La première (La discipline: une affaire de famille) traite des grandes questions en jeu dans la façon d'élever les enfants. Son but est de vous aider à situer vos responsabilités dans une meilleure perspective. Je veux que vous réalisiez que le succès de votre enfant en tant que personne et votre succès avec lui ne dépendent pas du nombre de sacrifices que vous faites mais de la façon dont vous répondez aux besoins de votre famille, et en particulier à ceux de votre mariage.

Le thème de la deuxième partie (Ce n'est rien qu'une étape) est la croissance. Ces chapitres décrivent quelques-unes des façons dont se manifeste la croissance d'un enfant pendant les treize premières années de sa vie. Cette section vous aidera à comprendre les défis que pose le développement et vous permettra d'aider votre enfant à les surmonter.

Mais pourquoi, vous demanderez-vous peut-être, Rosemond s'arrête-t-il à 13 ans? C'est très simple. C'est tout simplement que je n'ai pas encore vécu moi-même avec un adolescent et, comme dit Bobo: "Qui garde sagement la bouche fermée ne risque pas d'y laisser entrer une ânerie." (Note de l'éditeur: Bobo est l'un des nombreux pseudonymes de l'auteur.)

La troisième partie (Cabinets, colères et autres choses innommables) affronte des problèmes courants et d'autres qui le sont moins, problèmes que les parents peuvent rencontrer en élevant leurs enfants. Elle donne des avis spécifiques sur la façon de faire cesser les petits grognements avant qu'ils ne deviennent des gros.

Quant à la quatrième partie (Quelques questions controversées), elle examine un certain nombre de sujets qui prêtent à controverse. Soyez-en avertis! Si vous lisez cette section vous vous exposez à voir malmenées quelques-unes de vos vaches sacrées.

Si vous lisez les chapitres dans un ordre différent de celui du livre, aucune importance. Mais je suggère tout de même que vous lisiez d'abord *Des magiciens, des rois et des êtres vivants.*

Avant que nous ne poursuivions notre chemin ensemble, un mot d'avertissement s'impose: il ne vous suffira pas pour devenir un parent efficace d'appliquer mes idées telles quelles. Si vous vous en tenez seulement à la *lettre* de mes conseils, ils pourraient se révéler aussi mauvais pour vous qu'ils ont été bons pour moi.

Au contraire, servez-vous de mes idées comme exemples pour vous forger *vos propres* solutions et pour élaborer *votre propre* façon d'élever les enfants. Risquer l'échec c'est aussi risquer le succès, un *vrai* succès. Si vous ne faites que piller mon approche à moi, vous ne risquez rien. Et, au bout du compte, vous n'aurez rien gagné. Prêts à risquer le succès?

Des magiciens, des rois et des êtres vivants

Il y a très, très longtemps, au temps où la magie existait pour vrai, vivait un magicien. Il avait de longs cheveux d'argent qui lui tombaient jusqu'aux épaules et une barbe qui descendait presque à ses genoux, mais on n'aurait pu dire quel âge il avait, puisque les magiciens ne sont ni jeunes ni vieux. Ils sont, tout simplement. Ce magicien-là vivait tout seul dans une caverne située près du sommet d'une montagne qui surplombait une paisible vallée pleine de verdure. Un chemin étroit montait de la vallée à la caverne. Mais le magicien descendait rarement (ou du moins personne ne le vit jamais descendre) et il y avait bien des années que personne n'était monté le voir. Cependant, tout le monde savait qu'il était encore là, parce que, les nuits claires, en regardant vers le ciel, on pouvait toujours voir briller, comme une étoile au sommet de la montagne, une lumière magique.

Dans la vallée, au pied de la montagne, s'étendait un petit royaume gouverné par un roi gentil et doux que tous les gens de la vallée aimaient et respectaient. Le roi était marié à une très belle reine et ils avaient trois fils.

Un jour, le roi fit venir ses fils et leur dit: "Un jour viendra où l'un d'entre vous prendra ma place. Votre mère et moi vous avons donné notre amour à tous trois de façon égale, mais un royaume ne peut se partager. Quand je ne serai plus là, un seul d'entre vous pourra monter sur ce trône et il faut que ce soit le plus capable d'accomplir cette tâche. Il y a longtemps que je réfléchis à cela, et je n'ai pu réussir à en choisir un parmi vous. C'est pourquoi j'ai demandé au magicien de m'aider. Vous devez tous les trois monter à sa caverne et faire ce qu'il vous commande. Allez-y tout de suite, car il est impoli de faire attendre un magicien."

Les fils du roi montèrent donc l'étroit chemin qui menait à la caverne du magicien. Arrivés en haut de la montagne, ils trouvèrent le magicien assis les jambes croisées sur un petit surplomb rocheux à l'entrée de sa caverne. De là il pouvait contempler tout le royaume de la vallée et voir jusqu'où la terre disparaissait sous la mer.

Se tournant vers les trois jeunes princes, il cligna de l'oeil et sourit en voyant la façon fière et gracieuse dont ils se tenaient devant lui, puis il tendit la main et leur dit: "Voici trois graines. Lorsque vous les aurez plantées, chacune d'elles donnera un arbre. C'est votre épreuve. Partez tout de suite, car il est impoli de faire attendre un arbre." Chaque prince prit une des graines dans la main du magicien et ensemble ils redescendirent la montagne en silence.

Le plus âgé planta sa graine en haut d'une petite colline arrondie. Chaque jour, il lui apportait de l'eau claire tirée d'un ruisseau proche. L'hiver, il plaçait de la paille autour pour garder ses racines au chaud. Quand vinrent les orages du printemps, il fabriqua un abri pour la protéger contre les vents violents. Au fil des années, l'arbre devint si gros et si touffu que le soleil ne pouvait percer son feuillage fourni. L'herbe de la colline, sous son ombrage, commença à se dessécher et à brunir. Pendant les mois les plus chauds, le prince se fatigua à amener seau après seau de l'eau de source à son arbre, car celui-ci n'en voulait pas boire d'autre. Pendant l'automne, il peina du lever au coucher du soleil à ratisser et à enlever les milliers de feuilles qui tombaient de ses branches.

Le deuxième prince planta sa graine sur une autre colline, pas très loin. Pour lui, la forme de l'arbre était plus importante que sa taille. Il prenait grand soin, comme l'arbre grandissait, d'émonder ses branches pour qu'elles ne deviennent pas trop épaisses. Avec des cordes il attacha le tronc à des tuteurs de bois pour être sûr qu'il pousse parfaitement droit. Il y lia les branches pour qu'elles se tendent gracieusement vers le ciel. Il inspectait chaque rameau et chaque feuille et coupait ceux qui ne lui plaisaient pas. Il passa presque tout son temps à tailler, attacher et inspecter.

Le plus jeune prince planta lui aussi sa graine sur une troisième colline très proche des deux autres. Quand sa graine devint un arbrisseau, il attacha son tronc à des tuteurs afin qu'il ne se courbe pas et ne se brise pas dans le vent. Mais avec le temps, il enleva les tuteurs et laissa l'arbre se tenir tout seul. Il n'apportait de l'eau à son jeune arbre que lorsqu'il faisait très chaud et qu'il n'avait pas plu. Il émondait juste assez pour laisser passer le soleil. En automne, il ratissait les feuilles pour qu'elles n'étouffent pas l'herbe en dessous. En hiver, c'est *lui-même* qu'il gardait au chaud.

Une nuit, bien des années plus tard, le vieux roi mourut dans son sommeil. Le lendemain, un grand orage descendit de la montagne du magicien. Un vent violent poussait des rideaux de pluie dans la vallée. Les ruisseaux devinrent des rivières tumultueuses et les mares devinrent des lacs. Des nuages noirs couraient dans le ciel. Pendant les deux jours et les deux nuits suivantes, la tempête fit rage.

Le troisième jour après la mort du roi, au matin, la pluie cessa et les cieux s'éclaircirent. En sortant de leurs maisons dans le soleil du matin, les habitants de la vallée regardèrent les trois collines.

Celle sur laquelle l'aîné des princes avait planté son arbre avait été presque complètement emportée par les eaux. Les racines de l'arbre étaient exposées et il penchait lourdement d'un côté.

Il n'y avait plus aucun arbre sur la deuxième colline. La tempête l'avait déraciné et emporté jusqu'à un champ voisin. Il y avait des branches brisées partout. L'arbre du troisième prince, lui, était encore debout, ses feuilles mouillées brillant au soleil. Pendant l'orage, il s'était balancé au vent et il avait tremblé sous les coups de tonnerre assourdissants, mais ses branches ne s'étaient pas brisées.

Cet après-midi-là, les trois frères montèrent une fois de plus l'étroit sentier qui menait à la caverne du magicien. Il était assis sur le même surplomb rocheux, les yeux fixés sur l'horizon. Après un long moment, il les porta sur l'aîné des princes et lui dit: "Tu as donné de l'amour à ton arbre mais tu ne l'as pas guidé. Il est devenu égoïste et exigeant. Il ne voulait pas partager le soleil avec l'herbe en dessous de lui et l'herbe est morte. Parce que la colline n'était plus recouverte, elle a fondu dans la tempête. Tu n'es pas fait pour être roi mais l'amour que tu portes aux autres ne sera pas perdu. Je te donne en plus le savoir et l'autorité. Tu deviendras un grand professeur et les gens de la vallée te respecteront et t'honoreront." L'aîné des princes sentit la main du magicien sur son épaule et ses yeux se remplirent de larmes de bonheur.

Le magicien se tourna alors vers le deuxième prince et lui dit: "Tu as su guider ton arbre mais tu ne lui as pas témoigné d'affection. Sa forme était belle et agréable mais ses racines n'allaient pas assez profond et n'étaient pas assez fortes pour le retenir dans l'orage. Tu ne peux prendre la place de ton père mais toi non plus tu n'auras pas travaillé en vain. Je te donne, à toi, le don d'amour. Tu seras un grand guérisseur parmi les hommes de ton peuple et ils te tiendront en très grande estime." Le deuxième prince sentit la main du magicien sur lui et son coeur s'emplit de joie.

Enfin le magicien se tourna vers le plus jeune et lui dit: "Tu as beaucoup appris dans ces quelques années et tu as mérité la couronne de ton père parce que tu as su donner à ton arbre une proportion égale d'amour et de gouverne. C'est ainsi que tous les êtres vivants doivent être traités. Souviens-toi toujours que si chaque être vivant est un royaume en lui-même, chaque royaume est aussi un être vivant."

Puis le magicien leur dit à tous: "Partez tout de suite car il y a un important travail à faire et vous ne parviendrez même pas à l'accomplir de votre vivant." Sur ces mots, il se détourna et rentra dans sa caverne.

Les trois fils revinrent dans la vallée et se mirent chacun au travail que leur avait donné le magicien. L'aîné devint vraiment un grand professeur et, de son vivant même, les gens de la vallée donnèrent son nom à la grande université qu'ils bâtirent en son honneur. Comme le magicien l'avait prédit, le deuxième prince devint un grand médecin et il vécut lui aussi assez pour voir l'hôpital que les gens de la vallée lui construisirent pour qu'il y poursuive son oeuvre. Le règne du plus jeune fut marqué de grandes choses et depuis lors le petit royaume de la vallée a toujours vécu en paix et en prospérité.

On ne revit plus jamais le magicien, mais aujourd'hui encore on dit que, les nuits claires, on peut parfois voir briller comme une étoile près du sommet de la montagne, une lumière magique.

Première partie

La discipline: une affaire de famille

La dictature bienveillante

Je me souviens encore de ce que disait un de mes professeurs, lorsque j'étais étudiant, il donnait un cours sur le mariage et les relations familiales, sur les différences qu'il faisait entre la famille "démocratique" et la famille "autocratique".

Dans une famille démocratique, disait-il, chacun était considéré comme l'égal de l'autre. L'obéissance (des enfants) n'était donc pas obligatoire et les désaccords se réglaient par des discussions, des négociations et des compromis. La coopération et l'harmonie étaient les marques de la famille démocratique. "C'est formidable!" pensais-je, en me souvenant de la façon dont mes parents avaient brimé ma liberté et me tenaient virtuellement en esclavage avec des formules du genre: "Parce que je l'ai dit."

Au contraire, la famille autocratique était une hiérarchie au sommet de laquelle trônaient les parents. S'ils désobéissaient, les enfants étaient punis et on ne leur permettait pas de prendre leurs propres décisions. Les compromis n'y étaient possibles que dans les termes des parents. L'obéissance, plutôt qu'une joyeuse coopération, était le lot des enfants d'une famille autocratique.

"C'est vraiment moche, me disais-je, exactement comme lorsque j'étais enfant" (avec un accent particulier sur cet imparfait). Je jurais solennellement que lorsque viendrait le temps, je serais, moi, "un papa démocratique".

Treize années et deux enfants ont rendu cette promesse poussiéreuse. J'ai fait de mon mieux, vraiment. Jusqu'à ce qu'Éric ait trois ou quatre ans, je l'ai considéré comme mon égal. S'il n'aimait pas mes décisions, il se roulait à terre et je les reconsidérais. Je trouvais injuste de le *forcer* à obéir, alors il n'obéissait pas. Mais le résultat de cet exercice de la démocratie *ne* fut certes *pas* l'harmonie. Ce fut l'anarchie.

Une nuit, un vieillard à l'air très sage m'apparut en rêve, se présentant comme "l'esprit du futur des Rosemond". Il tenait une boule de cristal dans ses mains. Y plongeant le regard, je vis la famille Rosemond légèrement vieillie, tous ses membres coquettement vêtus d'une camisole de force en acier inoxydable.

Je me réveillai en hurlant, baigné de sueur et la vie avec papa ne fut plus jamais la même depuis.

Maintenant, nos enfants nous obéissent. Nous y tenons. Ils n'ont pas le *droit* de prendre les décisions par eux-mêmes. Mais nous leur donnons le *privilège* d'en prendre *beaucoup* en nous réservant, comme notre *droit*, la possibilité de supprimer ce privilège chaque fois qu'ils en abusent ou que les résultats prévisibles de ces décisions ne sont pas de notre goût.

Le compromis est possible, mais à *notre* discrétion. En bref, nous avons créé une sale vieille famille autocratique où Willie et moi sommes des dictateurs, des "dictateurs bienveillants", pour être exact.

Les dictateurs bienveillants sont des autorités douces qui comprennent que leur pouvoir est la pierre angulaire du sentiment de sécurité qu'éprouvent leurs enfants. Les dictateurs bienveillants gouvernent par la grâce de l'autorité naturelle. Ils savent ce qui est mieux pour leurs enfants. Ils ne prennent aucun plaisir à commander aux enfants. Ils gouvernent, parce qu'ils le *doivent*. Ils préparent leurs enfants au temps où eux-mêmes devront se gouverner et gouverner leurs *propres* enfants.

Les dictateurs bienveillants n'ont pas besoin d'inspirer la crainte pour exercer leur influence. Ils sont des autorités mais *ne* sont *pas* autoritaires. Ils n'exigent pas une obéissance aveugle. Ils encouragent, au contraire, les questions mais se réservent les décisions finales. Ils restreignent certes la liberté de leurs enfants, mais *ne* sont *pas* des tyrans. Ils restreignent pour protéger et guider. Ils établissent des règles acceptables et ils les font respecter avec fermeté. La vie avec un dictateur bienveillant est prévisible et rassurante pour les enfants. Ce faisceau de certitudes garantit plus de liberté qu'il ne serait possible dans toute autre circonstance.

En fait, qu'ils l'admettent ou pas, tous les parents sont des dictateurs d'un genre ou d'un autre. Certains sont plus bienveillants que d'autres et d'autres sont même trop bienveillants.

Cela peut être plutôt difficile à accepter parce que nous associons généralement les dictatures avec l'oppression, la torture et les disparitions inexplicables de certaines personnes. Mais une dictature c'est d'abord un système de gouvernement où une seule personne dirige et assume la responsabilité des décisions qu'elle prend pour un groupe de gens qui compte sur elle pour en prendre de bonnes. Et c'est justement là ce que font les parents, n'est-ce pas? Que vous le vouliez ou non, les parents sont des dictateurs, de préférence des dictateurs à l'âme bienveillante.

Il y a quelque temps, je parlais devant un groupe de médecins, expliquant mon idée de la famille comme une "dictature bienveillante". L'un d'eux, l'air troublé, me lança cette objection: "Je pense que vous généralisez trop cette idée. Votre "dictature bienveillante" peut sans doute très bien fonctionner avec des enfants très jeunes, mais avec des adolescents par exemple, c'est autre chose; on doit leur donner plus de liberté et plus de possibilités de prendre leurs propres décisions."

"Oui! répondis-je, ce que vous dites est tout à fait vrai et correspond parfaitement à ma dictature bienveillante."

"Voyez-vous, ajoutai-je, le mot clé dans ce que vous avez dit est "leur donner". Et je suis parfaitement d'accord. Les parents doivent être disposés à donner à leurs enfants, à mesure qu'ils grandissent, plus de liberté et plus de choix, et même à certains moments la liberté de faire des erreurs. Mais on doit toujours contrôler la décision de donner. *Jamais*, aussi longtemps que nos enfants dépendent de nous, il ne faut leur laisser un contrôle total de leur vie."

Il n'existe aucune possibilité de relations démocratiques entre parents et enfants, aussi longtemps que les enfants vivent à la maison et dépendent des parents pour leur protection légale et leur soutien économique.

Jusqu'à ce que l'enfant quitte la maison, il n'y a place que pour des *exercices* de la démocratie, exercices soigneusement orchestrés par les parents.

Certes, il *faut* donner de plus en plus d'indépendance à l'enfant, à mesure qu'il mûrit, mais il faut que cette indépendance soit *accordée* par une autorité qui n'est pas menacée. C'est le *droit* des parents d'accorder ce privilège et c'est aussi leur *droit* de le retirer. À l'intérieur de ce cadre, les enfants apprennent la valeur de l'indépendance, non pas comme quelque chose que l'on peut prendre pour acquis mais comme quelque chose qu'il faut conquérir, donc quelque chose qui vaut la peine qu'on en prenne soin. C'est vous le patron. Pour *leur* bien.

Votre mariage d'abord

Il y a plusieurs mois au début d'un atelier que je donnais pour quelque cinquante mères au travail, j'écrivis au tableau: "Dans ma famille, ce sont d'abord les enfants qui comptent." Je leur demandai si cette formule correspondait bien à leurs priorités. Plus de la moitié leva la main pour reconnaître cette préséance. J'ai depuis renouvelé plusieurs fois l'expérience avec divers publics pour obtenir toujours les mêmes résultats.

Il semble que nous créons nous-même nos propres problèmes. "Mes enfants d'abord" c'est un aller simple pour l'endroit où les parents s'inquiètent de ce que leurs enfants récriminent, discutent et refusent d'obéir à leurs exigences jusqu'à ce que ces mêmes parents perdent patience, crient et plongent la tête la première dans le trou noir qu'on nomme *culpabilité*. C'est un endroit où les maris rentrent à la maison pour entendre leurs femmes se plaindre de ce qu'elles consacrent tellement d'énergie à être mères qu'elles n'en ont plus pour être épouses. C'est un endroit où les gens souffrent, mais cachent leur peine derrière le fameux "mes enfants d'abord".

Il est facile de comprendre comment les gens se fourrent dans un tel guêpier. La plupart des parents y sont passés, certains pour une simple visite, d'autres pour y rester.

D'une part, notre préoccupation collective pour les enfants et l'enfance vient de notre obsession de la jeunesse en général. D'autre part, cela découle de l'attitude qui consiste à se dire "ce sera plus facile pour mes enfants que ça ne l'a été pour moi", attitude prédominante chez les parents des enfants nés pendant l'explosion démographique qui a suivi la Deuxième Guerre mondiale.

Mais quelles que soient les racines du mal, un fait demeure: nous avons placé nos enfants dans une position de prééminence dans la famille. Nous avons placé l'"enfant" sur un piédestal et adopté une attitude d'autosacrifice et de révérence à l'endroit de son "potentiel", de son "auto-estime". Nous avons fait entrer dans notre vocabulaire les phrases: "famille centrée sur l'enfant" et "famille démocratique", en paraissant ne pas réaliser que lorsqu'un enfant est considéré comme le centre de la relation parentale ou comme un égal de ses parents, c'est la relation entre ceux-ci qui est menacée.

Il n'y a qu'une seule place convenable pour un enfant dans la famille: la banquette arrière. Le mariage doit monopoliser le siège avant.

Le mariage c'est l'assise sur laquelle est bâtie la famille et *tous* dans la famille en dépendent. Le mariage c'est ce qui compte et comptera toujours. Le mariage précède les enfants et devrait leur *survivre*. Mais si vous mettez vos enfants au premier plan, si vous organisez votre vie autour de leur présence, si vous pensez que la famille est synonyme de leur existence, le tissu de votre relation avec votre conjoint peut finir par céder aux tiraillements et à l'usure de la vie en commun.

Le mariage est le noyau de la famille. Il crée, définit et soutient cette dernière. Il transcende l'identité des deux personnes qui l'ont contracté et en plus un bon mariage non seulement préserve ces identités mais les fait même s'épanouir.

Dire que vous vous devez à votre mariage autant qu'à votre conjoint, c'est reconnaître que vous êtes un partenaire égal. Pour que le mariage reste viable, en effet, il faut que vous preniez soin tout autant de *vous-même* que de l'autre, ni plus, ni moins.

Mais alors, les enfants? Précisément... les enfants?

Les besoins des enfants sont comblés si ceux du mariage le sont. Les enfants qui ressentent la relation des parents comme un noyau de perpétuelle stabilité au centre de la famille se sentiront aussi en sécurité que possible.

De l'exemple de leurs parents, ils apprennent à partager, à marquer leur désaccord d'une façon qui ne menace la dignité de personne et ils apprennent l'art humain de se soucier de l'autre. Ils découvrent qu'ils ne font pas partie de la relation qu'entretiennent leurs parents, et cependant ils finissent par réaliser que *c'est* cette relation qui les nourrit et les protège.

Les enfants découvrent qui ils sont eux-mêmes en découvrant qui sont leurs parents et qui ils ne sont pas. Ils découvrent leur place en se faisant dire où elle *ne peut* être.

C'est cette conscience claire de la "séparation" qui favorise le développement de l'autonomie et amène les enfants à réaliser leurs propres promesses.

Aucun enfant sur cette terre n'a besoin de plus que cela.

Les parents indépendants

Ce chapitre concerne les personnes seules qui élèvent des enfants, mais il n'est pas écrit uniquement pour elles. Il s'applique également à tous, mariés ou non, parents ou non. Car il traite des pièges que nous nous tendons à partir de mythes et de morceaux épars de contes de fée.

Je pense en particulier au mythe qui colore la perception que nous avons des parents uniques (et la façon dont les parents uniques se voient eux-mêmes). Il court beaucoup de mythes à ce sujet, mais le plus répandu est celui qui prétend qu'élever un enfant (ou des enfants) est bien plus difficile seul qu'avec un partenaire.

C'est tout simplement faux. Élever seul un enfant est sûrement *différent* de l'élever à l'intérieur d'une famille intacte, mais c'est seulement aussi *difficile* que veut bien le croire le parent unique.

Pour chaque argument en faveur de la thèse qui veut qu'élever un enfant soit une tâche herculéenne pour une personne seule, il en existe un autre qui interprète les faits de façon plus optimiste. On peut, par exemple, faire remarquer que les parents uniques méritent de la sympathie parce qu'ils sont constamment en première ligne et qu'ils n'ont personne pour leur remonter le moral. Mais on peut dire tout aussi bien que la tâche familiale d'un parent unique est relativement peu compliquée.

Un parent unique peut maudire sa solitude en disant: "Je dois prendre seul *toutes* les décisions", alors qu'un autre se réjouira de son indépendance en disant: "J'ai la chance de pouvoir prendre seul toutes les décisions." Comme dans toute autre entreprise il y a des avantages et des inconvénients. Choisissez votre propre situation.

Qui a raison? Tout le monde! Si vous pensez qu'élever des enfants seul est une épreuve insurmontable, c'est précisément ce qui va se passer. Mais si, au contraire, vous vous convainquez vous-même qu'élever des enfants en étant indépendant est une des plus grandes chances de mener une vie créative que vous n'ayez jamais eue, vous utiliserez cette force positive pour créer pour vous-même et vos enfants. Quoi que nous pensions de nous-même, nous parvenons généralement à prouver que c'est la vérité.

Ce problème d'attitude à l'endroit du parent unique n'existerait peut-être pas s'il n'y avait pas toute une panoplie, encore plus insidieuse, de mythes concernant le mariage. Ils consistent, en général, à dire que le mariage peut faire pour nous ce que nous ne nous sentons pas capables de faire nous-même, c'est-à-dire nous rendre complets, heureux et comblés. Cette illusion ne fait pas que détruire bien des mariages, elle sème, une fois perdue, la désillusion et le désespoir. Dans la vie, le mariage ne rend pas quelqu'un heureux et le divorce ne détruit pas toute chance. C'est nous-même qui nous rendons heureux, nous-même qui nous rendons malheureux (ou furieux, ou amers ou rancuniers ou quoi que ce soit d'autre).

Les enfants de foyer séparé sont plongés en plein mélodrame. L'opinion la plus répandue veut qu'ils soient meurtris, qu'il manque quelque chose à leur vie et que cela les handicape à jamais, *amen*.

Le mythe veut que les enfants aient deux parents. La vérité est que les enfants ont besoin de deux parents qui s'aiment. La vérité est qu'il vaut mieux pour eux avoir un seul parent mais qui se soucie d'eux, plutôt que deux qui ne se soucient vraiment pas l'un de l'autre.

Ceux qui croient le mythe voulant que les parents uniques soient battus d'avance ont choisi leur défaite. Leurs sentiments d'impuissance, de colère, de solitude et de frustration c'est à eux-mêmes qu'ils les doivent entièrement. Car, pour le meilleur ou pour le pire, nous sommes responsables de nous-même.

Si vous êtes un parent unique, vous êtes tout aussi capable d'élever des enfants sains et heureux que deux parents, quels qu'ils soient. Bien sûr, vous ne pouvez être à la fois une mère et un père, mais vous pouvez être une personne totale, comblée et qui jouisse suffisamment de vitalité pour pouvoir partager avec ses enfants.

La tâche n'est jamais trop lourde pour une seule personne si cette personne est assez forte pour la tâche. Voulez-vous le croire?

Respecter son enfant: un autre point de vue

Dans les vingt-cinq dernières années, nous sommes devenus de plus en plus dépendants d'experts qui nous disent comment élever nos enfants. Dans ce processus, nous sommes devenus plus enfantins dans notre attitude de confiance aveugle à l'endroit de leur "expertise". Malheureusement, certains de leurs conseils se sont révélés plus nuisibles qu'utiles.

L'école des experts permissifs nous a enjoint de "respecter" nos enfants. Ils n'ont guère été explicites sur ce que cela entraîne, parce que nous ne leur avons pas demandé de l'être. Ils sont, après tout, les experts.

En employant cette formule de "respect des enfants" ils veulent dire que les parents devraient traiter leurs enfants démocratiquement, comme des égaux. La plupart d'entre nous conviennent que tout être humain est digne de respect. Et certes les parents *devraient* respecter leurs enfants, mais pour ce qu'ils sont, pour ce qu'ils sont en train de devenir, *pas* comme des égaux.

Le respect entre parents et enfants est un courant qui va dans les deux sens mais ce qui passe dans chacun des sens est différent *en tous points*.

Les enfants respectent leurs parents en leur obéissant. Les parents, quant à eux, respectent leurs enfants en exigeant d'eux qu'ils obéissent.

Les parents qui se font obéir respectent un des besoins les plus essentiels de leurs enfants.

Malheureusement bien des parents assimilent l'obéissance à la passivité. Ne voulant pas élever des enfants passifs, ils s'arrangent pour trouver des moyens de les dispenser d'obéissance. Ces parents-là craignent souvent qu'en faisant obéir leurs enfants ils ne briment leur indépendance.

C'est le contraire qui est vrai. L'apprentissage de l'obéissance *augmente* l'indépendance d'un enfant.

Les enfants obéissants ont des parents qui établissent des limites claires et les font respecter. À l'intérieur de ce cadre précis, les enfants obéissants sont libres d'être curieux, d'explorer, d'inventer, bref, d'être aussi indépendants que le leur permet leur maturité.

Comparez ce type de respect avec celui qu'exigent les parents autoritaires, qui généralement assimilent le respect à la crainte. Les enfants qui craignent leurs parents n'obéissent pas, ils se soumettent. Les enfants qui obéissent, au contraire, ne sont pas craintifs. Ils ont confiance en eux-mêmes et se sentent en sécurité. Ils se sentent même assez confiants pour pouvoir se permettre certaines rébellions.

Les enfants qui craignent leurs parents deviennent souvent sournois, ils apprennent à mentir pour échapper aux restrictions qu'on leur impose. Les enfants obéissants ont, eux, beaucoup plus de chance d'être honnêtes et francs, parce qu'on les a traités honnêtement et en fonction de ce dont ils ont *vraiment* besoin.

À l'opposé des parents autoritaires, certains parents n'exigent aucun respect. Les enfants dont les parents ne réclament pas l'obéissance vivent dans un monde où les limites sont perpétuellement mouvantes. Tantôt ils voient ces limites, tantôt ils ne les voient pas. Les "règles" des parents sont cachées et les enfants sont forcés de les chercher. Leur recherche est généralement désordonnée et attire la désapprobation.

C'est pourquoi on les dit "désobéissants". Je soutiens, cependant qu'il *n*'y a *pas* d'enfant désobéissant; il n'y a que des parents qui refusent d'accepter leurs responsabilités et des enfants qui sont des boucs émissaires.

Les enfants qui ne connaissent pas les limites doivent dépendre de leurs parents et des récompenses reçues quand ils parviennent à découvrir un des secrets de ces parents. Mais l'obéissance est sa propre récompense. Car, dans la mesure où les enfants acceptent les limites définies par les parents et agissent de façon responsable à l'intérieur de ces limites, celles-ci peuvent être insensiblement repoussées plus loin. Et à la fin, les enfants n'ont plus besoin de quelqu'un d'autre pour définir les limites à leur place. L'obéissance pave donc la voie à la maturité.

Parlons strict

Peu de mots, dans le discours "parental", ont été, de façon générale, aussi mal employés et mal compris que "strict". Non seulement ce terme est-il tombé dans le plus profond discrédit mais son sens originel s'est transformé jusqu'à n'être plus reconnaissable.

Presque tout le monde aujourd'hui convient que "strict" est synonyme de sévère, autoritaire, inflexible, dictatorial, rigide, puritain, dogmatique, dur, tyrannique.

Strict! Sa *sonorité* même est dure, comme le claquement d'un fouet.

En ces temps de "fais ce qu'il te plaît", le parent strict est perçu comme une sorte de Simon Legree qui garde un oeil bilieux ouvert sur ce que ses enfants font (ou même *pensent* faire) de mal, et l'autre aveugle à ce qu'ils font de bien. Mais rien de cela n'est vrai. Les parents stricts ont, en fait, été stigmatisés et calomniés par les permissifs qui voudraient embrouiller nos vies comme ils embrouillent le langage.

Pour commencer à blanchir un peu ce malheureux adjectif, signalons qu'il n'y a pas si longtemps (avant qu'il ne soit à la mode d'idolâtrer les enfants et de les laisser nous fouler aux pieds), le fait d'être "strict" dans l'éducation des enfants était considéré comme une vertu. Au temps où les enfants étaient des enfants et les parents des responsables, être strict voulait dire définir clairement les règles et les faire respecter.

Et qu'y a-t-il de mal à cela? Rien du tout. En fait, il est absolument juste et bien d'être strict à l'ancienne.

Les parents stricts, au bon sens du mot, rendent un fier service à leurs enfants, de bien des façons:

- Ils manifestent clairement leurs attentes, laissant peu de place aux malentendus.
- Ils sont fermes dans leurs décisions. Certains peuvent changer d'avis comme de chemise (comme dit le vieux dicton), mais pas eux. Leurs enfants savent donc ce que veulent de tels parents.
- Ils apprennent à leurs enfants à n'attendre rien d'autre d'une situation que ce qu'ils sont prêts à y mettre. Graduellement les enfants acquièrent une batterie de méthodes qui les font expérimenter par eux-mêmes, meilleur gage d'une vie productive et gratifiante.
- Ils savent que leurs enfants comptent sur eux pour les remettre sur le droit chemin et ils corrigent les errements inévitables des enfants d'une main ferme.

Des parents stricts doivent être disciplinés et mettre en pratique ce qu'ils prêchent. Par-dessus tout, ils comprennent l'importance des règles.

Les règles protègent. Elles assurent le bien-être physique et émotionnel d'un enfant. Elles tempèrent et régularisent les allées et venues d'un enfant dans le monde. Les enfants sont perdus sans elles. Paradoxalement, une règle c'est à la fois une contrainte et une garantie de liberté.

Une règle mal définie, non respectée ou respectée sporadiquement n'est pas une règle. C'est une fraude, une duperie et sous la domination d'une telle "règle", l'enfant est une victime, un prisonnier de l'incertitude. Au contraire, l'enfant qui vérifie une règle (comme les enfants le font toujours) et la découvre prévisible est alors libre de fonctionner de façon constructive à l'intérieur des limites de cette règle.

Il y a peu de temps, mon fils Éric (qui a maintenant 11 ans) et moi parlions d'une de ses amies et la conversation dévia vers ses parents. Je lui demandai quelle impression ils lui faisaient et il répondit: "Ils sont très gentils mais, disons, stricts, t'sais?" Intrigué, je répliquai: "Non, Éric, je ne sais pas. Je ne t'ai jamais entendu dire ce mot avant ça. Qu'est-ce qu'il veut dire pour toi?" Il réfléchit un moment. "Ça veut dire, dit-il, ça veut dire, euh! par exemple, ils ne la laissent pas s'en tirer avec les choses qu'elle ne devrait pas faire." "Je vois. Eh bien!, Éric, est-ce que *moi* tu me trouves strict?" "Oui, dit-il sans hésiter, mais je crois qu'*il faut* l'être quand on élève des enfants." La vérité sort de la bouche des enfants.

Le bruit d'une main qui s'abat

Je donne la fessée à mes enfants ou, pour être plus précis, *j'ai déjà fessé* mes enfants et je le referai n'importe quand, si c'est nécessaire. Ou peut-être ne le referai-je pas.

Si je le fais, ce ne sera pas pour y avoir mûrement réfléchi ou parce que je pense que les enfants *doivent* recevoir des fessées ou ont trop tiré sur la corde, mais simplement parce que j'en *sentirai* le besoin. J'ai appris, dans ces presque treize années passées à élever mes enfants, à faire confiance à mes impressions.

Voyez-vous: "fesser ou ne pas fesser" *n*'est *pas* la question. La question, indépendamment de ce que vous faites ou ne faites pas, est simplement: "Est-ce que ça marche?"

Il y a deux ans, j'écrivis dans un magazine que la fessée n'est pas la grosse et sombre tragédie qu'on en a fait. Ce n'est pas une tragédie mais les gens qui sont obnubilés par les enfants découvrent, dans une fessée, de quoi sont faites les tragédies. Après la parution de cet article, un de ces fabricants de drames me dit que j'avais, en fait, approuvé là les mauvais traitements infligés aux enfants. Une autre personne me dit que mon attitude la "gênait" parce qu'"elle jouait en plein le jeu de ceux qui pensent 'qui aime bien châtie bien'."

En fait ce qui gênait le plus mes critiques c'est que je ne partage pas leur vision du monde dont une partie repose sur le mythe qui veut que les enfants qui reçoivent des fessées: a) se haïssent d'être de si vilains enfants; b) apprennent à résoudre les problèmes en cognant sur les autres; c) seront un jour des bourreaux de leurs propres enfants; d) deviendront des criminels violents ou e) les quatre à la fois.

J'ai des petites nouvelles pour vous: ces mythes sont faux. Les facteurs sociaux, économiques, politiques et psychologiques qui se combinent pour produire les criminels, les bourreaux d'enfants, les fiers-à-bras et les névrosés sont bien trop complexes pour que même un ordinateur puisse les cerner. Suggérer que les fessées jouent un rôle majeur dans la formation de tels comportements sociaux est tout simplement ridicule.

J'ai d'autres bonnes nouvelles. Il est possible de fesser un enfant *convenablement, justement* et que cela *marche*. Le problème des fessées, c'est que la plupart des parents en font un affreux gâchis.

Le scénario type d'une fessée commence avec un enfant qui fait quelque chose de nettement inadmissible, par exemple, sauter d'une table basse sur un sofa. Ses parents réagissent par des bredouillements, des balancements du torse et des mouvements de bras. L'enfant remarque qu'à part leur confuse agitation, ils n'ont en fin de compte rien fait. Il enregistre ce précieux message dans un centre d'information de ses neurones avec l'étiquette "haute priorité".

Quinze minutes plus tard, il grimpe à nouveau sur la table et saute sur le sofa. Ses parents marmonnent, se balancent et agitent les bras comme précédemment. Et cette fois encore rien ne se produit. Remarquable! Quinze minutes plus tard, il saute encore. Mais cette fois-ci, avant qu'ils aient fini de s'agiter, l'un des parents dit: "Si tu recommences, je te donne une fessée! As-tu compris?" Bien sûr qu'il a compris. Il sait reconnaître une menace quand il en rencontre une.

Pendant ce temps, ses parents sont de plus en plus frustrés par sa "désobéissance" ou son "insouciance" ou quelque autre terme qu'ils utilisent pour éviter d'assumer la responsabilité de ce qui est en train de se passer.

Cinq fois de plus, l'enfant saute et les cinq fois, ses parents marmonnent, s'agitent et menacent. Au neuvième saut, il brise un vase de cristal importé. Ses parents fondent sur lui comme des furies, lui tapant sur le postérieur à tour de bras et criant: "On t'a dit de ne pas sauter et voilà, regarde ce que tu as fait!" Pendant plusieurs heures après l'incident, la maison est plongée dans une atmosphère de drame. Personne ne parle; personne ne rit. L'enfant se sent dupé. Les parents se sentent coupables. L'un dans l'autre, c'est une perte de temps, d'énergie, d'intelligence et... de cristal importé. Mais ce n'est pas la fessée qui en est la cause. C'est la façon dont elle a été donnée.

Règle numéro un: d'une fessée bien administrée: *n'attendez pas*. Pour moi, la fessée est la première solution. Cela ne veut pas dire que je fesse pour tout ni même que je fesse beaucoup. En fait, je fesse rarement, mais quand je décide, tout à fait arbitrairement, que la situation l'exige, je le fais, un point c'est tout.

Règle numéro deux: *ne menacez pas*. Pourquoi cette dramatisation? Une menace n'est rien d'autre qu'une supplication, une façon gênée de demander à l'enfant de vous épargner "la vilaine chose" que vous êtes sur le point de faire. Une menace, c'est de l'irresponsabilité et de la paresse. *Toute* menace est un non-sens.

De plus, la rançon de l'inaction est une frustration qui s'accumule, de menace en menace, jusqu'à l'explosion quasi inévitable et absolument sans valeur.

Règle numéro trois: *servez-vous de vos mains*. Une fessée, c'est une expression non verbale d'autorité et de désapprobation de *votre* part. Il faut donc qu'il y ait un contact direct, d'individu à individu.

Règle numéro quatre: *pas de "hit and run"*. Une fessée n'est pas la fin de quelque chose, c'est, ou ce devrait être, le *début* d'autre chose. Après la fessée, il est important de parler. Ne vous excusez pas, parlez net, simplement: "Maintenant que j'ai réussi à avoir ton attention, parlons un peu de la vie avec ta maman."

D'une formule simple et brève, exprimez vos sentiments sur ce que l'enfant a fait et insistez nettement sur le fait que sa bêtise a enfreint les règles. Ne demandez pas des excuses ou des promesses d'être sage. Dites ce que vous avez à dire, orientez l'enfant vers une meilleure direction et laissez faire le reste.

Le but *n*'est *pas* de faire mal à l'enfant mais: 1) de mettre rapidement fin à un comportement inacceptable; 2) de rappeler votre autorité à l'enfant; 3) de manifester votre colère de façon relativement modérée et 4) de saisir l'attention de l'enfant pour un moment de conversation sérieuse.

Habituellement, mes enfants ne savent pas à quel moment ma main va s'abattre sur leur derrière. Je ne fesse pas pour une chose plutôt qu'une autre; ils ne peuvent donc prévoir quand une fessée se prépare. En général, je fesse en réaction à un défi ouvert, une désobéissance délibérée ou des manifestations flagrantes d'irrespect. Mais, dans toutes ces circonstances, la fessée n'est qu'*une* des façons dont je puis m'exprimer. Ce qui compte, c'est que je fesse longtemps avant d'en "avoir assez". De cette façon, je ne vais jamais jusque-là.

Parler net

"Parce que je l'ai dit" était une des formules favorites de mon père. Je discutais beaucoup avec lui et c'était sa façon radicale de me clore le bec.

À seize ans, je jurai solennellement sur une pile de disques rock de ne jamais dire "parce que je l'ai dit" à mes enfants. Je ne serais pas *ce genre* de père.

J'allais donner à mes enfants leurs *responsabilités* et toutes les chances de prendre les décisions eux-mêmes. Après tout, c'étaient les années soixante et la liberté individuelle était dans l'air. Un fils me vint en ces temps incertains.

Trois ans plus tard, les temps n'étaient pas moins incertains pour lui. C'étaient les années soixante-dix et la colère était dans l'air. Il finit par devenir clair qu'Éric n'aurait jamais suffisamment de maîtrise de soi pour prendre des décisions sensées à moins que je ne sois d'abord décidé à agir de façon décisive. Je remis donc les boeufs devant la charrue et montai sur le siège du conducteur.

Je tique encore un petit peu au son de "parce que je l'ai dit", mais je pense que papa tenait là une bonne idée: les petits enfants (je veux dire la marmaille de moins de cinq ans) retirent un immense profit des raisons qu'on leur donne, pourvu qu'elles soient exprimées en un maximum de vingt-cinq mots d'une ou deux syllabes. Mais quand la réponse à un "Pourquoi?" est longue, complexe ou arbitraire, l'enfant devrait entendre malgré tout un message clair qui dit, en fait: "Je m'occupe de tout."

La vérité est que, parfois, la raison la plus honnête, la plus franche et la plus forte (à ne pas confondre avec la plus autoritaire) que l'on puisse donner d'une décision ou d'une instruction est: "Parce que je l'ai dit."

Le problème avec papa, c'est qu'il n'a pas su s'arrêter. Je l'ai encore entendu dire: "Parce que je l'ai dit" alors que j'étais au collège. Mais il m'a quand même appris une bonne leçon: ne jamais utiliser cinquante mots quand six suffisent.

Alors, quand mes enfants veulent savoir "pourquoi", je réponds parfois "parce que je ne veux pas" ou "je l'ai décidé, un point, c'est tout". Que voulez-vous, je suis un enfant du "parce que je l'ai dit".

Le jeu des parents

Il existe un jeu que j'appelle "veux-tu" et que les parents jouent avec leurs enfants. "Veux-tu" commence lorsqu'un des parents veut que l'enfant fasse quelque chose, en général quelque chose de simple, par exemple que l'enfant s'asseye sur le siège arrière de la voiture. Mais les parents ont la fichue manie de rendre les choses simples compliquées et même obscures.

Pour jouer à "veux-tu", le parent doit sembler indécis, comme s'il ne savait pas vraiment ce qu'il *veut* que l'enfant fasse. C'est pourquoi il ne s'exprime pas de façon impérative, ne commande pas. Au contraire, il formule ses ordres comme des questions et pose ces questions d'une petite voix suppliante.

Par exemple, plutôt que "tu vas t'asseoir sur le siège arrière" ou "assieds-toi sur le siège arrière", la mère dit: "Veux-tu t'asseoir sur le siège arrière pour que maman puisse s'asseoir en avant? Cette formule et son ton disent à l'enfant que maman a besoin de son aide pour prendre cette difficile décision. L'enfant aide avec joie: "Non! Je veux m'asseoir devant. Toi, assieds-toi derrière."

À ce stade, le ballon est en jeu, que le plus rapide des joueurs l'attrape! Souvent les parents commettent une faute en changeant les règles et en se fâchant: "Dis donc, je t'avais dit de t'asseoir derrière, allez, monte!" Cela est faux, puisque la mère n'a rien *dit* à l'enfant. Mais la faute n'est jamais sifflée, à moins que l'autre parent ne fasse l'arbitre.

Le plus souvent, "Veux-tu" ne se termine pas de façon aussi abrupte. Habituellement la mère (ou le père, bien sûr) négocie un compromis grâce auquel l'enfant obtient ce qu'il veut et la mère se retrouve dans une situation qui la gêne (prendre l'enfant sur ses genoux).

Les parents jouent à "veux-tu" pour éviter les conflits, la nécessité d'abattre leur jeu et l'embarras. Et ça marche! Mais ce qu'ils y gagnent n'est pas du gâteau. Les enfants apprennent rapidement à reconnaître quand leurs parents craignent d'affirmer leur autorité et qu'on peut être sûr qu'ils vont céder. Quand vient la question du "qui commande?" si les parents ne courent pas avec la balle, les enfants vont s'en saisir.

Dès le départ la question de savoir qui commande ne devrait jamais se poser. C'est le droit inaliénable ainsi que le privilège de l'enfant d'apprendre de bonne heure dans la vie que ce sont les parents qui dirigent. "Quand les parents font grève, les enfants font de mauvais patrons" (Bobo, 1980).

Comptez les fois où vous avez joué à "veux-tu" avec votre enfant aujourd'hui. Une fois, c'est trop.

Les parents doivent dire à leurs enfants quoi faire et ensuite se tenir prêts à faire respecter leur autorité (attrapez l'enfant et calez-le sur le siège arrière). Ne demandez pas, si vous ne voulez pas vraiment laisser le choix à l'enfant.

Les enfants ont besoin de se faire dire quoi faire par des parents qui ne sont ni effrayés ni gênés d'étaler leur jeu de temps en temps. Les enfants se sentent mieux et plus en sécurité avec des parents qui jouent leur position (et savent où ils veulent s'asseoir).

Elle me déteste beaucoup, pas du tout

Voici la transcription d'une conversation réelle survenue il y a quelques années chez moi.

Les protagonistes sont ma fille, Amy, alors âgée de six ans mais allant vers ses sept ans (et me donnant l'impression que moi j'en avais soixante) et son père — votre tout dévoué — un vrai tyran, comme vous allez voir.

Papa: Amy, tu mets la table ce soir.

Amy: J'ai pas envie. Demande à Éric.

Papa: Je veux que ce soit *toi*. Et *tout de suite*, en plus.

Amy: Je l'ai fait hier.

Papa: C'est vrai, et tu l'as si bien fait que je veux que tu le refasses, ce soir. Et *tout de suite*, en plus.

Amy: Je l'ferai *pas*. C'est le tour d'Éric.

Papa: Bon, puisque tu ne veux pas mettre la table, monte dans ta chambre. Tu descendras quand tu seras décidée à mettre la table.

Amy: Et si j'veux pas et que c'est l'heure de dîner?

Papa: Alors c'est *moi* qui mettrai la table et je t'apporterai ton dîner dans ta chambre et tu y resteras jusqu'à demain matin.

Amy: Ça m'est égal.

Papa: À moi, ça ne m'est pas égal.

Amy: Pourquoi?

Papa: Parce que je veux que tu puisses dîner à table avec nous.

Amy: Bon, d'accord, je dînerai *avec vous*, mais je *ne* mettrai *pas* la table.

Papa: Amy, monte dans ta chambre, *immédiatement*.

Amy: PAPA, SI TU M'ENVOIES DANS MA CHAMBRE; J'Y RESTERAI POUR TOUJOURS!

Papa: Tu mets la table ou tu montes dans ta chambre.

Amy: PAPA, JE NE RESTE PLUS DANS CETTE MAISON! JE VAIS M'EN ALLER!

Papa: Tu mets la table ou tu montes dans ta chambre.

Amy: J'TE DÉTESTE! J'SUIS PLUS TA FILLE! J'VAIS PRENDRE UN AUTRE PÈRE!

Suivit une volée de "TU LE REGRETTERAS" et une autre gamme de "J'TE DÉTESTE".

Je suis persuadé qu'il y a des moments où elle me déteste vraiment, comme quand je la force à choisir entre deux choses dont elle a horreur, par exemple mettre la table ou monter dans sa chambre en punition.

Éprouver de la haine est quelque chose de prévisible, d'authentique et de compréhensible pour un enfant de six ans, dans de telles circonstances. Faudrait-il qu'elle aime avoir à choisir entre Charybde et Scylla? Parbleu non!

Ce n'est pas facile d'être un individu sans presque aucun pouvoir. D'un autre côté, c'est encore pire d'être un enfant auquel, par défaut, on a donné beaucoup de pouvoir. Les enfants veulent le pouvoir, sont frustrés de ne pas en avoir mais ne savent pas quoi en faire quand il leur tombe dans les mains.

Alors, en ce qui concerne Amy, je tiens fermement la bride et il y a des moments où sans doute elle me hait pour cela.

Elle me hait quand je pare ses tentatives de me défier et de s'en sortir victorieuse. Elle me hait parce que lorsqu'elle tente d'engager avec moi une lutte pour le pouvoir, je refuse le combat. Amy ne peut gagner la bataille avec moi, tout simplement parce que je refuse la bataille, quand mon autorité y est en jeu.

Si je luttais avec Amy, cela encouragerait chez elle l'idée fausse qu'elle est mon égale. Elle *n*'est *pas* mon égale. Elle a besoin de ma protection et de mes ressources. Mon égale, elle le sera en temps voulu et j'encourage et chéris cette possibilité. Mais, pour le moment, cette réalité n'est pas prête à naître.

Je ne ferai pas de compromis avec elle sur mon autorité tant qu'elle n'acceptera pas davantage cette autorité. Notre relation n'est pas démocratique, et aucune utopie ne la rendra telle. Amy ne m'a pas *choisi* comme père et je ne me représente pas aux élections familiales tous les trois ou quatre ans. La voix d'Amy dans la direction de la famille et l'organisation de sa vie à elle n'est pas égale à la mienne et *ne* le sera *pas* jusqu'à ce qu'elle quitte la maison. Jusque-là, je décide et je décide même du moment où elle *peut* décider; à ce moment-là je lui explique quels sont ses choix. Elle a le droit de me détester. Dans la mesure où notre relation est claire et franche, elle doit se sentir capable de me le dire.

En passant, Amy a fini par mettre la table, ce jour-là. Les cuillères étaient à gauche et mon napperon était tourné à quatre-vingt-dix degrés. Oh, et puis après!

S'engager: plus qu'une simple tentative

Il y a peu de temps, une jeune femme me demanda mon avis sur un problème qu'elle rencontrait avec sa fille de cinq ans. Ce n'était rien d'inhabituel, mais ce problème pesait sur cette famille depuis deux ans, exigeant beaucoup d'énergie et faisant perdre du temps à tout le monde.

Après avoir écouté les descriptions exaspérées que cette mère me faisait des événements familiaux et après avoir posé quelques questions, je lui dis ce qui me semblait devoir régler la question une fois pour toutes.

Quand j'eus fini, elle haussa légèrement les épaules et dit: "Bon, je vais essayer."

"Ah! non, répliquai-je, essayer ne marchera pas."

"Que voulez-vous dire?" demanda-t-elle, retrouvant son animation.

"Excusez-moi d'être si franc mais la meilleure, la plus indiscutable de toutes les solutions à votre problème ne changera rien si la seule chose que vous fassiez est (et je haussai les épaules) d'essayer."

Cette jeune femme n'est en aucune façon seule dans son cas. Un nombre considérable de parents ne vont jamais au-delà de cette volonté d'"essayer". Et c'est pour cela que tant d'entre eux perdent le contrôle de leurs enfants, et d'eux-mêmes par la même occasion.

"Je vais essayer" n'est rien qu'une autre façon de dire: "je ne peux pas". C'est un aveu de défaite, de reddition et d'impuissance personnelle.

Cela nous amène au point essentiel: lors d'un problème concernant un enfant, l'acte de *faire* est encore plus important que ce que vous faites.

Grâce à ma formation professionnelle et à ma réputation, les parents me posent beaucoup de questions. La plupart commencent par: "*Qu'est-ce que* je dois faire quand..." (c'est moi qui souligne). Cette façon de formuler la question reflète un malentendu fondamental, largement répandu: pour chaque problème spécifique, il n'y a qu'une "meilleure" solution, également spécifique.

Eh! bien non. Pour chaque problème, il existe un nombre incalculable de solutions efficaces. Peu importe celle que vous choisissez, vous pouvez même en inventer une nouvelle, car pour tous les problèmes *sans exception* la *vraie* solution n'a rien à voir avec une technique ou une méthode données.

La solution s'appelle engagement, détermination ou résolution. C'est la volonté de réussir que vous investissez dans la méthode de votre choix (ou de votre invention). La différence entre la méthode et l'engagement, entre le *quoi* et le *faire*, c'est la différence entre la forme et la substance. La méthode n'est rien d'autre qu'un véhicule.

Sans engagement, ce véhicule est condamné à la panne. Sans engagement, votre méthode ne peut rien.

La différence entre la méthode et l'engagement, c'est la différence entre dire: "je vais essayer" et "ce sera comme cela".

L'engagement est la charpente de ce que vous faites, quoi que ce soit. L'engagement est le moteur du changement. Croyez-moi, vos enfants le sauront tout de suite quand vous allez "essayer". Ils vont sentir votre incertitude et votre manque de détermination et *ils ne coopéreront pas avec vous parce que vous ne leur aurez donné aucune raison substantielle de le faire.*

Lorsqu'un enfant vous met à l'épreuve, c'est précisément cela qu'il fait, il vous met à l'épreuve, vous. Pas la forme, la substance. Et quand vous réagissez en démontrant votre volonté de réussir ce que vous faites, vous lui démontrez aussi votre attention à *son* endroit. Lorsque l'enfant sera convaincu de *cela*, il coopérera avec vous.

Sans l'ombre d'un doute.

Qu'est-ce qui est "juste"?

"C'est pas juste!" J'entends cela souvent par les temps qui courent. En fait, j'ai entendu des variations sur ce thème, proférées de façons diverses, du discours au hurlement, pendant plusieurs années.

C'est le thème favori de ma fille de neuf ans, Amy. Pauvre Amy, elle a dû naître avant son temps, le monde n'était pas prêt pour elle. La nouvelle de son arrivée n'a même pas fait les manchettes des médias, rien qu'une photo floue et deux ou trois lignes pour la différencier des autres méchants clichés de bébés présentés dans la même rubrique.

Depuis lors, Amy a essayé de nous convaincre qu'il y a eu une erreur. Maintenant, il était prévu qu'elle devait faire son temps de princesse. Elle avait, sans nul doute, fait plus que son temps de domestique souillon, de paysanne, tous ces genres de trucs qu'on doit tous subir avant d'en arriver à la belle vie. Ça aurait dû être ce tour-là pour elle. Mais quelque chose n'a pas marché. Ce doit être terrible comme déception.

Sa mère et moi ne pouvons même pas lui payer tout ce qu'elle veut. Elle ne comprend rien aux hypothèques et aux versements mensuels sur la voiture. Après tout, il était entendu que le château avait été payé de même qu'une villa sur les bords de la Méditerranée.

Mais le fond du fond, l'insulte suprême, c'est qu'il y avait avant elle un autre enfant dans la famille. Il s'appelle Éric.

Le problème, d'après Amy, c'est qu'on donne parfois des choses à Éric avant de lui en offrir, ou qu'il reçoit quelque chose de plus gros, ou qu'il reçoit deux présents quand elle n'en reçoit qu'un. Il arrive même que papa emmène Éric au magasin pour lui acheter quelque chose et revienne à la maison les mains vides pour Amy.

— C'est pas juste!

— Mais Amy, lui dis-je, des fois toi et moi nous allons au magasin pour acheter quelque chose rien que pour toi. Voyons, tu ne te souviens pas qu'hier nous t'avons acheté un nouveau manteau et une paire de chaussures? Éric, lui, n'a rien eu à ce moment-là.

— C'est pas juste!

Quand on y pense, elle a raison. "Qu'est-ce qui est juste?" je me demande. C'est un concept vague qui n'est rien moins qu'impossible à appliquer.

Ce qui satisferait mes héritiers présomptifs (et qui plus est très jeunes enfants) ce ne serait pas que nous soyons "juste" mais que nous leur donnions tout ce qu'ils veulent. "Juste" veut dire "à moi d'abord" le plus gros et le meilleur.

Lorsqu'il y a plus d'un enfant dans la famille, il n'y a pas moyen d'éviter des explosions à propos de qui a droit à quoi, lequel est le meilleur, le plus brillant, etc.

Alors, que faire? Doit-on essayer de dépenser le même montant d'argent pour chacun des enfants ou leur acheter à chacun le même nombre de choses? Faut-il ramener quelque chose pour Amy chaque fois que nous emmenons Éric au magasin?

Non. Ce n'est pas dans l'intérêt d'Amy que de confirmer son idée que le monde, on peut y compter, va lui fournir en quantité égale tout ce qu'un autre va recevoir. On appelle les enfants qui ont cela dans la tête, en termes familiers, des "enfants gâtés" et les enfants gâtés, quand ils deviennent adultes, ont des chances d'être extrêmement frustrés et malheureux parce que le conte de fées ne se réalise *jamais*.

Je risque en général, pour ma part, une réponse de ce genre: "Cela peut te paraître injuste que papa et maman aient donné quelque chose à Éric et pas à toi. Mais toi et Éric vous êtes différents et nous vous traitons justement comme des personnes différentes. Toi aussi tu viendras des fois au magasin toute seule avec nous."

Parfois l'explication ne fait pas et elle continue son numéro de chant du cygne. Alors je m'en vais, refusant de me laisser prendre. Et à la fin, elle s'arrête.

Ce n'est pas une question de justice. C'est une question d'équilibre.

Défense et illustration de l'inconséquence

La solution de quelque problème que ce soit ne fait que changer la nature du problème. Je ne sais plus où j'ai entendu cette formule, mais elle m'est venue à l'esprit au moment de commencer à écrire sur le fait d'être conséquent.

Peu de gens nieront que cette attitude est une des pierres angulaires d'une bonne éducation des enfants. Moi, je le nie, parce que, tout simplement ce n'est pas vrai. Ce n'est, en fait, rien qu'une brique de plus dans l'édifice.

J'avais pourtant coutume de parler de l'importance de cela comme s'il s'agissait de la Vraie Voie, de la Seule. Je ne le fais plus. Ces temps-ci, je dis plus volontiers: "Il y a un temps pour être conséquent et un temps pour être inconséquent", et j'enchaîne sur les bienfaits de l'inconséquence.

Bien qu'elle ait nettement mauvaise presse, l'inconséquence a fort peu à voir avec les problèmes que rencontrent les parents pour élever leurs enfants. Bien plus, l'idée que les parents *doivent* être conséquents pour réussir a créé au moins autant de problèmes qu'elle peut en avoir résolus.

L'injonction d'être *conséquent avant toute chose* a été formulée par des professionnels bien intentionnés et qui, comme moi, ont plus qu'une légère tendance à être directifs. La croyance que ce qui fait bien fonctionner les organisations humaines c'est la routine et le caractère prévisible des choses est le modèle dont ils se servent pour orienter leur vie privée et professionnelle. Comme cela fonctionne pour eux, ils le recommandent à tous.

Et, jusqu'à un certain point, ils ont raison. Le fait d'être conséquent est aussi essentiel à notre existence que l'huile l'est au bon fonctionnement d'un moteur à combustion interne.

Je suis persuadé que nous serions tous bons pour l'asile si nous n'étions pas capables de combattre la confusion et l'incertitude en organisant nos vies autour d'un faisceau de routines diverses. Mais dans notre enthousiasme, nous des sciences sociales avons trop vendu l'idée que le fait d'être conséquent est l'huile qui fait ronronner nos moteurs sociaux. Et le public a surconsommé cette idée dans des proportions équivalentes. La suralimentation qui en est résultée a noyé nos soupapes et encrassé nos carburateurs.

Certes, les enfants ont besoin de routines. Cela simplifie leurs vies, donne de la sécurité et fournit un cadre solide à l'intérieur duquel la liberté est possible.

Certes, tous les enfants ont besoin de parents qui sont d'accord entre eux sur les règles et les limites qui doivent guider le développement de l'enfant.

Mais, non, il *n*'est *pas* indispensable que les parents soient d'accord sur la façon de faire respecter ces règles. Dans la mesure où ils se sentiront obligés d'être d'accord, les parents s'attireront des problèmes.

Il est irréaliste d'attendre de deux personnes fondamentalement différentes et qui se sont mariées avec chacune ses idées sur les enfants qu'elles soient d'accord sur une seule batterie d'instruments à utiliser pour régulariser le comportement d'un enfant.

La boîte à outils de chaque parent est différente et chacun se sent familier et adroit avec son propre jeu d'outils. Maman a, par exemple, tendance à asseoir Junior sur la chaise qu'il aime le moins lorsqu'il désobéit, alors que papa préfère lui chauffer les fesses. Et après? Il n'y a là aucun conflit et il ne devrait pas y avoir non plus de dissension. Que maman et papa se servent de moyens différents pour faire respecter la même règle, cela n'a d'importance qu'en apparence.

Mais ce qui compte pour le maintien de l'harmonie dans la famille est que maman et papa soient d'accord sur l'importance de la règle *Fais ce qu'on te dit de faire*, et réagissent tous deux aussi rapidement lorsque Junior ne la respecte pas. Ainsi maman et papa agissent avec conséquence, même si c'est *différemment*, pour faire respecter la règle.

Mais les parents peuvent être tellement obnubilés par la nécessité d'être conséquents, qu'ils commencent à se chamailler à propos de leurs différences de style. Pendant ce temps, à mesure que la forêt est de plus en plus cachée par l'arbre, la règle elle-même commence à s'empoussiérer et il vient à l'esprit de Junior qu'en fin de compte il n'y a pas de règle du tout, parfois il peut désobéir, parfois non.

Il n'est même pas nécessaire que chacun des parents réagisse toujours de la même façon chaque fois qu'une règle est transgressée.

Maman *préfère* asseoir Junior sur "la chaise de réflexion" lorsqu'il se révolte sans raison, mais rien ne l'oblige à le faire *chaque* fois. Parfois elle peut lui interdire d'aller dehors, parfois l'envoyer dans sa chambre, parfois elle se contente de répéter ce qu'elle a commandé en insistant davantage et parfois même elle peut faire appel à la boîte à outils de papa et rougir le postérieur de Junior.

Et papa n'est pas obligé de toujours fesser. Il y a des moments où il peut préférer une discussion d'homme à homme avec Junior. Parfois, il lui confisque quelque chose et parfois même il l'assied sur "la chaise de réflexion" de maman.

Mais peu importe ce que maman et papa font lorsque Junior désobéit, la *règle* demeure. On la fait respecter de façon conséquente par divers moyens, mais la fin reste la même. De plus, les réactions de maman et papa prouvent qu'ils sont conséquents avec eux-mêmes, avec la façon dont chacun d'entre eux *se sent* au moment de la transgression.

Il y a même quelque chose à dire au sujet du caractère imprévisible de la façon dont vous faites respecter les règles. Lorsqu'on les envoie de façon répétée, les messages perdent, en effet, leur impact. Être trop conséquent peut conduire à l'ennui et à la rigidité.

Être trop conséquent empêche aussi les parents de remarquer les changements qui surviennent chez l'enfant et de s'y adapter. Être trop conséquent gêne le développement de l'enfant et lui donne une vision de la vie trop simpliste.

Le fait d'être conséquent est peut-être l'huile de la vie, mais la variété en est le sel. Ne restreignez pas vos choix en vous en tenant trop à la lettre d'une idée unique, *quelle qu'elle soit*. Soyez d'accord sur les règles et acceptez de n'être pas d'accord sur la façon dont chaque parent choisit de les faire respecter. Sachez apprécier et encourager vos différences et que vos enfants sachent que oui, maman a sa façon et papa la sienne.

Cela est conséquent avec la façon dont tourne le reste du monde.

Les soucis: jeu du futur

Nous agissons sur le futur par la manière dont nous l'anticipons. En ce sens, nous sommes tous, jusqu'à un certain point, des diseuses de bonne aventure.

Cela n'est pas une lubie, mais au contraire un principe vérifié de psychologie humaine que l'on appelle "la prophétie qui se réalise elle-même". C'est la leçon qu'enfants nous apprenions par l'histoire du petit moteur à pouvoir: si tu crois *pouvoir*, tu *pourras* sans doute, si tu ne crois *pas*, tu ne pourras *pas*.

Non seulement c'est *notre* futur que nous affectons en l'anticipant mais c'est aussi, de la même façon, la vie des autres qu'ainsi nous influençons. Plus le lien entre deux personnes est fort, plus cette influence sur le futur de l'autre sera marquée.

Entre parents et enfants, ce sont les parents qui exercent la plus forte influence. Du côté positif, l'engagement et l'optimisme. Les parents qui ne se contentent pas de le souhaiter mais sont, avec optimisme, certains que leurs enfants s'en tireront très bien semblent généralement comblés d'enfants qui, dans l'ensemble, tournent bien.

Du côté négatif, la culpabilité et le souci. Les deux sont des formes d'énergie négative qui non seulement empêchent les parents d'être suffisamment attentifs au présent le plus immédiat mais sont aussi des prophéties qui se réalisent elles-mêmes. Les parents qui se font du souci pour leurs enfants semblent toujours avoir de quoi se faire du souci.

Jean-François a trois ans. Il a été renvoyé de deux maternelles préscolaires et travaille actuellement à se faire renvoyer de la troisième. On permet à fort peu d'enfants du voisinage de jouer avec lui. Car Jean-François mord.

Jean-François est fils unique et ses parents, qui appartiennent à la classe moyenne, veulent qu'il se développe sans aucun problème émotionnel. Ils ont lu un nombre considérable de livres et d'articles sur l'éducation des enfants. Ils veulent désespérément bien faire, mais quelque chose n'a pas marché.

Ils fouillent le passé à la recherche d'une raison qui expliquerait pourquoi Jean-François mord. "Qu'avons-nous fait pour cela?" se demandent-ils, à la recherche d'une patère où accrocher leur culpabilité. Plus ils cherchent, plus ils s'interrogent et plus Jean-François mord.

Jean-François mordit pour la première fois sa mère quand il avait treize mois. Il était alors dans une colère noire que sa mère avait provoquée en lui retirant une photographie des mains. Cette morsure déclencha un terrible sentiment de culpabilité chez sa mère. Ce fut si énorme que même Jean-François s'aperçut que quelque chose d'extraordinaire s'était produit. Aussi la mordit-il encore.

Trois mois plus tard, après avoir suffisamment pratiqué sur sa mère, il mordit l'enfant du voisin. Lorsqu'il eut dix-huit mois, ses parents l'inscrivirent à une garderie, espérant que la fréquentation d'autres enfants aiderait à résoudre le problème. Il n'y resta que deux mois.

Les parents de Jean-François se préoccupent tellement de ce qu'il va devenir, dans dix minutes, dans dix jours, dans dix ans qu'ils ne remarquent même pas ce qu'il est en train de faire *maintenant*.

Chaque fois qu'il est avec d'autres enfants, ils se rongent d'anxiété. Jean-François sent cette tension et sait précisément ce qu'on attend de lui. Alors, il le fait. Et plus il mord, plus ses parents s'inquiètent.

Il est presque impossible dans un tel cas de déterminer qui a commencé le premier, de celui qui se soucie ou de celui dont on se soucie. Plus les parents s'inquiètent, plus le sujet se manifeste et plus fort il se manifeste plus ils s'inquiètent. Tant que ce cercle vicieux n'est pas rompu, il n'y a aucune solution, rien que la répétition du cycle. Et plus le cycle se répète, plus son empreinte dans la famille devient ineffaçable.

Les soucieux ne peuvent être spontanés car ils ne réagissent pas aux événements au moment où ils se produisent. Leurs préoccupations sont semées quelque part dans le futur, là où ils ne parviendront *jamais*. Plus les parents s'inquiètent, plus ils ignorent le *vrai* problème. Et pendant ce temps, c'est l'enfant qui porte sur *ses* épaules tout le poids de la tension du présent et de ses problèmes.

Lorsque, s'ils le font, les parents de Jean-François décideront de faire vraiment quelque chose au sujet de ses morsures, ils pourront peut-être commencer par lui dire: "Jean-François, tu n'as pas arrêté de mordre les autres enfants. Maintenant, c'est fini. Nous allons t'aider à arrêter parce que c'est à ça que servent les mamans et les papas. Chaque fois que tu oublieras et que tu recommenceras à mordre quelqu'un, voilà ce qui va t'arriver, chaque fois, sans exception."

Peu importe *ce qu*'ils feront. Ce qui importe c'est que ses parents feront enfin *quelque chose*. Et Jean-François sera *très* soulagé, croyez-moi.

Oubliez la trique, mais pas la règle

Les règles sont des limites sociales. Elles marquent les frontières des comportements acceptables et préservent la stabilité des environnements humains. Les règles font tenir la société; elles sont aussi indispensables à notre survie que l'eau au poisson.

Pour les enfants, les règles sont une extension de l'autorité des parents. Elles sont aussi nécessaires à un bon développement que la stimulation, la bonne nourriture et le soleil. On peut laisser tomber les triques, pas les règles.

On peut faire connaître les règles aux enfants de bien des façons différentes. Une directive ou une instruction est une règle. Une tâche qu'on confie à l'enfant est une règle. Toute décision concernant ce qu'un enfant peut faire ou ne pas faire, avoir ou pas, est une règle.

Quand les règles du jeu sont claires, les joueurs connaissent les coups possibles et peuvent ainsi prévoir, dans une certaine mesure, quels coups vont jouer les autres joueurs. Les règles organisent la partie. Elles réduisent l'incertitude et l'anxiété.

Et c'est comme ça avec les enfants. Lorsqu'il y a des règles, un enfant sait ce qui est permis et ce qui ne l'est pas et peut ainsi prévoir les réactions de ses parents. Les règles sont essentielles au sentiment de sécurité.

Mais quand les règles ne sont pas claires ou qu'on ne les fait respecter que de façon sporadique, les enfants ne peuvent prévoir ce que vont faire leurs parents. Dans de telles circonstances, ils deviennent anxieux, inquiets et même malades physiquement.

Je ne défends pas les règles pour l'amour des règles. Des mauvaises règles ou des règles trop nombreuses peuvent tout autant nuire au bien-être d'un enfant qu'une mauvaise nutrition. Les bonnes règles doivent répondre à quatre exigences de base:

1) *Toutes les règles doivent être expliquées clairement.* Il n'est pas nécessaire d'enrober ou de dorer la pilule, ni d'avoir recours à une longue explication. Les enfants d'âge préscolaire auront de la difficulté à comprendre les meilleures explications du monde que l'on peut leur donner de la nécessité des règles. S'il vous faut ex-

pliquer, que votre explication soit brève et aille à l'essentiel: vingt-cinq mots ou moins.

Les enfants plus âgés comprennent, eux, les raisons et ils aiment à les discuter. Si les parents acceptent de discuter, le point essentiel, c'est-à-dire que les parents font les règles et que les enfants s'y conforment, devient obscur. Si un enfant veut discuter, répliquez: "Je ne discuterai pas. Tu feras ce que je te dis, un point, c'est tout."

Certains parents se sentent coupables quand ils donnent des ordres à leurs enfants. Aussi déguisent-ils leurs ordres en demandes dont la seule réponse acceptable soit "oui". "Veux-tu sortir la poubelle?" est en fait une règle si l'enfant n'a pas d'autre choix que de sortir la poubelle. Mais, formulée comme une question, la règle n'est plus claire. La poubelle reste dans la cuisine, les parents se fâchent et l'enfant devient de plus en plus troublé.

2) *Les règles doivent être édictées clairement.* Que veut dire "nettoie ta chambre". Les parents pensent que leurs enfants le savent mais l'idée que se fait de la propreté un enfant n'est *jamais* la même que celle des parents. Seule la mère de Sylvie sait exactement ce qu'elle veut lorsqu'elle demande à Sylvie de nettoyer sa chambre. Pour réduire l'incertitude et la confusion, définissez les tâches de façon spécifique, par exemple: "Tu vas faire ton lit, plier tes vêtements, les mettre dans ta commode et remettre tes livres sur les étagères, avant de pouvoir sortir." Si une tâche doit être accomplie chaque jour, une liste de chacune des choses à faire supprimera bien des discussions inutiles. Lorsqu'une règle est clairement définie, elle est plus facile à faire respecter.

3) *Les règles concernant les tâches à accomplir doivent être raisonnables.* La journée d'un enfant ne doit pas être remplie de tâches. Il doit lui rester beaucoup de temps pour se reposer, étudier et jouer. Avant de lui donner une *tâche*, soyez sûr que l'enfant peut l'accomplir. S'il en est capable mais qu'il ait besoin d'aide au départ, séparez la tâche en plusieurs parties et apprenez-lui à réaliser une partie à la fois.

Par exemple, la plupart des enfants de cinq ans ne savent pas faire leur lit, mais on peut le leur apprendre. D'abord, que l'enfant vous regarde lorsque vous faites le lit et décrivez-lui chaque mouvement. Puis faites-vous aider. Pendant plusieurs jours, faites-lui en faire de plus en plus jusqu'à ce qu'il parvienne à tout faire seul.

4) *Les parents ne doivent établir que les règles qu'ils PEUVENT et VEULENT faire respecter.* Dès qu'une règle existe, un enfant va l'enfreindre. *C'est une règle*, ça aussi. Les

enfants *doivent* enfreindre les nouvelles règles pour pouvoir être sûrs que *ce sont effectivement* des règles. Si les parents ne les font pas respecter, alors *ce ne sont pas* des règles. Si cela se produit trop souvent, la relation entre les parents et l'enfant devient tendue et difficile à vivre. Souvent les parents se fâchent contre les enfants parce qu'ils enfreignent les règles, sans s'apercevoir que tous les enfants enfreignent toutes les règles qui peuvent exister. Lorsque les parents soupirent: "J'ai tout essayé et rien ne marche", ils veulent dire en réalité qu'ils n'ont pas su faire respecter les règles.

Certains parents essaient de faire respecter trop de règles. On les voit courir sans arrêt après leurs enfants en lançant des "non" tandis que l'enfant tente désespérément de s'échapper.

N'inventez pas des règles à la vapeur (cf. à toute vapeur). Concentrez-vous plutôt sur le respect de deux ou trois seulement à la fois. Vous serez surpris de voir avec quelle rapidité tout le reste se met en place, une fois cela accompli.

Nous vivons selon des règles parce que sans elles il n'y aurait pas de liberté. Lorsque des parents établissent des bonnes règles et les font respecter, ils créent un climat de détente dans lequel leurs enfants sont libres d'être corrects.

À qui le tour?

Les McZbenburg sont une famille américaine typique — monsieur McZbenburg travaille de huit heures à dix-sept heures à vendre des coquillages recyclés à ses anciens compatriotes des îles Samoa, tandis que madame McZbenburg s'occupe de la maison et de l'éducation de Philippe, leur fils, un petit garçon de trois ans et demi, typique lui aussi.

Récemment, madame McZbenburg a décidé qu'il était temps que le jeune Philippe apprenne le noble art du ménage de sa chambre envahie de jouets, de bouts de papier et d'un assortiment bigarré de bribes et morceaux divers, comme il est d'usage chez un petit garçon de trois ans et demi typique.

"Viens, Philippe, dit-elle, je m'en vais t'apprendre à ranger ta chambre." Et les voilà partis, main dans la main.

Une fois dans la chambre, la maman de Philippe dit: "Maintenant tu vas aider maman à ramasser tout ce qu'il y a par terre et à ranger chaque chose à sa place. Regarde maman et fais comme moi."

Madame McZbenburg se mit à quatre pattes. Philippe regarda attentivement. Sa mère commença à ramasser des jouets, tout en disant: "Voilà, celui-ci va là, celui-là ici et celui-ci..." Philippe continuait de regarder.

"Allez, Philippe, dit madame McZbenburg, commence à en ramasser toi aussi. Tiens, prends ton instrument et mets-le sur l'étagère."

Philippe ramassa son instrument et le mit sur l'étagère. "C'est bien! dit sa mère. Continue, fais comme moi!" Et Philippe regarda sa mère ramasser plusieurs autres jouets.

"Philippe! s'écria-t-elle, tu ne m'aides pas. Ramasse les cubes et mets-les dans leur boîte."

Philippe commença à ramasser les cubes et à les mettre, un par un, dans leur boîte.

"C'est ça!" l'encouragea sa mère tout en continuant à ramasser bouts et morceaux. Quand elle eut fini de ranger tout le reste, elle vint vers Philippe qui restait immobile, penché sur une pile de cubes et lui dit: "On a presque fini, Philippe! Plus que quelques cubes et on a fini!"

Philippe ne bougeait pas tandis que sa mère ramassait les cubes, sauf un.

"Ramasse le dernier et on a fini, Philippe!" dit-elle presque hors d'elle d'excitation.

Philippe ramassa le dernier cube. "C'est bien, Philippe! Maintenant, on va s'acheter de la bonne crème glacée pour tout le bon travail que tu as fait."

Score final: madame McZbenburg, soixante-dix-huit jouets, chiffons, morceaux et déchets. Philippe, un instrument et six cubes.

Philippe a saisi très vite. Il est très intelligent, voyez-vous, puisqu'il a eu la chance de naître avec un cortex. Donc, tous les jours, juste avant que monsieur McZbenburg rentre à la maison, Philippe et sa mère vont main dans la main jusqu'à sa chambre. Sa mère commence à ramasser des choses. Philippe s'accroupit et la regarde jusqu'à ce qu'il sente qu'elle doit être récompensée de son travail. Alors il ramasse un cube ou autre chose et il le range.

Cela ravit toujours sa mère et après, elle continue à travailler tandis que Philippe fait le dos rond. Et quand la pièce est bien rangée, madame McZbenburg donne toujours à Philippe une assiettée de crème glacée à la fraise, pour avoir été un aide si précieux.

Et même, lorsque monsieur McZbenburg rentre à la maison, madame McZbenburg lui dit quelque chose de ce genre: "Oh! Marc, ce n'est pas croyable comme Philippe apprend vite à ranger sa chambre!" Alors Philippe se contente de sourire.

Récompenses et appâts

"Ça va, Junior, je sais bien que tu n'aimes pas sortir les ordures ménagères mais si tu le fais, je te donne dix cents. D'accord?" Cela va drôlement bien, pas vrai, Junior?

L'idée que les enfants doivent être récompensés pour leur obéissance est devenue populaire, avec quelques conséquences fâcheuses. Parmi celles-ci, l'idée la plus répandue est que les enfants font mieux ce qu'ils ont à faire quand on leur promet une récompense tangible comme des bonbons, un jouet ou une permission spéciale.

C'est en partie vrai. Si vous voulez qu'un enfant fasse quelque chose d'aussi mondain que de ranger sa chambre, offrez-lui ses bonbons préférés, un nouveau jouet ou un petit voyage au marchand de glace d'à côté. Et la prochaine fois que vous voudrez qu'il range sa chambre, soyez prêt à faire la même offre. Si vous êtes chanceux, l'enfant n'exigera cette fois qu'une plus grande quantité de la gâterie précédente. Mais si, ce jour-là, la chance n'est pas de votre bord, il exigera quelque chose d'encore mieux. Hier, un cornet de crème glacée; demain, un sundae à la guimauve chaude super-deluxe.

Les enfants sont impressionnables et rien ne les impressionne plus que ce qu'ils se fourrent dans la bouche ou les mains. (Malheureusement, beaucoup d'adultes ont les mêmes idées.) C'est le fameux syndrome du "qu'est-ce que ça me donne?", tout aussi typique du nouveau mode de vie américain que la tarte aux pommes de grand-maman surgelée et faite en usine.

Accusez-moi d'être un Cochon d'Adultiste (CA) si vous voulez, mais je souscris à un double standard: ce qui est tolérable chez un adulte ne l'est pas toujours chez un enfant.

Lorsqu'un enfant apprend à attendre quelque chose en retour chaque fois qu'il fait un petit effort pour quelqu'un d'autre que lui, c'est odieux mais ce n'est pas de sa faute. L'enfant est le drogué, mais nous les grands sommes les pourvoyeurs. Nous les adultes avons tendance à chercher le moyen le plus commode de faire quelque chose, le plus court chemin d'un point à un autre. Quand nous recherchons la coopération d'un enfant, nous savons bien que si nous lui proposons une "petite gâterie", il y a des chances que le travail se fasse vite. Mais dans l'esprit de l'enfant, la coopération ou l'accomplissement de certains travaux ou tâches deviennent liés à la promesse de récompenses spéciales.

Cela peut rapidement devenir un labyrinthe dans lequel sont pris tout autant les parents que l'enfant. Les parents veulent que le travail se fasse sans avoir à affronter les excuses de l'enfant... l'enfant, lui, veut sa récompense et il a constaté que s'il sait se montrer ferme assez longtemps, les parents vont finir par livrer la marchandise.

Les enfants ont besoin de certains instruments pour pouvoir affronter les défis de la vie adulte. Parmi les plus importants de ces instruments, on retrouve l'esprit d'entreprise, l'initiative et la responsabilité. Les trois exigent que l'on soit prêt à travailler même si le résultat peut être intangible ou situé dans un futur incertain. La fierté et le sentiment de l'accomplissement sont les meilleures récompenses qui soient.

"Bon, d'accord, je n'offrirai plus jamais à mon enfant un pot-de-vin pour qu'il accepte de se rendre à une de mes demandes. Et à partir de maintenant il ne lèvera même pas le petit doigt pour m'aider! Qu'est-ce que c'est que cette histoire?"

Eh bien, je suis ravi que vous ayez posé la question. C'est *votre* histoire et plus tôt vous la vivrez, mieux cela vaudra. Vous devez jouer compère Lapin et déjouer votre jeune messire Renard.

Commencez par établir la liste des privilèges dont jouit votre enfant et qu'il prend maintenant pour acquis. Toute activité qu'il peut faire régulièrement, mais qu'il n'a pas gagnée, peut être considérée comme un privilège. La liste peut inclure les amis qu'il reçoit à la maison, les promenades à vélo, le droit d'aller jouer après le dîner ou de veiller plus longtemps que d'habitude.

Établissez une autre liste des tâches et des responsabilités que messire Renard évite avec tant d'habileté. Elle peut comprendre le rangement de sa chambre, le bain, ses devoirs, les ordures ménagères ou la promenade du chien.

Maintenant, vous avez deux listes, et il n'a toujours pas levé le petit doigt. Ne vous énervez pas. L'étape suivante consiste à examiner chacun des points sur les listes et à vous poser la question rengaine: "Quand?" Par exemple, pour la première liste, demandez-vous: "Quand aime-t-il faire de la bicyclette?" Pour la deuxième: "Quand est-ce que je veux qu'il prenne son bain?"

Rapprochez les deux listes et voilà la solution. En articulant correctement les points de chaque liste, vous pouvez établir des règles du genre: "Le soir, avant de pouvoir écouter tes disques (point de la liste 1), tu dois prendre ton bain (point de la liste 2)." Ou "avant de pouvoir faire du vélo après l'école, tu dois te changer et aller promener le chien." Ne placez dans chaque règle qu'un seul des points de la liste des privilèges. Mais vous pouvez y inclure plus d'un point de la seconde liste si cela paraît raisonnable. Par exemple, une des règles, chez moi, veut que mon fils de douze ans prenne son bain, fasse ses devoirs et range sa chambre avant de pouvoir faire ses modèles réduits, le soir. Peu nous importe le moment où il accomplit ces tâches ni dans quel ordre il le fait. Nous ne les lui rappelons pas mais nous vérifions s'il les a faites et même parfois effectuons un petit "contrôle de la qualité" avant de lui permettre de jouer.

Alors, établissez des règles, car les règles sont les instruments les plus indispensables aux parents. On appelle cela aussi "le jeu du parrain" parce que vous faites ainsi à votre enfant une offre qu'il ne peut refuser.

Et s'il *pouvait* la refuser? Bien sûr qu'il le peut et d'ailleurs il *le fera*. Tous les enfants mettent à l'épreuve *toutes* les règles du monde. Comme des chimistes qui tentent de découvrir dans quelle solution une substance donnée peut se dissoudre, les enfants font toutes les expériences possibles pour tester les règles, mais il existe une substance unique dans laquelle aucune règle ne peut se dissoudre, et c'est... la fermeté.

Par fermeté, j'entends la volonté de faire respecter les règles en toute circonstance, sauf les circonstances vraiment exceptionnelles. Je ne veux pas dire par là qu'il faut faire respecter une règle chaque fois de la même façon (voir Défense et illustration de l'inconséquence, p. 41). Mais simplement que si une règle souffre de nombreuses exceptions ou si un enfant découvre qu'elle ne résiste pas au "test de la pression", eh! bien ce n'est plus une règle, c'est un voeu pieux.

Une autre question importante ici, celle de la confiance. Si vous établissez vous-même des règles et n'êtes pas capable de les faire respecter, peut-on vous faire confiance pour d'autres choses?

Les méthodes ici suggérées peuvent fort bien ne pas donner des résultats aussi rapides que ceux des récompenses et certes elles exigent de la patience, une vertu plutôt démodée. Mais, comme disait compère Lapin: "Jamais je ne t'ai promis un chemin de roses."

La punition sans douleur

Même avant de devenir parents, la plupart des gens ont des idées bien arrêtées sur les punitions, par exemple la notion que la punition doit entraîner un certain degré de gêne. En développant cette idée, bien des gens semblent croire que, dans une certaine limite, plus le déplaisir augmente, plus fort est le message ainsi envoyé à l'enfant: dix tapes sur les fesses feront plus pour éliminer un mauvais comportement que deux tapes; trois semaines aux "arrêts de rigueur dans la maison" produiront un changement plus durable que trois jours de la même médecine et ainsi de suite.

Cette philosophie nous vient sans doute des temps anciens où la "méchanceté" était assimilée à un symptôme de possession diabolique. En ces temps éclairés, les démons étaient d'obstinés scélérats. Une fois qu'ils avaient établi leur demeure dans le corps de quelqu'un, ils n'en sortaient que si l'individu en question était rossé d'importance, parfois jusqu'à l'issue fatale.

C'est cette idée qui nous plonge dans une si grande confusion quand il faut punir. Mais la punition *n'*a *pas* besoin d'être douloureuse. De fait, il est même probablement préférable pour tout le monde qu'elle ne cause que le plus petit ennui possible.

Nous ne devrions punir que pour manifester deux concepts à l'enfant: d'une part, "Je n'aime pas ce que tu viens de faire" et d'autre part, "C'est moi qui mène dans cette maison." Il n'est pas nécessaire de prononcer ces mots. Que vous lui donniez une fessée, l'envoyiez dans sa chambre ou lui supprimiez un privilège, c'est toujours ces deux idées que vous exprimez à votre enfant.

Qui plus est, cela n'a guère d'importance que, dans le processus, vous lui causiez de la douleur. En fait, plus l'expérience est douloureuse pour l'enfant, *moins* il y a de chance qu'il perçoive bien le message.

Bon, mettons les choses au point. Si un enfant est "vilain", il *n'*est *pas* nécessaire que de vilaines choses lui arrivent. La punition ne doit pas être considérée comme une rétribution. Elle ne doit pas nécessairement entraîner de la souffrance, de la culpabilité ou du remords. De fait, la punition devrait, et peut, être "bonne" pour toutes les personnes concernées.

Prenons, par exemple, le fait d'installer sur une chaise un bambin de deux ans qui vient de commettre quelque noire action (lancer du Jello sur le mur). Croyez-le ou non, cela n'a aucune importance que la chaise en question soit en bois dur ou bien rembourrée d'un doux velours. Elle n'a pas non plus à avoir un dossier très droit ou à être tournée contre un coin.

Cela ne fait pas non plus vraiment de différence que l'enfant y reste deux minutes ou vingt, si ce n'est qu'après deux minutes un enfant de deux ans ne sait plus pourquoi il est là. Enfin, les tentatives en vue d'arracher, avant de lever la punition, des excuses ou des promesses d'être sage à l'avenir sont totalement dépourvues de sens.

Le fait d'installer l'enfant dans la chaise dit tout ce qu'il y a à dire. L'endroit où se trouve la chaise et la durée du séjour n'ont que peu d'influence sur le fait que l'enfant "refera" la même bêtise. *Tous* les enfants de deux ans la referont. Vous pouvez compter là-dessus.

Ce qui compte, c'est la volonté des parents de réagir et d'être fermes (ce qui ne veut pas dire agressifs). Quand l'enfant lance son Jello sur le mur, répliquez immédiatement en le mettant dans sa chaise. Cela lui fera éprouver votre force et votre autorité de façon ferme, mais douce.

Si vous consacrez vos énergies à essayer de garder l'enfant dans sa chaise pendant un temps donné, vous aurez perdu de vue votre propre but. Car même si l'enfant sort de la chaise aussitôt, au moins avez-vous dit ce que vous aviez à dire. Au contraire, si vous vous battez avec lui pour le tenir dans sa chaise un certain temps, vous lui dites alors: "Je ne suis pas sûr de savoir qui mène ici, toi ou moi."

Au moment où l'enfant descend de sa chaise, vous devriez regarder ailleurs. Si vous êtes chanceux, et qu'il attende votre permission, n'attendez pas plus de deux minutes. S'il a l'air d'être prêt à descendre avant cela, dites lui: "Tu peux descendre." Ayez toujours un tour d'avance sur lui dans la partie. Si vous êtes toujours en avant, il apprendra à se laisser guider par vous.

Le meilleur ami des parents

Question: À quoi sert la minuterie de cuisine?

Réponse: À prévenir le cuisinier que son plat est prêt.

C'est faux! Cet appareil fort simple n'a jamais été conçu à cette fin. La prétendue minuterie de cuisine est en fait le meilleur ami des parents, une aide indispensable dans l'éducation des enfants.

On le savait aux temps bibliques, mais ce savoir s'est perdu à cause d'une légère erreur dans l'interprétation d'un passage souvent cité de la Bible. Je pense, bien sûr, au célèbre: "Abandonne ton bâton et ton enfant sera gâté."

On sait maintenant que le "bâton" était une ancienne minuterie. On plantait en terre un bâton de quelques quatre-vingt-dix centimètres de long et l'on mesurait à intervalles réguliers le déplacement de son ombre pour calculer le temps, c'était donc une minuterie. Le véritable sens de ce passage est maintenant clair: l'auteur exhortait là les parents à se servir d'une minuterie quand les choses se gâtaient.

Les minuteries de cuisine, modèle portatif, devraient faire partie de l'équipement standard des parents. Il n'existe pas d'instrument plus pratique et plus universel pour élever les enfants.

Une minuterie de cuisine peut en effet servir à organiser les activités. Elle aide en outre les jeunes enfants à comprendre le concept de temps. Elle sert, selon les besoins, à établir des routines et à définir les limites. Elle vient s'ajouter à l'autorité des parents, l'augmente et la renforce et aide tout le monde à éviter les luttes pour le pouvoir.

Enfin mais non le moins important, c'est un moyen pratiquement infaillible de faire savoir que "c'est le moment". En d'autres termes, une minuterie peut aider à toutes ces tâches que les parents essaient d'accomplir avec des mots seulement, la méthode: "Ça rentre par une oreille et ça ressort par l'autre", qui ne s'est jamais avérée fiable, encore moins avec des enfants d'âge préscolaire.

La minuterie rend inutile cette répétition *ad nauseam* qu'on a fini par appeler "la chicane", qui est une autre façon de mettre la charrue avant les boeufs.

On trouvera ci-après sept moyens recommandés d'utiliser les minuteries. Vous pouvez baisser le rideau, papas et mamans, vos ennuis sont finis. Enfin... presque.

1) Servez-vous de la minuterie pour signaler "quand c'est le temps". Par exemple, quand l'enfant peut aller dehors. Emportez la minuterie en voyage pour qu'elle serve de réponse audio-visuelle à la question: "Quand est-ce qu'on arrive?" Au lieu de répéter: "Ça ne sera plus très long", remontez la minuterie et laissez la sonnerie faire les frais de la conversation.

2) Les minuteries sont un excellent moyen de fixer le temps que vous allez passer à jouer avec votre enfant avant de retourner à vos occupations ou de prendre une pause bien désirée. Papa ou maman

dit: “Je vais jouer aux blocs avec toi jusqu’à ce que ça sonne. Alors, il faudra que j’arrête et que je retourne à mon ouvrage.”

3) Est-ce la guerre, chez vous, tous les matins, pour faire habiller votre enfant afin qu’il parte de la maison à l’heure? Alors jouez au “contre la montre”. Préparez ses vêtements la veille, branchez la minuterie en le réveillant le matin et défiez-le d’être habillé avant que la sonnerie retentisse. S’il lui faut encore plus d’encouragements, faites-lui une offre qu’il ne pourra pas refuser: “Si tu réussis à être complètement habillé avant que ça sonne, tu pourras faire du vélo en rentrant de l’école.” Le “prix” du concours ne devrait pas être quelque chose d’extra spécial ou qui sorte de l’ordinaire, mais seulement un privilège qui jusqu’alors avait été pris pour acquis.

4) La minuterie répondra à la question: “Est-ce que je peux sortir de ma chambre maintenant?” que l’enfant commence généralement à poser dans les trente secondes qui suivent son entrée dans sa chambre. Arrêtez de jouer les garde-chiourme. Déclenchez la minuterie quand il rentre dans sa chambre (cinq à dix minutes suffiront pour la plupart des infractions) et dites-lui qu’il pourra sortir quand la sonnerie retentira. Profitez de ce temps pour téléphoner à un ami. Après tout, combien de possibilités avez-vous de réussir à avoir une conversation de cinq minutes sans être interrompu?

5) Servez-vous de la minuterie comme d’une incitation à accomplir la tâche fixée. Avant l’emploi de “Minutex”: “Je t’ai répété des milliers de fois de ramasser tes jouets et de les ramener dans ta chambre! S’il faut que je te le dise une fois de plus, je vais faire quelque chose de fou!” Après: “On va voir si tu es capable de ramasser tes jouets et de les ranger dans ta chambre avant que ça sonne.”

6) La minuterie peut répondre aux questions du type “encore combien de temps”. Par exemple: “Je peux rester dans le bain, jouer dehors, sauter sur mon lit, jouer dans la toilette, te rendre fou encore combien de temps?” Prenons le cas de ma fille qui aime lire au lit avant de s’endormir. “D’accord, Amy, lui disons-nous, mais tu éteins dès que tu entends la sonnerie.”

7) La meilleure utilisation de toutes, c’est quand maman ou papa (ou les deux?) veut être seul (ou ensemble) pendant un petit moment. On appelle cela “le temps mort de maman” (ou de papa). On l’obtient facilement avec une minuterie. “Maintenant, un moment de tranquillité pour tout le monde dans la maison. Je veux que tu joues dans ta chambre jusqu’à ce que la sonnerie dise que tu

peux sortir. Tu peux en profiter pour faire un petit somme, si tu veux (très sournois)." Rien ne vaut quelques instants de paix et de calme au milieu d'une journée qui sans cela serait folle.

Certaines minuteries ne font entendre qu'un "ding" à peine audible. Je recommande plutôt d'acheter le modèle connu dans le commerce sous le nom de "sonnerie continue". Il vaut largement son léger supplément de prix. Souvenez-vous: "un marmot en *montre* (c'est-à-dire minuté) n'est jamais gâté".

Une question de synchronisme

De toutes les nombreuses responsabilités que nous avons comme parents, la plus lourde est la tâche qui consiste à apprendre à nos enfants la différence qu'il y a entre un comportement acceptable et un comportement inacceptable. Réciproquement, l'apprentissage de cette distinction est la tâche la plus difficile que l'on exige des enfants. Personne n'a le choix ici: l'enfant *doit* apprendre et nous, nous *devons* le lui enseigner.

Les félicitations et les punitions sont les deux côtés de la médaille. Les félicitations, c'est bon. C'est aussi agréable de donner que de recevoir. Mais les punitions, en revanche, sont généralement considérées comme des événements négatifs et ainsi on finit par se sentir aussi *mal* en les donnant que l'enfant en les recevant. Personne n'aime punir, mais parfois il faut le faire. Quand nous nous débattons avec ce problème nous pataugeons dans une myriade d'approches (ou d'évitements). Nous raisonnons, menaçons, supprimons d'abord les privilèges, nous crions, ignorons, fronçons les sourcils, nous fessons, envoyons l'enfant sur une chaise ou dans sa chambre, lui donnons des tâches déplaisantes, nous critiquons, supplions et pleurons. Chacune de ces approches peut marcher parfois. Aucune ne marche tout le temps. C'est que nous n'y mettons guère de coeur.

Je voudrais donc proposer une alternative que j'appellerai le "temps mort". Cela ne fait pas mal, alors vous n'avez pas à vous sentir coupable en l'utilisant. On peut s'en servir sans crainte de blesser l'amour-propre de l'enfant. Et, encore plus important, ça marche! Ça marche pour les parents (oui, ça s'apprend!), ça marche pour l'enfant (qui ne veut pas vraiment ni n'aime être méchant) et ça retire la pression des épaules de tout le monde.

D'abord, choisissez un endroit sûr (sûr pour l'enfant et pour vous) où l'enfant pourra être isolé pendant un petit moment (entre trois et cinq minutes). Il ne doit pas être inquiétant (sombre) ou désagréable (chaud, encombré). Pensez à un demi-bain, une chaise isolée, la chambre de l'enfant ou tout autre endroit convenable.

Utilisez une minuterie de cuisine (portative) pour fixer le temps d'isolement. Cela vous empêche d'avoir à jouer le gardien.

Troisièmement, dressez une liste de mauvaises conduites et affichez-la sur la porte du réfrigérateur ou en tout autre endroit bien en vue (cela n'a aucune importance que l'enfant sache lire ou non). Les points sur la liste devraient être formulés de façon concise et en termes concrets. Par exemple: "Dire "non" quand on te demande de faire quelque chose" plutôt que: "être désobéissant" ou "ne pas écouter". Commencez avec au plus cinq points. Vous pourrez toujours en ajouter d'autres si le besoin s'en fait sentir.

Expliquez "le temps mort" à l'enfant simplement et de façon aussi spécifique et aussi brève que possible. L'explication ne doit pas être la punition. Présentez "le temps mort" comme "la façon dont on va fonctionner dorénavant" plutôt que comme "le dernier recours" ou "ce que tu as mérité". Détaillez la liste avec lui en expliquant que chaque fois qu'il a un mauvais comportement vous l'emmènerez (ou l'enverrez) au "banc des temps morts" et qu'il y restera jusqu'à ce qu'il entende la sonnerie. Il aura le droit de sortir n'importe quand après cette sonnerie.

Plus tard, quand une des actions portées sur la liste se produit, dites: "Courir dans la maison fait partie de la liste. Tu dois aller dans ta chambre pour un temps mort."

Ignorez les excuses, les changements d'attitude: "Ça va, j'vais les ramasser", les violences verbales, les promesses: "J'le ferai plus", les colères ou la résistance physique. Si l'enfant a besoin de votre "aide", *emmenez*-le au "temps mort", fermement mais doucement.

Désintéressez-vous du problème une fois la porte fermée et la minuterie branchée. *Ne* répondez *pas* aux prières, aux colères; ne réagissez pas à l'eau qu'on fait couler, aux toilettes qu'on fait partir ou à un silence de mort (mais n'oubliez pas de vous assurer que l'enfant ne risque rien). Si l'enfant ouvre la porte avant la sonnerie, refaites partir la minuterie et refermez la porte.

Après la sonnerie, l'enfant peut ouvrir la porte *quand il le veut*. Ne vous plantez pas derrière, prêt à confronter ou à réconforter et ne partez pas dans de longues conversations au sujet de sa mauvaise conduite.

N'oubliez pas: pas de rappels, d'avertissements ni de deuxième chance. Ne mentionnez pas "le temps mort" comme quelque chose à craindre. C'est plutôt une façon constructive de révéler les limites et l'autorité à un enfant.

Comme c'est le cas avec bien d'autres choses, tout cela n'est qu'une question de synchronisme.

Deuxième partie

Ce n’est rien qu’une étape

De la naissance à huit mois: la première enfance

"Les premiers huit mois de la vie d'un bébé sont probablement les plus faciles pour les parents", écrit Burton White dans *Les trois premières années de vie* et il ajoute: "s'ils donnent au bébé suffisamment d'amour, d'attention et de soins physiques, la nature prendra très bien soin du reste... Car la nature, comme si elle avait prévu les incertitudes qui affligent les nouveaux parents, a tout fait pour que les premiers six à huit mois soient aussi dépourvus de problèmes que possible."

Le Dr White présente sûrement cette situation sans problèmes, n'est-ce pas? Et pourtant, certains enfants sont "plus faciles" que d'autres. Les chercheurs qui étudient les nouveau-nés ont observé de grandes différences de tempérament, de niveaux d'activité, dans les cris (plus ou moins fréquents, plus ou moins forts), dans les réactions à diverses formes de stimuli, dans le sommeil (plus ou moins long, plus ou moins profond) et dans la "sensibilité" à l'environnement.

Même si l'on peut faire plus de généralisations à propos des bébés que des enfants de tout autre âge, les différences qui les séparent dépassent de très loin et tout compte fait sont plus significatives que leurs points communs.

Chaque bébé se consacre de différentes façons et à des moments différents aux nombreuses facettes de sa croissance et de son développement. Par exemple, un bébé peut avoir un sourire vraiment "social" plus tôt qu'un autre. Mais le bébé plus lent à sourire peut être plus rapide à se traîner. Et il peut être encore en train de ramper quand le souriant précoce se lève et marche. En fait, vers ses six mois, il semble souvent qu'un bébé ait "choisi" de se consacrer en priorité à un ou deux éléments particuliers de son développement. Mettez trois bébés de six mois dans la même pièce et vous verrez que l'un d'eux travaille avec acharnement à apprendre à ramper, qu'un autre passe la plupart de son temps à expérimenter les sons, alors que le troisième s'occupe intensément à développer la dextérité de ses doigts et la coordination entre ses yeux et ses mains. Mais même si l'emploi du temps de chaque bébé peut varier considérablement, la *séquence* du développement n'en reste pas moins largement prévisible.

Les traits de la personnalité se révèlent plus tôt que bien des parents ne s'y attendent. Par exemple, vers le milieu du deuxième mois, les bébés expriment déjà de façon bien définie leurs répugnances et leurs plaisirs, en particulier quant à ce qu'ils aiment regarder, la façon dont ils veulent qu'on les prenne et le degré de stimulation dont ils ont besoin et qu'ils peuvent tolérer.

Bref, chaque bébé, sans exception, est fascinant dans son propre genre. Il commence à définir qui il est et ce qu'il veut de vous dès les premières semaines de sa vie.

Les sujets traités ci-après devraient intéresser et concerner davantage les parents pendant les huit premiers mois de leurs bébés.

Les sucettes

Il y a deux écoles de pensée concernant l'usage des sucettes. D'une part (généralement à droite) l'école pro-pouce (pouceux), un groupe de puristes qui préconise l'emploi du pouce en tant que sucette naturelle incorporée au corps. Le pouce, disent-ils, est plus pratique qu'une sucette et un bébé qui suce son pouce pratique l'indépendance et le contrôle de soi. Les pouceux soutiennent que les sucettes sont artificielles et mettent en garde contre le fait que les enfants peuvent en devenir dépendants.

D'autre part, les partisans de la sucette (suceux) avancent que la sucette, elle, peut être retirée à l'enfant, à un certain âge. De plus, les sucettes ne compriment pas le palais et la gencive supérieure comme le font souvent les pouces. Les deux points de vue semblent raisonnables et chacun a ses mérites. Il y a deux raisons pour envisager sérieusement l'emploi d'une sucette: d'abord, elle peut aider à combler le besoin qu'éprouve le bébé de sucer et puis elle peut calmer les "chichis".

Durant les premiers mois de vie, le besoin de sucer domine le répertoire de comportements limité du bébé. Commençant comme un réflexe de survie, le besoin de sucer devient de plus en plus contrôlé par la volonté après deux mois et diminue progressivement d'intensité entre dix et seize mois. Dans la plupart des cas, il disparaît complètement vers dix-huit mois.

Le réflexe de sucer est cependant incontestablement plus fort chez certains bébés que chez d'autres. La plupart des bébés découvrent très tôt la connection qu'ils peuvent faire entre leur main et leur bouche et, vers leur second mois, passent une partie considérable de leur temps de veille à promener leur bouche sur diverses parties de leurs mains. À cette époque, ils essaient aussi de porter à leur bouche tout ce qu'ils peuvent saisir. Sauf quand il y va de la sécurité du bébé, il n'y a aucune raison d'intervenir. Le besoin qu'a le bébé de sucer ne devrait jamais être refusé ou contrarié à moins, bien sûr, que l'objet qu'il veut sucer constitue une menace pour lui. Pour un enfant dont le besoin de sucer est particulièrement fort, une sucette peut s'avérer un complément valable de sa main, du sein de sa mère ou du biberon.

Jusqu'à six ou huit mois, le bébé peut éprouver quelque difficulté à garder la sucette dans sa bouche. Et certains enfants, même s'ils sont assez agités et même si leur besoin de sucer est fort, refusent absolument les sucettes.

En considérant tous ces éléments, je propose les recommandations suivantes:

- Si votre bébé découvre son pouce (ou ses doigts), n'intervenez pas et n'essayez pas de le remplacer par une sucette. D'abord, elle sera probablement refusée. N'oubliez pas que lorsqu'un bébé suce une partie de sa main, deux parties de son corps, la bouche *et* la main, sont agréablement stimulées. Lorsqu'il tète une sucette, *une seule* partie de son corps, sa bouche, l'est. Une fois qu'un bébé a éprouvé les avantages supplémentaires du sucement de sa main, il y a peu de chance qu'il se contente de moins.
- Si votre bébé connaît des périodes répétées d'agitation, il se peut qu'il signale ainsi son besoin d'un plus long temps de sucement. S'il ne fait pas la connection entre sa main et sa bouche, essayez alors la sucette.
- Servez-vous de la sucette modérément, peut-être seulement pendant les périodes de la journée où le bébé est le plus agité (habituellement en fin d'après-midi ou tôt dans la soirée). Cette approche prudente réduira les chances qu'il développe une dépendance durable.
- N'utilisez pas la sucette pour "retarder" le repas du bébé. S'il a faim, nourrissez-le.
- Si votre bébé n'est pas particulièrement agité, ne découvre pas son pouce et paraît satisfait du degré de sucement que lui procurent ses repas, il n'y a aucune raison de lui proposer une sucette. Chanceux que vous êtes!

- En aucune façon la sucette ne devrait être utilisée *toutes les fois* qu'un bébé pleure entre ses repas. Si votre bébé est manifestement dérangé ou ennuyé, prenez-le et bercez-le. Les sucettes ne sauraient se substituer aux bras des parents.

Les pleurs

Certains bébés pleurent beaucoup. Certains très peu. Mais tous les bébés pleurent. Parfois l'agitation est causée par une source de gêne facilement identifiable: le bébé a faim, a des crampes d'estomac ou est dans une position inconfortable et a besoin d'être réinstallé plus confortablement. Mais dans d'autres cas, les pleurs ne sont pas liés à une gêne physique et semblent être une tentative d'autostimulation, une façon de capter l'attention. D'autres pleurs encore ne sauraient être expliqués en termes d'inconfort *ou* de manque. Parfois en effet les bébés pleurent pour pleurer, juste "parce que". Peut-être est-ce la façon qu'a le bébé de se rappeler à lui-même qu'il existe, de se parler à lui-même, pour ainsi dire.

Vers la fin du troisième mois, la plupart des mères sont devenues très sensibles au langage des pleurs de leur bébé et peuvent reconnaître les différences de ton et d'intensité qui veulent dire "j'ai faim" par opposition à ceux qui, par exemple, signifient: "je m'ennuie".

La plupart des bébés ont des périodes régulières de pleurs et de cris, souvent en fin d'après-midi ou en soirée. Cette séance quotidienne disparaît généralement vers cinq ou six mois.

Voici quelques suggestions pour calmer un bébé agité:

- Prendre et bercer doucement un bébé qui pleure réussira à calmer tous les bébés de temps en temps et certains même tout le temps. Chaque bébé a des positions précises qu'il aime et d'autres qu'il déteste et vous devrez essayer diverses positions, divers rythmes et techniques de bercement avant de trouver ceux qui conviennent à votre petit. La musique aussi a souvent un effet calmant. Si vous n'avez pas sous la main de musique enregistrée ou si vous vous sentez inspiré, chantez quelque chose à votre bébé en le berçant (en fait, il vaut mieux chanter car cela aide au développement du langage chez l'enfant).

J'ai découvert que la plupart des bébés aiment être tenus droit de façon qu'ils puissent regarder par-dessus votre épaule. Parfois il est même plus facile pour eux de s'endormir dans cette position.

Si vous n'avez pas de berceuse ou si un balancement doux d'avant en arrière ne semble pas faire l'affaire, asseyez-vous au bord du lit et bougez légèrement de haut en bas. Mes deux enfants ont préféré cela au mouvement de la berceuse.

- Emmailloter un bébé ou l'envelopper confortablement dans une couverture peut l'aider à se calmer. Mais certains bébés n'aiment pas qu'on les empêche de bouger. D'autres ne sont calmés par un emmaillotement qu'en autant qu'on les tienne et les berce en même temps.
- Les sucettes peuvent être utiles pour certains bébés (voir "Les sucettes", p. 64).
- Le rot. S'il n'y a aucune évacuation de gaz, essayez encore trois à cinq minutes plus tard. Un bébé qui hurle a tendance à avaler de l'air, ce qui ajoute à son inconfort.
- Un des articles de bébés les plus utiles que j'aie essayés s'appelle un "snug-li". Le snug-li est à mi-chemin entre le sac à dos et le support traditionnel dont les indiens se servent pour leurs papooses. Avec un snug-li, vous pouvez porter le bébé soit sur votre poitrine soit sur votre dos. Dans les deux cas, l'adulte garde les mains libres. À la différence de la plupart des supports à dos ou des sangles, le snug-li supporte les têtes, même les plus petites. En outre, le snug-li grandit avec le bébé (pour l'agrandir, vous n'avez qu'à enlever certains des plis formés par le velours doux et lavable) et on peut s'en servir confortablement pour le bébé jusqu'à environ dix-huit mois.

Comme nous avons utilisé le snug-li pour nos deux enfants, Willie et moi pouvons témoigner qu'il est agréable et satisfaisant aussi bien pour les parents que pour l'enfant. En passant, la crainte que, s'il est trop bercé et trop tenu dans les bras, le bébé risque de devenir trop dépendant est absolument sans fondement. C'est même le contraire qui est vrai: plus l'enfant se sent en sécurité lorsqu'il est bébé, plus facilement il se libérera de ses parents quand viendra le temps de le faire.

On vend le snug-li dans beaucoup de magasins d'articles de bébés et on peut aussi le commander par la poste en écrivant à : Snug-li, Route 1, Case Postale 685, Evergreen, Colorado, 80439, É.U. Ce témoignage n'a pas été sollicité par la compagnie.

Les pères

À part évidemment donner le sein, il n'y a rien de ce que font les mères que les pères ne puissent faire (croyez-moi). La notion dépassée que les mères peuvent mieux répondre aux besoins de leurs bébés a poussé les mères à se sentir plus responsables de leurs enfants qu'elles ne le sont vraiment. Cette même notion a amené les pères à se sentir insignifiants et exclus. Sans l'ombre d'un doute, il y a des différences dans la façon dont les mères et les pères se comportent avec leurs enfants. Chacun des parents apporte dans l'éducation des enfants un assemblage particulier de traits de caractère et chacun contribue de façon inestimable, bien que différente, à la croissance et au développement de l'enfant.

Plusieurs études ont montré, par exemple, que les bébés ne montrent pas de préférence innée pour l'un ou l'autre des parents (à l'exception des bébés nourris au sein). D'autres recherches montrent que les bébés dont les pères ont pris une part active à leur éducation ont tendance à être plus ouverts, à avoir moins peur des étrangers et des nouvelles situations, à se montrer plus prompts à accepter les défis et généralement plus assurés. Je soupçonne ces résultats de dépendre moins des pères comme tels que du fait qu'il est plus stimulant et enrichissant d'avoir deux parents activement engagés qu'un seul.

Comme les mâles n'ont généralement pas été élevés de façon à se voir eux-mêmes dans le rôle de parent nécessaire dans les toutes premières années de l'enfant, bien des pères se sentent maladroits et ineptes avec leur enfant, au début. Mais un père qui *choisit* d'être relativement peu engagé ou dont la femme refuse qu'il participe se retrouve généralement avec le sentiment d'être laissé pour compte, comme s'il regardait de l'extérieur la relation mère-enfant. De façon presque inévitable, ce père développe une certaine jalousie et même du ressentiment à l'endroit de l'enfant. Souvent sa réaction consiste à mettre encore plus de distance entre lui-même et sa famille en investissant de plus en plus d'énergie dans ses activités professionnelles.

De l'autre côté, c'est la mère qui protège avec acharnement son rôle de parent essentiel aux premières années. Il est habituellement plus facile d'amener un père quelque peu réticent à s'occuper de son enfant que d'amener une mère possessive à desserrer son étreinte. La mère qui couve trop son enfant finit généralement par se sentir comme si elle élevait son enfant dans un bocal de poissons rouges, elle se sent piégée, sans aide, isolée, trop responsable et habituellement inefficace. Qu'il suffise de dire qu'aussi bien un père qui ne participe pas qu'une mère qui participe trop nuisent tous deux à la croissance et au développement de l'enfant.

La dépression postnatale

Il n'est pas rare pour les nouvelles mères d'éprouver un sentiment d'abandon et de se sentir déprimées juste après la naissance du bébé. La mélancolie peut surgir et disparaître sous la forme de rares moments de léger malaise et d'anxiété ou au contraire être des moments suffisamment fréquents et intenses pour requérir l'assistance d'un psychologue.

La dépression postnatale est probablement le résultat de la combinaison de plusieurs facteurs parmi lesquels on peut identifier:

- *Le désappointement* de découvrir que la maternité n'est pas cet événement renversant, cette révélation qu'on y voit parfois. Peut-être aussi maman est-elle un peu choquée par l'aspect ridé et plutôt fripé de son bébé, elle qui croyait dur comme fer qu'il allait être comme s'il sortait tout droit d'une annonce de poudre à bébé.
- *La fatigue* d'être réveillée une ou plusieurs fois, nuit après nuit, et d'être toujours de garde pour un autre être humain qui n'est pas seulement démuni mais semble en plus avoir un talent particulier pour les dégâts.
- *L'adaptation à un nouveau mode de vie*, à de nouvelles habitudes et de nouvelles priorités (y compris en fait que ses intérêts propres semblent de plus en plus relégués aux oubliettes).
- *Les changements qui se produisent dans sa relation avec son mari.* La perception que chacun a de l'autre et les attentes réciproques se sont modifiées. Par conséquent, maman peut éprouver un sentiment d'abandon et penser que "rien ne sera plus jamais comme avant".
- *Des doutes* quant à savoir si elle est réellement faite pour être mère ou si la maternité est vraiment ce qu'elle désirait. Presque chaque nouvelle mère passe par un stade où elle en veut quelque peu à son bébé.

L'un ou l'autre de ces facteurs, ou tous à la fois combinés avec la réalisation impuissante qu'"il n'y a pas moyen de faire marche arrière", peut perturber temporairement l'amour-propre d'une femme.

Outre se reposer le plus possible et se garder du temps pour elle-même et pour son mariage, la nouvelle mère devrait parler aux autres mères. Exprimez vos sentiments. Vous serez surprise de voir comme c'est réconfortant et rassurant de constater que les autres femmes éprouvent le même bouleversement émotionnel.

Et voici maintenant un conseil au nouveau père: engagez-vous! Mettez-vous-y! Offrez votre aide pour le changement des couches, le bain, le repas et tout ce que demande le soin d'un bébé. Si votre femme semble réticente à accepter votre aide, c'est probablement parce qu'elle croit qu'elle doit "être tout, tout le temps" pour son enfant. Si tel est le cas, montrez-lui gentiment que vous êtes tous les deux concernés par cette entreprise. S'il le faut, insistez pour qu'elle vous laisse l'aider et même parfois tout faire seul. Sa réticence peut également être une façon de mettre à l'épreuve la pérennité de votre attachement à son égard. Quand le bébé se réveille au milieu de la nuit, levez-vous avec votre compagne et parlez doucement avec elle pendant qu'elle nourrit le bébé. Si le bébé est au biberon, prenez un "tour de garde" régulier.

Plus vous participez aux soins du bébé, plus vous aidez votre femme, moins elle se sentira isolée et plus elle résistera à la dépression postnatale. Et donc, elle s'engagera davantage dans sa relation avec vous. Qu'est-ce que vous dites de ça?

Peut-on gâter un enfant?

Pas la moindre chance. Trop d'attentions au bébé, cela n'existe pas (sauf dans les cas où la mère affectionne trop jalousement son bébé au point qu'il domine sa vie au détriment de son mari, de ses propres intérêts, de ses amis, etc.).

La plupart des experts s'entendent pour dire qu'on ne peut gâter un enfant mais j'ai bien peur que beaucoup de parents, et en particulier beaucoup de mères, ne comprennent cela comme une incitation à prendre et à réconforter un bébé toutes les fois qu'il pleure. Ce n'est absolument pas le cas. Il y a incontestablement des moments où le bébé pleure (voir "Les pleurs", p. 66), non pas parce qu'il n'est pas bien ou a besoin d'attention, mais seulement pour pleurer. Quand cela semble le cas, il est parfaitement convenable de le laisser s'agiter tout seul quelque temps.

Cela ne prendra guère de temps avant que vous ne sachiez reconnaître, au son de ses cris, ce que précisément il réclame de vous. Si les cris sont une tentative de communication, alors il ne faut pas le laisser "pleurer à satiété". Il faut vous en occuper et faire tous les efforts raisonnables pour le réconforter. La façon dont vous répondez à ses besoins contribue à développer en lui une attitude de confiance à l'endroit du monde et de vous, en particulier. Cette confiance et ce sentiment de protection lui donne la liberté d'être curieux, d'explorer le monde et de devenir indépendant et sûr de lui.

La plupart des bébés pleurent avant de s'endormir, au moins pendant un certain temps. Pleurer au moment de dormir les aide à décharger les tensions qui pourraient empêcher la transition entre l'état de veille et le sommeil. Il n'y a aucune raison d'intervenir dans ce type de pleurs non plus. Cependant, pour votre propre tranquillité d'esprit, vous désirez peut-être aller voir un bébé qui pleure, toutes les cinq minutes environ depuis le moment où vous l'avez mis dans son berceau jusqu'au moment où il s'endort. Mais si ses pleurs se font plus insistants, prenez-le immédiatement.

Dans les cas où vous n'êtes pas sûrs que c'est après vous que votre bébé pleure, donnez-lui toujours le bénéfice du doute. Des études ont montré que les bébés dont les parents répondent rapidement à leurs cris qui réclament l'attention se sentent plus en sécurité et donc crient de moins en moins à mesure que le temps passe. Ils ont également tendance à demander moins et à être plus autonomes en vieillissant.

Les repas

La plupart des nouveau-nés ont besoin d'un repas toutes les trois ou cinq heures. Au début, le ventre de bébé ne fait pas la différence entre le jour et la nuit mais quelque part vers le milieu ou la fin du deuxième mois, il peut brusquement oublier son repas de trois heures du matin et dormir de onze heures du soir à presque six heures du matin. Mais ne pensez pas que c'est gagné. Il peut fort bien ne plus faire sa nuit pendant de nombreux mois à venir.

Nourrissez votre bébé quand il a faim. Bien que certains pédiatres continuent à préconiser un programme strict de repas aux quatre heures, la plupart des experts en développement des enfants sont d'accord pour considérer que le programme dit "à la demande" est préférable. En fait, l'expression "à la demande" ne convient guère. Les bébés ne demandent pas. Quand ils ont faim, ils pleurent, simplement parce que c'est leur façon d'exprimer une tension physique. Être obligés d'attendre que quelqu'un d'autre décide que "c'est le temps" pour eux d'avoir faim ne fait que les frustrer et les rendre inquiets.

Le rythme interne des repas sera bien établi dans le ventre de bébé vers la fin du deuxième mois. Mais il aura encore ses jours "hors cadre" et vous devrez rester flexible.

Entre son quatrième et son sixième mois, votre pédiatre vous recommandera probablement de commencer à introduire de la nourriture solide dans son menu. Certains bébés s'adaptent facilement à la nourriture solide, à cet âge, et ils semblent aimer expérimenter de nouvelles saveurs et de nouvelles textures. D'autres au contraire, et tout particulièrement les bébés nourris au sein, refusent la nourriture solide, à cet âge, et possiblement pendant encore plusieurs semaines voire plusieurs mois.

Ne faites jamais manger de force un bébé. Même à cet âge tendre, les attitudes que vous avez à l'égard de la nourriture vont se transmettre à votre bébé. Si l'heure des repas est associée à de la tension et si des questions concernant la *quantité* et la *nature* de ce que mange bébé prennent trop d'importance, il acquerra une attitude négative à l'endroit des repas. Si cela se produit, je vous garantis presque que l'heure du dîner familial ressemblera de plus en plus à un champ de bataille à mesure qu'il grandira.

Introduisez un à la fois les nouveaux aliments dans le menu . Il y a moins de chances que bébé résiste à une nouvelle saveur si vous la lui présentez au début du repas, quand il a le plus faim. Des petites portions l'aideront à s'habituer plus progressivement à un nouveau goût.

Vers ses six mois, bébé prendra grand plaisir à se nourrir lui-même de "mets à doigts" pendant une partie du repas. À cet âge, la nourriture est une aventure sensorielle et bébé va faire des expériences avec presque tout ce que vous lui donnerez: il va écraser, barbouiller, émietter et lancer à terre.

Les bébés au biberon sont en général capables de tenir leur biberon vers l'âge de six ou sept mois. Mais même si bébé préférera sans doute tenir le biberon lui-même (et il faut le lui permettre la plupart du temps), ce n'est guère une bonne idée de lui laisser prendre son biberon au lit, la nuit, ou pendant une sieste. L'heure des repas est là pour manger et l'heure du lit pour apprendre à s'endormir. Les bébés qui emportent leur biberon dans leur lit en deviennent vite dépendants et cette dépendance peut durer jusqu'à deux et même trois ans. De plus, le lait d'un biberon pris au lit adhère plus facilement aux dents de bébé, ce qui amène une forme de carie connue sous le nom de "syndrome du biberon". Enfin, il est important que tout au long de la première année les parents soient proches de l'enfant à l'heure de ses repas.

Sein ou biberon?

Avant la naissance de votre bébé, vous déciderez si vous allez le nourrir au sein ou au biberon. En prenant cette décision, ne vous laissez pas influencer par le mythe qui veut que les bébés nourris au sein soient plus sécures et heureux que les bébés nourris au biberon. Certes la qualité du rapport mère-enfant est augmentée quand on donne le sein avec succès mais cette pratique *n'*est *pas* indispensable à cette relation. Aucune preuve ne vient appuyer les prétentions des partisans du sein maternel selon lesquelles on établit par là de meilleurs fondements pour un bon développement psychologique. Une femme qui préférerait ne pas nourrir au sein mais qui pense qu'elle *doit* le faire pour être une bonne mère, n'aidera ni son bébé ni elle. Et même plus, cette pression qu'elle exerce sur elle-même réduit ses chances de bien réussir à nourrir au sein.

À mon sens, les avantages qu'il y a à donner le sein sont purement pratiques. C'est plus commode, car cela ne requiert ni préparation ni matériel. Cela prend beaucoup moins de temps. De plus, le lait maternel est chauffé à une température idéale; vous n'avez pas à vous préoccuper de la conservation du lait et le sein ne nécessite aucune stérilisation. Le lait maternel est gratuit et se renouvelle de lui-même. Il est, en outre, non allergène. Certains médecins pensent même que le lait maternel peut empêcher de futures réactions allergiques aux produits à base de lait de vache.

Voici maintenant quelques réponses à certaines questions que l'on se pose souvent à propos de la pratique de donner le sein:

Question: Est-ce que le lait maternel est plus sain que les produits commerciaux?

Réponse: Les produits commerciaux tentent de reproduire la composition du lait maternel et, dans l'ensemble, les similitudes l'emportent sur les différences. Mais les différences, quoique minimes, jouent en faveur du lait maternel.

Question: Les bébés nourris au sein sont-ils plus résistants aux maladies contagieuses?

Réponse: Apparemment oui. Car, avant que le bébé ne puisse développer ses propres défenses contre les microbes, il doit compter énormément pour sa protection sur les anticorps de sa mère. Beaucoup de ces anticorps se trouvent dans le colostrum, la substance jaunâtre riche en protéines que les seins sécrètent les premiers jours après l'accouchement, et dans le lait lui-même. Ces facteurs de protection immunisent temporairement le bébé contre une large gamme d'agents d'infection.

Les bébés au sein souffrent de crises de diarrhée moins fortes et moins fréquentes et ils ont moins de maladies respiratoires et gastro-intestinales que les bébés au biberon. Ces effets sont encore plus nets chez les bébés nourris au sein pendant plus de cinq mois.

Question: Est-ce que les bébés nourris au biberon prennent plus de poids que les bébés au sein.

Réponse: En moyenne, les bébés au biberon sont plus gros et plus lourds à un an que les bébés au sein. On prend souvent cela pour un signe de bonne santé; en réalité, les bébés au biberon prennent du poids plus rapidement qu'ils ne grandissent alors que chez les bébés au sein le rapport entre le poids et la taille a tendance à être plus équilibré. Bref, les bébés au biberon sont plus susceptibles d'être trop gros.

Les bébés au sein ont plus de contrôle sur le processus. Quand ils arrêtent de sucer, la mère arrête de les nourrir. En revanche, les bébés au biberon peuvent être encouragés à continuer à boire même après que leur faim ait été rassasiée. Les bébés nourris au biberon sont généralement mis à la nourriture solide bien plus tôt que les bébés au sein. L'introduction prématurée de nourriture solide peut aussi contribuer à un poids trop élevé.

On ne devrait *jamais* se servir de biberons en guise de sucettes. On ne doit nourrir les bébés *que* lorsqu'ils ont faim et non toutes les fois qu'ils pleurent. Un gros bébé n'est ni joli ni désirable. Un poids excessif peut ralentir le développement du bébé. Un bébé trop gros a plus de chances de devenir un enfant trop gros et, plus tard, un adulte trop gros. Et l'obésité n'est jamais la santé, à quelque âge que ce soit.

Question: Le biberon présente-t-il d'autres dangers?

Réponse: Ce peut être très dangereux si l'eau n'est pas propre, la réfrigération inadéquate ou si la préparation n'est pas faite dans des conditions de stérilité satisfaisante. Si le liquide est contaminé, le bébé est exposé à de graves infections. De plus, délayer la formule pour épargner de l'argent peut conduire à une malnutrition. Par ailleurs, les mères qui nourrissent au biberon doivent faire attention à ne pas gaver leur enfant et elles doivent résister à la tentation d'ajouter trop tôt des solides à la diète du bébé. Il n'y a rien de dangereux dans le biberon *en soi*. En fait, les formules de lait modernes se rapprochent beaucoup de la composition du lait maternel et donnent un développement sain.

Question: Y a-t-il des femmes qui ne devraient pas donner le sein?

Réponse: Oui, celles qui souffrent de tuberculose ou de maladies infectieuses chroniques. De plus, une mère qui donne le sein devrait consulter son médecin avant de prendre une médication quelconque. Les femmes qui prennent régulièrement de l'alcool, de la marijuana, des cigarettes ou du café devraient demander à leur médecin si ces substances peuvent avoir des effets contre-indiqués sur le nourrisson.

Certaines mères (très peu) ont trop peu de lait: nourrir le bébé au sein devient, dans ce cas, difficile voire même impossible. Les causes les plus courantes du manque de lait sont la dépression, l'anxiété et la peur de ne pas réussir. Toutes ces raisons peuvent empêcher la production de lait. Comme je l'ai dit plus haut, une femme qui se force à donner le sein alors qu'elle préférerait ne pas le faire, sape ses chances de succès. Ne laissez pas votre amour-propre s'ingérer dans cette décision. Faites ce que vous vous sentez le plus susceptible de faire.

Pour des informations supplémentaires à ce sujet, il existe aussi un certain nombre de bons livres sur le sujet, parmi lesquels *Donner le sein* de Karen Pryor (Pocket Books) et *L'art de donner le sein* publié par la Ligue La Leche.

Le sommeil

Vers le milieu ou la fin du second mois, votre bébé va sans doute commencer à faire ses nuits, à votre plus grande joie. Dans la plupart des cas, il lui faudra encore tout de même un repas à vingt-trois heures, après quoi il pourra dormir jusqu'à cinq ou six heures du matin. La première fois que cela se produira, vous vous réveillerez sans doute au milieu de la nuit en vous demandant pourquoi vous n'avez pas entendu votre bébé crier. Allez le voir, cela vous rassurera, mais ne le réveillez *en aucun cas*.

Il *n'*est *pas* nécessaire de parler bas ou de marcher sur la pointe des pieds quand bébé dort. Votre bébé dormira profondément et calmement tandis que la vie continue à son rythme normal dans la maison. En fait, c'est quand le bébé est *éveillé* qu'il vaut mieux baisser un peu le niveau des stimuli. Car un excès de bruit et d'activité visuelle peut perturber le bébé et même submerger ses défenses, le rendant irritable et nuisant à son rythme de vie. Si bébé est constamment ou fréquemment exposé à un haut niveau de stimulation, il peut avoir du mal à prendre une habitude.

Vers quatre semaines, le réflexe tonique du cou (RTC) se met en place. Le RTC ou "garde de l'escrimeur" est une attitude caractéristique des bébés et demeure jusqu'au quatrième mois environ. Lorsqu'il est sur le dos, le bébé tourne la tête vers le côté qu'il préfère (85% le font vers la droite) et étend le bras correspondant vers l'extérieur. Le bras opposé est plié, la main restant généralement sur la poitrine ou à proximité, d'où l'expression "garde de l'escrimeur".

À part cette préférence pour un côté particulier vers où tourner sa tête, votre bébé montrera également des préférences bien précises quant aux positions qu'il adopte pour dormir. En faisant quelques essais, vous devriez pouvoir déterminer s'il préfère dormir sur le ventre ou sur le dos. Quel que soit le cas, il vaut mieux respecter ses préférences. Absolument rien ne justifie l'idée qu'un bébé couché sur le dos a plus de chances de s'étouffer ni celle qui veut que couché sur le ventre il risque de suffoquer.

Vers la fin du troisième mois, il y a des chances que votre bébé ait éliminé son repas de vingt-trois heures et dorme environ dix heures d'affilée par nuit. *C'est alors le temps de commencer à instaurer une heure de coucher régulière.* Non seulement une telle habitude aidera-t-elle votre bébé à deviner quand il est temps de dormir, mais elle lui donnera aussi une chance de se déprendre tranquillement de l'activité de la journée. Il y a alors plus de chance que le bébé accepte bien l'heure de son coucher quand elle sonne.

Avec ou sans routine, il est possible que votre bébé crie encore après que vous l'ayez mis dans son berceau. Il n'est pas rare que les bébés pleurent jusqu'à ce qu'ils dorment, et beaucoup semblent même dormir plus profondément si on les laisse pleurer dix ou quinze minutes après les avoir mis au lit. Vous n'avez pas à intervenir, à moins que ses pleurs ne soient évidemment justifiés.

Bien des bébés continuent, même après le troisième mois, à se réveiller pendant la nuit pour de courtes périodes où ils gigotent et font des bruits divers. Ces périodes de semi-veille font partie du cycle normal de leur sommeil. Ils n'ont pas besoin d'attentions à ce moment-là et si on les laisse à eux-mêmes ils trouveront bien moyen de se rendormir en peu de temps. Mais vous pouvez vous-même conditionner votre bébé à se réveiller complètement et de façon répétée, au milieu de la nuit, si vous avez le malheur de le prendre ou de le faire manger chaque fois qu'il se réveille.

Si votre bébé n'a pas encore commencé à faire ses nuits à cet âge, n'essayez pas de l'y forcer en le faisant veiller le soir autant que vous pouvez. Le meilleur moyen de favoriser un long et profond temps de sommeil, la nuit, est au contraire de coucher le bébé, le soir, au premier signe de fatigue. Si on laisse un bébé dépasser le temps où il aurait dû être couché, il aura plus de difficulté à s'endormir, son sommeil sera agité et il sera plus irritable quand il se réveillera.

À quatre mois, votre bébé fera encore deux ou trois siestes dans la journée. Mais vers le cinquième mois, il peut y avoir des jours où il ne fera qu'une seule sieste. Même dans ce cas, il vaut mieux le faire se reposer en le couchant une deuxième fois, même s'il ne s'endort pas vraiment. Vous en aurez certainement besoin et quant à lui, une autre période de calme ne lui fera pas de mal non plus.

Vers leur huitième mois, la plupart des bébés dorment douze heures par nuit et ne font plus qu'une sieste dans la journée (certains bébés, cependant, font encore deux siestes par jour jusqu'à près d'un an et demi). Vers le huitième mois également, beaucoup de bébés, même ceux qui jusque-là se sont montrés coopératifs, commencent à protester au moment de se coucher. À cet âge, le bébé rampe, s'assied sans soutien et se relève tout seul. Sa mobilité stimule l'intérêt qu'il prend à explorer son environnement. C'est une période excitante pour bébé et il peut ne pas accepter de cesser toute activité quand vous décidez que sa journée est finie. De plus, les bébés de huit mois sont plus perturbés d'être séparés de leur mère que ceux de six mois ou de douze. Vous pouvez donc avoir quelques problèmes à l'heure du coucher.

C'est le temps de montrer une douce fermeté. Tenez-vous-en à la routine de couchers que vous avez établie et sans tenir compte de ses protestations, faites savoir à bébé que le coucher est un événement inéluctable de sa vie quotidienne. Votre esprit de décision, votre ferme résolution et le contrôle que vous démontrez de cette situation sera une inestimable source de bien-être et de sécurité pour votre bébé.

De huit à dix-huit mois: le bambin

Pour les enfants qui ont entre huit et dix-huit mois, le monde change rapidement.

Vers huit mois, un bébé normal s'assied droit tout seul, rampe, se met debout tout seul, et peut même marcher autour des objets en se tenant à eux.

C'est aussi le moment où s'améliorent la coordination oeil-main et l'habileté des doigts. Par exemple, il peut maintenant ramasser de petits objets (boutons, miettes, etc.) entre le pouce et l'index. Cela stimule l'intérêt qu'il prend à l'univers des petites choses et augmente par conséquent les risques de blessures.

Pendant ces dix mois, l'enfant fait de remarquables progrès dans son développement moteur, intellectuel et dans sa capacité de communication. C'est une période d'"équipement": le bébé se munit des habiletés et des informations dont il aura besoin pour commencer à maîtriser son environnement.

Ces événements représentent une véritable percée. Ils sont le germe de l'autosuffisance. Pour la première fois de sa vie, le bambin peut faire un assez grand nombre de choses par lui-même.

Poussé par un insatiable appétit de découvertes, il va et vient, assemblant les pièces du casse-tête en une "image" cohérente du monde tel qu'il le connaît.

Il est devenu un explorateur, un chercheur d'informations, un participant actif dans l'ordre général des choses. Son seul but, dévorant, est de *connaître*, de pénétrer les mystères de l'univers. Pourquoi? Parce que c'est là!

Jouer la violette

Cette liberté nouvelle a, comme toujours, sa rançon. Au moment même où l'enfant connaît cette accélération dans son développement moteur et intellectuel et cet enrichissement de ses perceptions, sa mère appelle sans doute le pédiatre pour lui demander pourquoi son bébé est-il si réticent à se séparer d'elle en présence d'autres personnes? Et pourquoi également, demandent les parents, bébé est-il toujours en train de vérifier s'ils sont encore là, comme s'il avait peur qu'ils disparaissent à tout instant?

Il y a plusieurs raisons (ou une seule raison en plusieurs parties) pour lesquelles les enfants de cet âge semblent un instant si désireux d'essayer leurs ailes et l'instant d'après si craintifs de s'aventurer loin de leurs parents.

Tout d'abord, la possibilité d'explorer le monde tout seul change leurs priorités. La qualité des *choses*, leur texture, leur goût et leur mouvement, sont maintenant de première importance pour eux. Dans le court espace de quelques semaines, le monde devient un endroit radicalement différent et la perspective de s'aventurer seul dans ce paysage étranger est à la fois excitante et effrayante. C'est excitant grâce à l'extraordinaire sentiment d'accomplissement qui accompagne le fait d'ouvrir une nouvelle porte; c'est effrayant parce que ces premiers pas tentés en territoire inconnu sont risqués. Un enfant de cet âge veut faire ces pas mais pas avant de s'être assuré que ses symboles essentiels de sécurité sont encore là. Ces symboles, c'est vous, papas et mamans. Vous êtes sa police d'assurance!

Jusqu'à maintenant, presque tout ce qu'il a vu, entendu ou touché a été une gracieuseté de son tout premier responsable (habituellement la mère) qui l'a transporté, lui a apporté des choses, a placé des objets à portée de sa main, a joué avec lui, etc.

La mère a été synonyme de la satisfaction des besoins du bébé en ce qui concerne la nourriture, le confort et la stimulation. Et, du point de vue égocentrique de l'enfant, leurs identités ont été confondues. Le bébé n'a pas distingué "mama" de "moi".

À mesure que le bébé découvre qu'il peut faire des choses tout seul, un sentiment de séparation d'avec la mère commence à se développer. C'est la première amorce du sens de l'identité, le début de la conscience de soi.

Pour la première fois de sa vie, le bambin a le *choix*. Maintenant qu'il peut, dans une certaine mesure, contrôler la distance entre sa mère et lui, il doit décider de la proximité ou de l'éloignement qu'il veut. Il doit faire la part de son besoin de sécurité et celle de son désir de devenir de plus en plus indépendant.

L'enfant est tiraillé entre les deux possibilités. Une voix lui dit: "Eh! bébé, tu peux faire ça tout seul!" S'il écoute cette voix, il abandonne un peu de la sécurité qui va avec la présence de maman, là, prête à tout faire pour lui.

L'autre voix supplie: "Non! Pas encore! C'est trop dur pour toi! Appelle maman avant qu'elle disparaisse pour toujours!"

La façon dont l'enfant résout ce conflit convenablement ou non dépend de la réponse à une question cruciale: *L'environnement répond-t-il et aide-t-il suffisamment l'enfant dans ses explorations et ses recherches?* Est-ce que ses premières expériences sont exaltantes ou frustrantes? Ses découvertes sont-elles heureuses ou douloureuses? Est-ce que les personnes qui prennent soin de lui l'*assistent* ou le *gênent* dans sa plaisante entreprise? Son environnement est-il stimulant ou ennuyeux? Il tient son futur dans *ses* mains? Combien de fois lui tape-t-on sur les mains?

Pendant un temps, l'enfant cherche à retrouver son équilibre en gravitant plus près de sa mère. Il semble deviner que le lien qui l'unit à sa mère est vital, que la présence de sa mère est essentielle au maintien de sa sécurité.

Il n'est pas surprenant, dès lors, que les autres personnes représentent une des plus grandes menaces qui soient dans l'univers de l'enfant. Elles ont tendance à se précipiter sur lui avant qu'il ait eu une chance de les attraper et elles veulent souvent le soustraire aux bras de sa mère pour le prendre dans leurs bras à elles. Sa seule défense est de s'accrocher en hurlant.

Malheureusement, comme peu d'adultes comprennent la raison de ces rebuffades, les grands-parents sont souvent dépités, les pères éprouvent souvent de la colère et les mères se sentent généralement responsables des peines de tous les autres.

Les questions et réponses ci-dessous illustrent la phase du bambin qui s'accroche. Tout au long de ce livre, j'utiliserai cette formule de questions et de réponses pour proposer des solutions aux problèmes classiques que peuvent rencontrer les parents.

Question: Je suis la mère d'un adorable petit garçon d'un an qui est trop collé sur moi. Parfois il est perturbé rien que parce que je quitte la pièce. Il ne se laisse prendre par personne d'autre, si je suis présente. Parfois, même pas par son papa. Inutile d'ajouter que cela devient par moments très frustrant pour moi. Je l'ai nourri au sein jusqu'à ce qu'il se sèvre lui-même progressivement à onze mois et je me demande si cela n'a pas contribué à le rendre aussi collant. Je pensais pourtant qu'en lui donnant le sein aussi longtemps qu'il l'a voulu, je l'aiderais à devenir indépendant.

Réponse: Lorsque vous quittez la pièce, il panique parce que ce n'est pas *lui* qui contrôle cette séparation. Pour lui, c'est une chose de ramper loin de vous et c'en est une tout autre que de vous voir vous éloigner de lui, de votre propre chef.

Certes, donner le sein au bébé peut aider à développer en lui un esprit d'indépendance, mais le biberon aussi, tout autant que le prendre pour le consoler et bien d'autres choses. Mais avant qu'un bambin puisse tenter ses premiers pas vers l'indépendance, il ne doit y avoir aucune question, aucun doute dans son esprit: il doit être sûr que vous restez à portée de sa main. Il doit se rassurer en sachant que vous resterez là jusqu'à ce qu'il n'ait plus besoin de vous.

S'il veut s'accrocher à vous, laissez-le faire... s'il veut seulement que vous le preniez, prenez-le. Plus vous serez réceptive à l'expression de ses besoins, moins cette phase durera.

Les faits montrent clairement que plus l'enfant doit se battre pour que maman reste près de lui, plus il deviendra collant à la longue. Cela ne veut pas dire que le mettre à la garderie ou le faire garder chez vous doive le traumatiser. Dans de tels cas, il vaut mieux au contraire que maman s'en sépare. Plus maman s'obstine et reste dans les parages, pire cela devient.

Par ailleurs, si, au lieu de fondre sur lui à bras ouverts, les autres personnes s'asseyent et attendent tranquillement, l'enfant finira bien par s'en approcher de lui-même. Si elles ne font pas de mouvement brusque, il peut rester là suffisamment longtemps pour s'apprivoiser. À cette époque délicate de son existence, il se sentira plus sûr si les rapprochements se font selon ses termes à *lui*.

*Magie et dégâts**

À un moment donné, entre huit et quinze mois, un enfant découvre que le monde est plein de magie et qu'il en est, lui, un des plus puissants magiciens. Quand un enfant devient un magicien, le vieux dicton: "la main va plus vite que l'oeil" est d'autant plus vrai.

À cette époque, les parents trouvent de mystérieux messages inscrits au rouge à lèvres sur les murs, des pages arrachées à la Bible familiale, le contenu de la toilette dans la baignoire, tous les livres sortis des rayons, tous les vêtements sortis de l'armoire et le chat dans le réfrigérateur. La main rapide du magicien est évidemment celle de l'enfant. Et l'oeil lent, c'est celui des parents.

Au début, les parents ne semblent pas s'en offusquer. Ils rient et félicitent le jeune magicien de ses tours. "N'est-il pas mignon?" s'exclament-ils.

Mais ensuite ils deviennent jaloux parce que la magie de l'enfant est meilleure que la leur. Leurs visages deviennent rouges, leurs yeux froids et ils commencent à appliquer la bonne vieille main rapide sur le lent postérieur, rien que pour prouver qu'ils n'ont pas perdu la main. "N'est-il pas insupportable?" grondent-ils.

Le jeune magicien tente vainement de faire comprendre aux plus vieux. Il invente plus de tours, fait plus de blagues, déploie une plus grande dextérité, rien que pour se faire rappeler que son derrière, lui, est lent. Le jeune magicien découvre la peur et c'est son

---

* Le titre original *Magical Mischievious Tour* joue d'une référence, impossible à traduire, à l'album des Beatles: *Magical Mystery Tour*. (N.d.t.)

Waterloo. La peur ralentit les mains les plus rapides. Les vieux tours ne réussissent plus. Dans les années à venir, quand toute magie aura sombré dans l'oubli et que l'oeil sera devenu lent, il sera prêt à devenir lui aussi parent.

Les bambins et les parents vivent dans deux mondes différents. Les bambins vivent dans un merveilleux monde de rêve où chaque vision, chaque son, chaque contact est une nouveauté. Tout ce qui arrive dans un monde d'enfant se produit pour la toute première fois. Et cela n'arrive que pour lui et pour personne d'autre.

Le petit enfant n'a pas assez de mots pour expliquer toutes les choses stupéfiantes qui se produisent dans son univers: pas de mots pour dire pourquoi le papier se déchire, pourquoi le verre se brise. Il n'y a aucune explication à rien, sinon le fameux "c'est comme ça". Pas étonnant que les enfants croient en la magie.

L'arbre aux gâteaux, un livre pour enfants de J. Williams (Parent's Magazine Books, épuisé) devrait être une lecture obligatoire pour tous les parents. Il commence ainsi:

> *Le village d'Owlgate était tranquille, calme et rien d'étonnant ne s'y passait jamais. Chaque chose avait sa place et y restait. Chacun savait pourquoi les choses se passaient et tout arrivait comme cela devait arriver. Rien d'étonnant n'arrivait jamais parce que rien d'étonnant n'était* autorisé *à arriver. "De cette façon, disaient avec satisfaction les gens d'Owlgate, on sait toujours où on est."*

Les parents habitent Owlgate. Ils ont des raisons pour tout, une place pour chaque chose. Ils travaillent dur toute la journée à donner des raisons, à trouver des places et à s'assurer que les choses y restent. Les mots ont remplacé le merveilleux et si l'on ne peut expliquer quelque chose, c'est que cela n'existe pas.

Lorsqu'un oeuf s'écrase à terre, un bambin de douze mois peut voir jaillir un morceau du soleil. Un parent voit un dégât, lui. Les petits doigts se tendent vers des choses qui se défont, tombent, rebondissent, se brisent ou éclaboussent et jaillissent dans toutes les directions. Au pays des merveilles, c'est de la magie. À Owlgate, c'est une vilaine action et les vilaines actions sont la raison des dégâts. Mais dans la vilaine action il y a aussi le plaisir de la découverte et là est la raison de l'apprentissage avec un grand "A".

Le petit enfant n'a pas assez de vocabulaire pour comprendre les "parce que" et les "parce que c'est non" de la vie à Owlgate. Il découvre le monde par l'expérience directe qu'il en a. C'est l'action propre de l'enfant qui fait que les choses se fendent, rebondissent et se brisent et c'est par l'action que l'enfant découvre les diverses choses qui composent le monde et comment elles s'ouvrent, ce qu'il y a dedans, ce qui arrive à chacune, quand et comment cela arrive, etc. L'enfant doit expérimenter *tout* cela avant de pouvoir même trouver une raison d'être aux mots dont nous nous servons pour décrire le "pourquoi". Et ainsi, la vilaine action magique et les dégâts qu'elle cause sont aussi la raison du langage, avec un "L" majuscule ici encore.Les enfants auxquels on permet d'explorer le monde des vilaines actions apprennent que les mots peuvent aussi être utilisés de façon magique. Ils apprennent rapidement le langage et même à bien s'en servir. La vilaine action s'épanouit aussi en imagination et en créativité. Un savant n'est rien d'autre, après tout, qu'un magicien adulte qui accomplit la vilaine action du progrès.

La nature maligne de la curiosité de l'enfant est la force qui sous-tend tout apprentissage et tout accomplissement. C'est aussi, en même temps, la source de tous les accidents qui surviennent pendant l'enfance.

Pendant cette phase critique du développement de l'enfant, il est essentiel d'établir certaines barrières physiques, à la fois pour assurer sa sécurité et pour lui fournir un environnement qui encourage l'exploration, l'apprentissage et la créativité.

Le bambin ne peut deviner quels objets et quelles situations de son environnement peuvent être dangereux. Il n'est pas non plus capable d'apprécier la valeur d'objets domestiques coûteux ou irremplaçables. Sa nature *exige* qu'il touche, sente et goûte tout ce qui est à sa portée. Poussé par un insatiable appétit de découvertes, il est encore plus alerte quand il est en mouvement, cherchant partout la nouveauté.

Il est inévitable qu'à un moment donné cette pulsion exploratrice le pousse vers quelque fragile figurine en céramique, quelque verrerie ancienne, la collection de violettes africaines et tout ce qui pourra se trouver à sa merci.

La façon de très loin la plus facile, la moins chère et la plus intelligente de réduire ces risques évidents est de serrer vos trésors hors d'atteinte de l'enfant, dès qu'il se montre capable d'attraper des objets. Si vous protégez ainsi votre maison contre les dégâts que peut causer l'enfant, la frontière entre le "tu peux toucher" et le "tu ne peux pas toucher" est fixée par les propres limitations physiques de l'enfant. Les parents qui négligent ou refusent d'agir ainsi doivent constamment se préoccuper de savoir où sont leurs bambins et ce qu'ils font. Ces parents-là n'ont jamais un instant de repos et leurs enfants pleurent beaucoup.

Il me semble vous entendre: "Mais Michèle doit apprendre qu'il y a des choses qu'elle ne doit pas toucher et puis, il m'a fallu des années pour réunir toutes ces choses." Vous marquez un point. Certes un enfant doit finir par faire la différence entre ce qu'il *peut* avoir et ce qui n'est pas pour lui. Mais le rapport entre une tentative pour attraper un certain objet et la tape qui s'abat sur la main ou un "Non!" retentissant ne s'établit (s'il s'établit) qu'à grands frais pour la tranquillité d'esprit des parents et la confiance et la capacité d'apprentissage de l'enfant.

Protégez donc vos objets de valeur et vos objets fragiles en les plaçant hors de portée. Courir après un enfant à travers toute la maison, essayer fébrilement de couvrir tous les buts, est une entreprise vouée à l'échec. Vous ne pourrez gagner, parce qu'un enfant a plus d'énergie et de détermination.

Détendez-vous et appréciez votre rôle de parent. Alimentez la curiosité de votre enfant mais pas avec des violettes africaines. Fournissez-lui une grande variété d'objets de couleurs, de formes et de textures différentes (mais pas une pléthore de jouets) un peu partout dans la maison.

Laissez-le "découvrir" des choses incassables. Quand il les a trouvées, apprenez-lui à jouer à "tu le prends, je le prends" avec vous. Jouez *avec* lui, pas *contre* lui.

Avant d'aller voir des amis ou des parents, demandez-leur par téléphone s'ils veulent bien rendre la visite plus détendue et agréable pour tout le monde en serrant leurs trésors et en tenant certaines portes fermées. "S'il te plaît, ne le prends pas mal, mais je préfère t'en parler à l'avance plutôt que de me ronger les sens en me demandant ce que Michèle fait derrière mon dos."

Ces précautions sont encore plus nécessaires dans le cas d'objets ou de substances qui peuvent être dangereux pour les enfants. Les produits de nettoyage, la peinture, les médicaments, les épingles, les bouteilles en verre, les sacs en plastique, les aérosols et les outils doivent être placés hors de portée des enfants. Les prises de courant peuvent être recouvertes avec des plaques spéciales. Un verrou posé sur la porte de l'escalier du sous-sol est une sage précaution contre les fractures et les contusions. Les placards bas peuvent être munis de loquets à l'épreuve des enfants ou encore, nettoyés et rendus sécuritaires, offrir un endroit fascinant à explorer à quatre pattes.

Les parcs

Les parcs ont leurs avantages et leurs inconvénients. Utilisé sagement et avec modération, un parc peut rendre un fier service aux parents et fournir à bébé un terrain de jeu sans danger. Mais si l'on s'en sert mal, ce peut être un obstacle au développement normal de l'enfant. Quand on les laisse dans leurs parcs trop longtemps sans s'occuper d'eux, les enfants s'ennuient, deviennent frustrés voire même déprimés.

Se servir d'un parc quand un enfant est assez vieux pour marcher est encore plus nuisible. Certains faits suggèrent que les enfants qui passent beaucoup de temps dans leur berceau ou leur parc souffrent de retard dans l'apprentissage du langage et ont une moins bonne coordination. Un tel handicap imposé à l'enfant est difficile à surmonter.

À mesure que votre enfant grandit, utilisez le parc moins souvent et pendant des périodes plus courtes. Lorsqu'il commence à se traîner, donnez-lui beaucoup de temps libre pour se promener et explorer. Plus un enfant est capable d'exercer sa curiosité, plus il deviendra intelligent et créateur. Si vous utilisez le parc pendant que vous repassez, que vous lavez ou que vous faites la cuisine, placez-le près de vous et parlez à votre enfant tout en travaillant. Cela le tient en éveil et stimule son développement langagier.

Protégez la santé de votre enfant en lui donnant un environnement sûr qu'il puisse explorer sans se sentir trop souvent frustré, sans s'ennuyer ni être puni. En établissant ces limitations physiques, avec amour et intelligence, non seulement vous assurez sa sécurité, mais vous aidez à son développement et vous vous créez une atmosphère plus détendue.

Question: Mon fils a huit mois. Je l'ai mis dans son parc pendant de courtes périodes chaque journée depuis qu'il a trois mois. Jusqu'à récemment il s'occupait tranquillement jusqu'à ce que je le sorte, mais on dirait que maintenant c'est bien fini. Ces temps-ci, dès que je le mets dans son parc, il crie au meurtre et ne s'arrête pas tant que je ne le prends pas. Cela me pose un sérieux dilemme. Je ne peux pas être près de lui à chaque minute de la journée. Il y a des moments où je suis occupée et où je ne peux le surveiller vraiment. Et pourtant, il faut absolument le surveiller puisqu'il se relève déjà tout seul et qu'il marche autour des meubles. En d'autres termes, je ne peux ni le laisser tout seul ni m'occuper de lui tout le temps mais il a horreur du parc, alors que faire?

Réponse: Avant d'aller plus loin, il vous faut comprendre que les parcs ne sont pas faits pour jouer, du moins pas dans le vrai sens du mot. Les parcs sont ennuyeux. L'ennui est d'ailleurs à peu près tout ce qu'on peut éprouver dans un endroit clôturé qui fait au maximum deux mètres carrés. Et plus les parents placent d'objets dans le parc pour que l'enfant joue avec, plus le parc est encombré, restreignant encore plus les possibilités de jeu de l'enfant.

Avant de commencer à se traîner, la plupart des enfants supportent bien l'isolement relatif du parc, du moins pendant de brèves périodes de la journée. Mais dès qu'ils rampent, leur désir d'explorer le monde devient plus fort. Une fois qu'un enfant a découvert l'excitation constante qu'il y a à changer sans arrêt de place et à se placer en plein milieu de ce qui se passe, il n'a plus guère envie de rester assis bien tranquille à l'écart dans un parc. Ajoutez à cette curiosité le fait qu'un bambin (entre huit et douze mois) ne sait pas trop à quelle distance de lui il veut voir sa mère. Ces promenades un peu partout représentent pour lui une véritable boîte à surprise mais cela l'éloigne aussi de celle qu'il aime le plus.

Donc, l'enfant de cet âge est lui-même pris dans *son propre* dilemme. Il veut être avec vous et il veut aussi s'éloigner de vous, pour faire ses propres expériences. Il se sent un peu mieux, si c'est lui qui contrôle la distance entre vous deux et également si c'est lui qui décide du moment de la séparation. Si c'est *vous* qui vous éloignez, il crie, mais si *lui* s'en va, alors, salut. Juste pour voir si vous ne vous êtes pas désintégrée pendant qu'il ne vous regardait pas, il vient voir de temps en temps si vous êtes encore là. Si un étranger est dans les parages, l'enfant va droit vers vous. Si vous le mettez dans un parc, son anxiété augmente, car non seulement il ne contrôle pas la séparation mais en plus il ne peut même plus aller vers vous.

Ici, j'aimerais faire une petite digression et vous raconter une histoire vraie à propos de bébés canards. Pendant plusieurs jours après leur naissance, la troupe de cannetons s'aligne derrière la mère et la suit partout où elle va. On appelle cela *l'impression*.

Après plusieurs semaines à défiler ainsi un peu partout, ils rompent les rangs. L'éthologiste Nikolaas Tinbergen a voulu voir ce qui se produirait si on nuisait à *l'impression*. Il a donc fait placer de petites barrières le long du parcours qu'avait l'habitude de suivre la canne. Les cannetons devaient sauter par-dessus les barrières.

Résultat: ces cannetons frustrés ont continué à suivre leur mère longtemps après que d'autres cannetons aient abandonné cette pratique.

Avant qu'un enfant puisse faire preuve d'indépendance, il doit savoir, sans l'ombre d'un doute, que sa mère sera facilement accessible en cas de besoin. Les parcs dérangent l'enfant devenu mobile de la même façon que les barrières de Tinbergen gênaient les cannetons. Et cette frustration rend l'enfant encore plus résolu à garder sa mère à proximité.

Ainsi, en vous servant d'un parc pour pouvoir vous éloigner (pour quelque raison que ce soit) d'un enfant qui commence à se mouvoir tout seul, vous augmentez les chances qu'il s'accroche à vous longtemps après que la plupart des enfants seront devenus plus indépendants.

Un des plus beaux cadeaux que vous puissiez faire à votre enfant et à vous-même est de lui fournir, dès qu'il commence à se traîner, un endroit sûr où il puisse ramper, lancer et attraper des objets incassables tout son soûl pendant que vous vous détendez, sachant qu'il ne risque rien. Il éprouvera sans doute malgré tout les mêmes insécurités que les autres bambins qui se traînent mais au lieu de s'y laisser prendre, il les surmontera.

La règle est simple:

Dès qu'il se traîne, n'enfermez pas,
Pour votre paix, un endroit sûr
Où librement bébé explore
Sans nul danger son beau foyer.

Quand bébé mord

Pendant sa première année, bébé mord presque exclusivement pour expérimenter. La bouche d'un bambin est un organe de découverte aussi essentiel que les yeux et les mains. De plus, la sensation qu'il retire de cet usage exploratoire de sa bouche est extrêmement plaisante, alors presque tout vient s'y loger.

Un bambin apprend à différencier les saveurs, les textures et les températures avec sa bouche. Il découvre ce qui est de la nourriture et ce qui n'en est pas en mâchouillant tout, des cendriers aux dossiers de chaises.

Il trouve les réponses aux mêmes questions à propos des personnes: "Je me demande ce que goûte maman. Hum! Pas mauvais!

Hé!, elle fait des choses intéressantes et elle produit des nouveaux sons quand je la goûte. Je me demande si elle peut les refaire." Comme en prime, le bébé découvre que mordre soulage ses maux de dents et lui donne une bonne vieille sensation de bien-être (dans les gencives!).

À un moment, vers le début de sa deuxième année, mordre devient un jeu et une marque d'affection. C'est une façon de dire: "Hé! je t'aime! Tu veux jouer?" Cela continue à être extrêmement plaisant pour lui et il ne sait pas que vous ne partagez guère son plaisir.

À mesure que votre bambin va vers ses deux ans, il rencontre un nombre de plus en plus grand de situations frustrantes. Il peut alors fort bien découvrir qu'en mordant très fort il peut faire tomber la tension que telle situation a pu produire en lui. Une cible toute désignée est la personne qui se trouve associée de très près à sa frustration.

Voici l'histoire d'un mordeur typique et mes conseils au mordu:

Question: J'ai un fils de quatorze mois qui me mord plusieurs fois par jour. Parfois, il le fait manifestement par frustration mais à d'autres moments il mord pour des raisons qui m'échappent.

Cela dure depuis trois mois et ça ne fait qu'empirer. J'ai essayé la fessée, je l'ai mis dans son berceau, je l'ai même mordu à mon tour (sur les conseils de mon pédiatre), mais rien ne semble lui faire comprendre. Il ne mord que *moi* et je ne comprends pas ce que je peux avoir fait pour causer ça. Qu'est-ce que je peux faire?

Réponse: Ne le prenez pas de façon si personnelle. Il ne vous mord pas parce qu'il vous déteste ou parce que vous le méritez, il vous mord simplement parce que vous *êtes là*. Vous êtes la personne la plus disponible. Vous le frustrez plus que quiconque parce que vous passez avec lui plus de temps que qui que ce soit. Considérez que les bambins se frustent facilement, ne se contrôlent pas et adorent planter leurs gencives dans les choses, et vous avez un bambin de quatorze mois typique qui mord sa mère typique.

Votre fils vous mord à des moments différents pour des raisons différentes, mais il continue à vous mordre parce que vous n'avez jamais insisté pour qu'il arrête. En pensant uniquement à ce que vous avez pu faire pour "causer" ces morsures vous avez oublié d'agir sur le fait lui-même.

Conjuguez-vous carrément au présent et *faites* quelque chose pour remédier à cela. Autant que possible, évitez ses attaques dentées, même celles qui sont pour jouer. Vous pouvez sans doute déterminer quand il y en a une qui se prépare. Chaque fois qu'il tente de vous mordre, même s'il n'y parvient pas, faites-lui face et dites: "Non!" Puis attrapez-le, tournez-le de façon qu'il ne vous fasse pas face et emmenez-le dans sa chambre. Mettez-le par terre (*pas* dans son berceau) et allez-vous-en, en laissant la porte légèrement entrouverte en partant. Il "comprendra" clairement le message.

Quand il sortira de sa chambre, il va probablement aller droit vers vous. S'il veut que vous le preniez pour le rassurer, prenez-le mais ne parlez pas de l'incident. S'il est encore agité et qu'il essaie encore de vous mordre, répétez l'opération.

Quand il aura réalisé que vous n'êtes pas une victime consentante, il essaiera peut-être de mordre quelqu'un d'autre. Là encore, que vous ayez ou non réussi à l'en empêcher, dites: "Non!" et mettez-le dans sa chambre. Si vous n'êtes pas chez vous à ce moment-là, improvisez et dénichez par exemple une chaise à l'écart.

En passant, cela marche parfois de mordre l'enfant à son tour mais le plus souvent cela empire encore la situation. Je ne le recommande pas, parce que cela trouble l'enfant, met les parents dans la situation de reproduire le comportement qu'ils voulaient justement faire disparaître et parce que, de plus, il y a des chances que cela déclenche un concours "pour vérifier qui mordra le plus fort".

L'autre méthode devrait produire une amélioration sensible en l'espace de deux ou trois semaines. Comme d'habitude, c'est votre résolution qui est la clef. Et ça, mes amis, c'est la dent de sagesse.

Le sevrage

Question: J'ai de la difficulté à amener mon fils de quinze mois à abandonner son biberon. Il boit dans une tasse pendant les repas mais pleure pour avoir son biberon chaque fois qu'il est dérangé ou qu'il a sommeil. Est-ce que je dois refuser de lui donner son biberon?

Réponse: Vous avez beaucoup à perdre et rien à gagner en vous battant avec votre fils à propos d'un biberon. Quand nous faisons toute une affaire de choses comme des biberons, des pouces ou des couvertures, il y a des chances que les enfants s'y accrochent au contraire encore plus désespérément.

Laissez votre enfant boire au biberon chaque fois qu'il exprime le besoin d'un tel réconfort. Mais insistez cependant pour qu'il suive votre exemple et boive avec une tasse pendant les repas.

Je conseille fortement de ne pas remplir le biberon de lait ou de tout autre liquide sucré, tels que du thé glacé ou du jus de fruit sucré. Le sucre de ces boissons augmente fortement les risques de caries. En tant que parents, c'est à vous de décider ce qui va dans son biberon. Remplissez son biberon de jus de fruit non sucré (filtré) ou d'eau seulement et soyez ferme dans votre décision.

Votre fils perdra probablement rapidement tout intérêt dans son biberon si vous commencez à diluer le jus en y ajoutant de l'eau et si vous augmentez graduellement (sur une période de plusieurs semaines) la proportion d'eau jusqu'à l'élimination complète du jus. Pendant ce processus, laissez le biberon, rempli d'eau ou d'un mélange d'eau et de jus, à un endroit où il peut le prendre tout seul sans demander. Il finira par oublier le biberon, et vous aussi.

L'autre jour, je lisais un article d'un pédiatre qui traitait du sevrage. Il était d'avis que laisser un enfant continuer à boire au biberon après son douzième mois "bloquerait" (je transcris) presque certainement son développement social et émotionnel. Résultat, poursuivait-il, l'enfant risquait de continuer à "parler bébé", à avoir besoin de couches bien après le temps normal de l'apprentissage du pot ou à souffrir de quelque autre fixation infantile.

Voilà un authentique concentré de bouillie pour les chats. Il n'existe aucune preuve clinique de telles affirmations, et les opinions de ce médecin créeront à la fin plus de problèmes qu'elles ne prétendent en résoudre.

Que ces opinions aient été émises dans une publication d'envergure nationale et par un médecin assure virtuellement qu'elles seront prises pour des faits par le lecteur moyen. Il y a des chances que les lecteurs qui sont parents d'un bambin qui de temps en temps boit encore au biberon craignent que ce biberon n'étouffe la psyché de l'enfant.

Après quoi, quand l'enfant demandera son biberon, les parents deviendront anxieux. Ils inventeront des excuses, des diversions et essaieront de le convaincre, tout cela sans grand succès. Devant cet insuccès, ils peuvent devenir complètement bouleversés. Alors l'enfant lui aussi sera bouleversé parce qu'il trouvera incompréhensible le comportement de ses parents. Manquant de mots pour exprimer sa confusion et sa frustration, il peut fort bien piquer une colère. On peut prévoir qu'alors ses parents, se sentant coupables, finiront par lui rendre son biberon.

Des parents nerveux, incertains... un enfant troublé qui hurle... et une grosse affaire qui va continuer d'envenimer leur relation, ce

Dr Untel est capable de fabriquer toute une histoire à partir de bien peu, reconnaissons-lui, peut-être, ce talent. D'un autre côté, on pourrait ici se souvenir d'une formule que d'aucuns attribuent à Bobo: "La différence entre les experts et le reste d'entre nous c'est que les experts parlent sans arrêt de choses que nous ne voyons pas, alors que le reste d'entre nous voit des choses dont eux ne semblent jamais parler."

En aucune façon il ne faut encourager un enfant capable de boire dans une tasse à continuer de boire au biberon. Ni non plus lui offrir un biberon en guise de sucette. Donnez simplement à l'enfant accès à son biberon, simplement et naturellement. Comme pour bien des choses, plus vous en faites un problème, plus cela deviendra grave.

Fruit exotique

À cet âge, tout est fascinant dans l'environnement; tout doit être exploré. Les bébés touchent tout ce qu'ils peuvent et tout ce qui passe avec succès l'inspection des mains va à la bouche. Là, après avoir été goûté, mâchouillé, broyé, si la langue dit: "Oui!", c'est avalé.

Question: Ma fille de treize mois a commencé à jouer avec ses excréments. Si je ne la surprends pas à temps, elle les sort de sa couche et s'en barbouille. Ce qui est encore plus inquiétant c'est qu'elle réussit même à en manger un peu. Le mot "euhrk!" qui parvient généralement à la retenir de mettre certaines choses dans sa bouche n'a servi à rien dans ce cas. J'essaie de rester calme mais je suis au bout de mon rouleau. Qu'est-ce que je peux faire?

Réponse: S'ils en ont la chance, la plupart des enfants joueront avec leurs excréments exactement comme ils vont jouer avec la terre de vos plantes, le pot de sucre, les flocons d'avoine ou quoi que ce soit. Pour un bébé, les excréments n'ont rien de différent, sinon que c'est lui qui les a faits! C'est formidable! Un autre tour réalisé par le plus grand magicien du monde.

Soyez de toute façon assurée qu'il n'y a rien d'anormal à cela (à cet âge, du moins) et que votre enfant n'a rien d'inquiétant. De plus, quoi que nous puissions en *penser*, il n'y a rien de sale ou de malsain dans ce qu'elle fait là. Entendu, c'est un dégât terrible, mais ce n'est rien d'autre en fin de compte qu'un exemple plutôt exaspérant de recyclage.

Il n'y a rien non plus de particulièrement significatif dans ce comportement. Le piège, cependant, c'est que nous les grands nous avons une réaction extraordinairement négative face à cela. Nous sommes repoussés, dégoûtés et furieux d'avoir à "briquer le pont" par la suite. Nous avons beau essayer de garder notre calme, il nous est difficile de ne pas afficher nos vraies couleurs, montrant ainsi à l'enfant quelle importance extrême nous attachons à tout cela.

Faites toute une affaire de quelque chose et cela deviendra une grosse affaire. Toute réaction exagérée de votre part (fessée, cris, évanouissement, vomissements) va probablement dresser la scène pour une représentation supplémentaire.

Je suggérerais que vous gardiez le plus possible votre calme et que vous la laviez sans faire d'histoire. Si vous avez besoin d'une pause pour récupérer, remettez-la dans son berceau et prenez cinq minutes* (ou quinze).

De dix-huit à trente-six mois: "les deux ans terribles"

Les "deux ans terribles". J'ai à l'esprit des images d'enfants qui crient, qui lancent des choses, qui jouent dans le maquillage de leur mère, qui mangent du savon, qui cassent des figurines de Chine et disent "Non!" à tout, complètement déchaînés tandis que maman et papa donnent la chasse, attrapent, fessent, crient, hurlent et perdent eux aussi complètement leur sang-froid.

Soyons honnête: ce ne sont pas exactement des images. Ce sont des souvenirs dans lesquels le rôle principal est tenu par le seul et unique, l'inimitable Éric!

Vivre maintenant avec Éric c'est se demander si c'est bien le même enfant que celui qui n'a pas fait ses nuits avant deux ans et demi. Se peut-il que ce soit le même que celui que deux de nos meilleurs amis baptisaient, en fonction de son état d'esprit du moment, "Monsieur Tout-fou" ou "Monsieur le Dur"? Il y a dix ans, personne n'aurait pu me convaincre qu'Éric serait sain d'esprit à douze ans, encore moins qu'il deviendrait l'enfant doux, réfléchi, adorable qu'il est aujourd'hui.

Il m'aura fallu plusieurs années et un autre enfant pour apprendre que les enfants de deux ans peuvent être absolument terribles.

---

* Autre allusion intraduisible, cette fois au célèbre morceau de Dave Brubeck: *Take Five* que l'auteur place entre guillemets et que je traduis ici par "prenez cinq minutes". (N.d.T.)

Sans l'ombre d'un doute, leur réputation en ce sens est, jusqu'à un certain point, méritée. Mais la différence, entre terrible et fantastique, n'est pas au premier chef l'affaire des enfants. C'est celle des parents.

La transformation la plus spectaculaire et la plus significative dans le développement d'un individu se produit entre dix-huit et trente-six mois. C'est une véritable révolution qui entraîne des changements radicaux dans l'expérience que l'enfant a de lui-même et du monde. Naturellement, son comportement change de façon tout aussi spectaculaire.

Il peut s'agir là d'une des deux périodes les plus stressantes de la vie d'ensemble d'une famille (la seconde étant la pré-adolescence et le début de l'adolescence). *Mais ce n'est pas couru d'avance.* Comme dans la plupart des comportements enfantins, la clé est la compréhension, qui peut aider à transformer les "deux ans terribles" en deux ans *fantastiques*.

"Je suis un moi!"

La première enfance est l'âge d'une dépendance presque totale: les bambins dépendent d'autrui pour leur nourriture, leur bain, leur habillement et ses changements, et même pour leurs déplacements. Entre huit et dix-huit mois, les enfants font de rapides progrès dans leurs capacités de réflexion (résoudre les problèmes), de mouvement et de communication. Ils commencent à faire des expériences avec les relations de causes à effets, découvrant dans l'opération qu'ils peuvent manipuler leur environnement. Les enfants entre huit et dix-huit mois sont de véritables collectionneurs d'informations. Ils sont perpétuellement à l'ouvrage, amassant l'information avec leurs mains, leurs yeux et leur bouche. À ce stade, le processus se fait au hasard. L'enfant ne garde pas de copie, il n'a qu'un désir irrésistible de savoir tout ce qu'il y a à savoir de toute "chose".

Tout au long de ses pérégrinations, le bambin absorbe une quantité incroyable d'informations sans savoir, cependant, comment s'en *servir*. Puis, quelque part autour de son dix-huitième mois, il réalise qu'il peut agir sur le monde pour *faire arriver des choses*. À ce moment, son système de guidage passe du pilote automatique aux commandes manuelles. Avant cela, l'enfant était un explorateur; maintenant c'est un *expérimentateur*, un alchimiste, occupé à faire l'histoire, la sienne, tout au moins.

À partir de ce moment-là, les choses se produiront comme *il* l'entend, et les gens feront ce qu'*il* veut qu'ils fassent. En avant toutes et au diable les torpilles!

Comme le "sens" de son environnement se révèle à lui, le bambin commence à agir sur lui pour *résoudre des problèmes*.

Un enfant de quatorze mois qui aperçoit une boîte de biscuits sur le comptoir de la cuisine essaiera en vain de l'attraper et la montrera du doigt en hurlant jusqu'à ce que quelqu'un se décide à venir l'aider. Plusieurs mois plus tard, le même enfant pousse une chaise contre le comptoir, grimpe dessus et se sert tout seul.

Son esprit grandit, le monde aussi. En peu de temps, le voilà consumé d'excitation, sans pouvoir exprimer son enthousiasme autrement que par ses actions. Il est constamment "sur la brèche", "se fourrant partout", grimpant sur les comptoirs et les bibliothèques, sortant de son berceau ou de son siège de bébé, dans la voiture, toujours avec une longueur d'avance sur vous. Il n'accepte pas les "Non" comme réponses. Après tout, que peut bien représenter un "Non" quand tout, dans son environnement et en lui-même, dit "Oui!". Une des limites imposées par la nature aux enfants de deux ans est la disproportion entre leur développement physique et leur développement intellectuel, en faveur de ce dernier. Leur corps n'a pas encore rattrapé leur esprit. Ils peuvent "voir" la solution d'un problème *sans* être capables de faire faire à leur corps les mouvements nécessaires pour l'appliquer.

Par exemple, un enfant peut savoir que telle pièce s'imbrique dans tel espace d'un casse-tête mais être incapable de faire assez bien fonctionner ses doigts pour pouvoir l'y placer.

Cette disproportion frustrante s'exprime souvent par des colères subites, violentes et parfois destructrices. Et si quelqu'un essaie de l'aider, l'enfant devient généralement encore plus enragé. Il préfère le faire lui-même, quitte à rater, plutôt que de vous regarder réussir. C'est compréhensible. Après tout, c'est lui qui grandit, n'est-ce pas?

À un certain moment, vers le milieu de sa deuxième année, un enfant réalise, de façon relativement soudaine, en un instant de pénétration, qu'il est "un moi!". C'est l'éclosion de l'individualité, de la conscience de soi. C'est le plus grand "Aha!" de tous.

Pendant environ les dix-huit mois suivants, l'enfant se consacre à définir qui est "moi" et à établir clairement ses droits sur ce territoire psychologique. À sa grande surprise, il doit aussi accepter que ses propres limites ne contiennent pas tout. Il n'est pas le seul "moi" au monde, mais seulement un parmi bien d'autres.

À cet âge, les enfants doivent apprendre que l'indépendance veut dire moins que d'être capables de faire ce qu'ils veulent. Autant la tâche de l'enfant est d'établir son autonomie, autant celle des parents est de commencer le processus de socialisation, ainsi que de communiquer et faire respecter les bornes, les limites et les règles qui gouvernent les manifestations d'indépendance de l'enfant.

Il devient graduellement évident pour l'enfant qu'afin de devenir une personne séparée, indépendante, il doit sacrifier une partie correspondante de son attachement à ses parents et particulièrement à sa mère. Ces déceptions et sacrifices peuvent se révéler accablants. Pour toutes ces raisons, la troisième année d'une vie est un temps relativement incertain qui ne connaît que de rares moments ternes.

Dominé par la question cruciale de savoir s'il est plus avantageux d'"être ou ne pas être (indépendant)", l'enfant est alors un paradoxe vivant: collant et affectueux un instant, exigeant et défiant l'instant d'après. Il veut ce qu'il y a de mieux dans les deux et réalise lentement, douloureusement, qu'il n'y a pas de milieu.

C'est la deuxième fois que l'enfant aura eu à affronter les questions de séparation, la première fois s'étant produite entre huit et douze mois (voir "Jouer la violette", page 78).

"Ne m'abandonne pas!"

Il n'est pas rare de voir les bambins de dix-huit à vingt-quatre mois réagir aux incertitudes temporaires de cette révolution interne en exigeant plus de contacts visuels, physiques et verbaux avec leurs parents. Pendant une brève période, ils peuvent avoir besoin de quelqu'un à qui se raccrocher, un port dans la tempête.

Si ses parents sont assez tolérants envers ses importunités répétées, l'enfant y trouvera, en l'espace de quelques semaines ou mois, toute l'assurance dont il a besoin pour pouvoir passer à travers cette métamorphose.

Question: Mon fils a vingt mois. Il a été un bébé adorable mais a commencé récemment à s'accrocher à moi plus qu'avant. Il me suit partout dans la maison et veut beaucoup être pris. Comment pourrais-je remédier à cela?

Réponse: Son besoin de s'accrocher à vous exprime, paradoxalement, la conscience qu'il a prise d'être de plein droit, une personne.

Il a fait la différence entre "moi" et "toi". Il sait maintenant que vous et lui n'êtes pas confondus: vous êtes deux personnes et ce fait crée une "distance psychologique" entre vous. Cette distance lui permet de commencer à essayer ses ailes, à s'éloigner plus de vous et à participer davantage à son environnement.

Mais cette métamorphose porte avec elle un certain degré d'incertitude, au début. Vous ne lui paraissez plus aussi disponible et accessible qu'avant. Il ne sait pas quelle ampleur va prendre cette distance entre vous deux. Il veut voler de ses propres ailes, mais il *ne veut pas* vous abandonner. Il n'a pas de mots pour exprimer ses anxiétés, aussi vous suit-il de pièce en pièce, se convainquant ainsi lui-même que ce changement n'est pas le début de quelque tour de disparition. En d'autres termes, avant de pouvoir faire un pas de géant en avant, il doit faire un pas de bébé en arrière. Dans ce jeu du "maman, est-ce que je peux?", votre réponse doit être: "Oui, tu peux." S'il veut être pris, prenez-le. S'il veut vous suivre partout, laissez-le faire. Moins il y aura d'obstacles sur sa route, moins cette transition sera difficile pour toute la famille.

Les racines de la rivalité

La naissance d'un autre enfant dans la famille, pendant précisément cette période de transition, peut s'avérer très perturbante. L'aîné agit souvent comme si le nouveau bébé était un petit intrus qui se serait immiscé dans le paysage pendant que lui avait le dos tourné. Pendant que ce petit quelqu'un va prendre la place enviable qu'il occupait auprès de maman, et n'étant pas encore tout à fait décidé à la céder, il s'empresse de revenir pour combler la distance.

Question: Nous avons une fille de deux ans et demi et un fils de six mois. Depuis que le bébé est né, l'aînée n'a pas cessé de nous demander, de temps en temps, de la bercer à l'heure du coucher. Elle a aussi demandé qu'on lui redonne son biberon. Nous *n*'avons *pas* cédé à ces demandes, malgré plusieurs colères, mais maintenant il y a un problème supplémentaire. Nous avons commencé à rendre notre fille propre il y a environ cinq semaines, d'abord avec succès. Il y a deux semaines cependant, elle a commencé à refuser d'aller sur le pot si on le lui demandait et maintenant elle a des accidents plus qu'à son tour. Ils paraissent presque délibérés et cela nous préoccupe. Elle dit maintenant qu'elle veut être remise aux couches. Est-ce que nous devrions arrêter pour quelque temps, la remettre aux couches et réessayer plus tard?

Réponse: S'il y a une chose dont votre fille *n*'a *pas* besoin, quelles que soient ses demandes, c'est la permission de régresser.

Les problèmes que vous décrivez sont caractéristiques de ce qui peut arriver dans une famille où moins de trois ans séparent un enfant du suivant. Lorsque le second enfant est né, la position de votre fille dans la famille a changé, la rendant anxieuse et la détournant de sa croissance qui aurait dû rester sa tâche principale. Les raisons d'un arrêt de ce genre dans son développement ne sont pas du tout mystérieuses et, généralement, de tels problèmes ne durent guère. L'arrivée du bébé a rappelé à votre fille, au mauvais moment, comme c'était merveilleux d'être portée, bercée pour dormir, nourrie au biberon et d'être changée de couches par maman.

Votre tâche consiste à lui reconfirmer que sa place dans la famille, même si elle est différente et change, est toujours sûre et protégée. Et vous devez la convaincre, fermement mais doucement, qu'elle n'a pas le choix en cette matière.

Le temps du biberon, du bercement pour dormir et des couches est passé. Elle est manifestement prête à être propre et son apprentissage devrait se poursuivre. Gardez-la dans ses culottes d'apprentissage, excepté la nuit. Pendant encore une autre année elle va probablement se mouiller la nuit. *Ne* la suivez *pas* partout en lui demandant si elle a besoin d'aller au pot. Quand elle se lève le matin, menez-la à la salle de bains et montrez-lui son pot en disant: "N'oublie pas de faire tous tes besoins dans ton pot aujourd'hui. Si tu veux que je t'aide, tu n'as qu'à m'appeler." Si elle demande que vous lui mettiez des couches, dites-lui qu'elle est une grande fille qui porte une culotte dans la journée et des couches seulement la nuit. Si elle a un accident, changez-la sans faire d'histoire. Puis menez-la à la salle de bains et rappelez-lui une fois de plus où elle doit faire ses besoins la prochaine fois.

Continuez, même si elle résiste, de lui faire part de vos attentes d'une voix claire et calme. Je l'ai déjà dit, mais il vaut la peine de le répéter: plus les parents savent faire preuve d'autorité, plus l'enfant parvient à l'autonomie.

Question: Nous avons deux garçons: l'un vient juste d'avoir trois ans et l'autre a seize mois. C'est avec l'aîné que j'ai un problème. Il veut que je m'occupe de lui presque constamment tout au long de la journée: prends-moi, fais-moi la lecture, joue avec moi, aide-moi. Si je ne peux pas m'occuper de lui immédiatement, il pleurniche et pleure jusqu'à ce que je le fasse. Il est comme ça depuis peu de temps avant la naissance de notre second enfant, mais on dirait que ça empire. C'est extrêmement frustrant pour nous tous. Quel est donc le problème et qu'est-ce que je peux y faire?

Réponse: On dirait que ses exigences sont en train de dominer la famille. C'est dans le plus grand intérêt de tous, y compris de lui-même, que vous agissiez avant que le problème ne s'implante profondément dans vos vies.

Définissez deux périodes spécifiques de la journée: une période avec lui et une période sans lui. Peut-être que le temps que vous passerez avec lui devrait se situer au moment où le bébé fait sa sieste. Dans tous les cas, prévoyez au moins trente minutes à passer complètement avec lui, à faire ce qu'*il* veut. Décrochez le téléphone et ne répondez pas à la porte.

Pour votre période sans lui, au moins trente minutes également, restez hors de sa vue et soyez-lui relativement inaccessible (il peut être utile d'avoir à ce moment-là un autre adulte pour vous remplacer). Allez dans votre chambre et fermez la porte à clé. Ou bien allez vous promener en voiture ou à pied. Le temps mort de maman, juste pour maman.

Le reste du temps, laissez votre bon sens vous dire si vous devez répondre à ses demandes d'attention. Si vous pouvez lui donner cette attention sans interrompre une autre activité, parfait. Mais si, pour vous occuper de lui, vous devez interrompre ce que vous êtes en train de faire, dites "non" (à moins évidemment qu'il soit dans un état de détresse absolue). S'il réagit comme s'il ne pouvait le supporter, menez-le dans sa chambre en lui suggérant d'"y pleurer tout son soûl".

J'imagine que c'est le besoin des parents d'être tout pour leurs enfants qui nous enfonce dans de telles impasses. Les "bonnes" mamans ne font pas pleurer leurs enfants. Les "bonnes" mamans sacrifient tout à leurs enfants. Voilà le genre de verges avec lesquelles nous nous battons. Mais il y a une différence entre être une "bonne maman" et être une esclave.

Comme vous détruisez l'ensemble des attentes qu'il a présentement pour lui en donner d'autres, il va hurler. Il a appris que ses pleurs vous ramènent dans le décor en peu de temps. Ses larmes veulent également dire qu'il sent un changement dans les règles et les rituels qui président à sa relation avec vous. L'incertitude qu'il éprouve à ne pas savoir ce qui se passe ou ce vers quoi vous allez va provoquer chez lui une bonne dose de détresse.

Néanmoins, votre meilleure façon de l'aider à surmonter cette détresse est de baliser votre route et de vous y tenir avec confiance.

Vous pourriez aussi songer à trouver une garderie où il pourrait aller plusieurs matins par semaine. Votre séparation vous ferait du bien à tous deux.

James Dean

À mesure que s'approche son second anniversaire, la personnalité de l'enfant demande de plus en plus à être reconnue. Les jeunes enfants font peu de cas de la vertu de modération. Ils vont vers les extrêmes, dans leur comportement et ainsi, quand ils découvrent leur moi, ils le manifestent de façon exaspérante. "J'veux pas!... Non!"

La révolte n'est rien de moins que l'expression du besoin qu'a l'enfant d'être une personne distincte et d'affirmer dans toute son envergure l'éclosion de son identité. Il importe que les parents s'aperçoivent que ce comportement, dans ses nombreuses manifestations, tient une place bien définie dans l'ordre général des choses. Même si c'est exaspérant, c'est une expression de croissance et de devenir.

Si les parents en arrivent à voir cela sous un bon angle, ils réagiront moins. N'oubliez pas, ce sont les parents qui mènent, quelles que soient les protestations et la contrariété de l'enfant. C'est notre responsabilité d'établir les limites et de les faire respecter de façon ferme mais douce. Si nous répondons à ces petites mutineries par la crainte ou la colère, nous aurons, par définition, perdu le contrôle de nous-même. Cela ne fait pas qu'augmenter l'angoisse d'un enfant mais alimente aussi son illusion qu'il est plus puissant que nous. La lutte pour le pouvoir qui s'ensuit inévitablement ne conduit nulle part.

Les modes de fonctionnement établis lors de ce premier stade de la relation parent-enfant auront tendance à se perpétuer et, le pli se prenant de plus en plus, ils deviendront de plus en plus difficiles à défaire.

Question: Ma fille de deux ans a récemment commencé à m'ignorer et à me provoquer chaque fois que je lui demande de faire quelque chose. Pouvez-vous me dire quoi faire devant un tel comportement?

Réponse: Ce que vous décrivez est typique des enfants de deux ans. En fait, la rébellion est un élément sain dans le développement de tout enfant.

Aidez votre fille à reconnaître votre autorité et à respecter les limites que vous avez fixées en vous servant de plus que de votre voix pour donner des instructions. Par exemple, si elle vous ignore quand vous lui dites de laisser le téléviseur, déplacez-la doucement. En même temps, répétez votre demande et donnez-lui autre chose à faire, par exemple: "Assieds-toi là et je vais te donner la batterie de cuisine pour jouer."

Cette technique qui joint le geste à la parole peut même être utilisée avec des ordres tels que: "Ramasse tes jouets." On peut surmonter la résistance d'un enfant en le poussant physiquement à faire ce que l'on demande, avec douceur, comme si on lui montrait par un contact physique ce que l'on attend de lui.

L'agression

Les enfants de deux ans tiennent beaucoup à leur territoire. L'espace directement en avant d'eux et tout ce qui s'y trouve est "à moi!" Des intrusions dans ce territoire menacent la conscience que l'enfant a de lui-même et provoquent sa détresse. L'enfant plus passif se contente de pleurer alors que le plus actif frappe d'une façon ou d'une autre. Des bagarres très courtes mais intenses à propos d'espace et de jouets sont monnaie courante dans un groupe de bambins de deux ans.

Comme si cela ne suffisait pas, ils s'ignorent pratiquement les uns les autres et se montrent insensibles aux sentiments de l'autre et incapables de remords. Un bambin de deux ans peut prendre et donner, jusqu'à un certain point, avec des adultes et des enfants plus âgés, mais éprouve beaucoup de difficulté à en faire autant avec un autre enfant de deux ans. Placez deux ou plusieurs enfants de cet âge ensemble et vous avez tous les ingrédients nécessaires à une bonne bagarre. Mais il n'y a pas là de quoi perdre le sommeil. Car d'une certaine façon leur facilité à se quereller reflète des personnalités saines et qui ne craignent pas de s'exprimer.

Question: Nous sommes deux amies qui vous écrivons à propos de nos enfants, deux filles, âgées respectivement de vingt mois et deux ans. Les deux sont assez faciles à vivre, jusqu'à ce qu'elles se trouvent ensemble, du moins. Lorsqu'elles sont ensemble, c'est-à-dire presque tous les jours, elles se chicanent constamment. On dirait à les voir qu'elles se détestent. Elles se tirent les cheveux, se volent des jouets, se tapent, se griffent et refusent de partager. C'est d'autant plus surprenant qu'elles s'entendent très bien la plupart du temps avec les autres enfants. Qu'est-ce qui se passe et que pouvons-nous faire?

Réponse: Vous êtes par inadvertance tombées sur la recette du marmot-brouillé instantané: prenez deux bambins entre dix-huit et trente-six mois. Mélangez-les une ou deux heures chaque jour. Attendez. Et voyez comme les coups lèvent. (Attention! Ce mélange est extrêmement volatile et prendra feu, de lui-même, dans presque tous les cas. Il est recommandé aux spectateurs de se tenir à une distance respectable de l'événement. Le fabricant n'est pas responsable des accidents et le produit ne sera ni remboursé ni échangé.)

L'intensité de l'agressivité que vous décrivez n'est pas seulement typique, elle est aussi le signe de l'éclosion de deux personnalités saines et démonstratives.

La chose la plus importante, celle qu'il ne faut pas oublier, c'est votre amitié. C'est le catalyseur du conflit: cette amitié amène les deux enfants à être souvent ensemble. Plus les enfants de cet âge sont ensemble, plus ils sont susceptibles de livrer bataille. Il vaut mieux en fait, lorsqu'on réunit deux bambins de deux ans, en prendre qui aient des tempéraments semblables. Deux enfants passifs ou deux enfants actifs s'entendront bien mieux qu'un actif et un passif.

Ne laissez pas votre amitié être un obstacle qui empêche le problème de se régler de lui-même, comme il ne manquera pas de le faire au bout du compte. Toutes les deux vous tenez à ce que vos enfants s'aiment bien l'une l'autre. Car leur relation, si elle avait été affectueuse, n'aurait pu que confirmer et resserrer le lien qui vous unit. Mais si vous voulez que leur relation ne soit qu'une extension de la vôtre, alors leur conflit peut devenir une menace pour vous.

Servez-vous de votre amitié pour composer avec leurs violentes rencontres. Aussi souvent que possible, laissez-leur assez de temps et d'espace pour qu'elles règlent d'elles-mêmes leurs problèmes. En même temps, donnez-vous à chacune la permission d'intervenir chaque fois que le conflit paraît échapper à tout contrôle. Les enfants de deux ans peuvent se faire mal les uns aux autres sans même le vouloir, et ils ne manquent pas de le faire.

Quand un jouet est dérobé, prenez-le doucement à la voleuse et rendez-le à la volée. Puis séparez la voleuse hurlante de la volée. Si c'est nécessaire, mettez-la dans un autre endroit jusqu'à ce qu'elle se calme. Si elles piquent une crise toutes les deux en même temps, séparez-les jusqu'à ce qu'elles se soient calmées.

Par-dessus tout, gardez votre sens de l'humour et soyez un exemple d'harmonie que les enfants puissent suivre.

Question: Lorsque mon garçon de deux ans a un ami pour jouer, ils se battent presque tout le temps pour les jouets. Aujourd'hui, il a fait tomber une petite fille sans raison. Je lui ai donné une fessée avant de le renvoyer dans la maison. Est-ce que j'ai mal fait?

Réponse: J'ai été intrigué par la formule: "sans raison", que vous utilisez parce qu'elle illustre bien la façon dont souvent nous les grands ne comprenons pas le comportement des enfants.

Lorsque votre fils a fait tomber cette petite fille, il ne l'a pas fait pour une de nos raisons d'adultes, mais juste "comme ça". Ainsi sont les bambins. Ils se battent pour des jouets parce qu'ils veulent tout tout de suite et il n'y a qu'une seule façon de plumer un canard, et il n'y a pas de règle, rien que des choses à vouloir, et attendre n'est pas du tout drôle. C'est pourquoi, à cet âge, ni une fessée ni quelque autre forme de punition que ce soit n'établira dans leur tête un rapport quelconque. "Raisonner" non plus ne déclenchera en eux aucun déclic.

Prenez le temps de consoler et la poussée et le pousseur. Ils sont tous les deux perturbés, alors, rassurez-les: leur univers est encore sûr. Puis, mêlez-vous à leurs jeux, en leur montrant ainsi, par vos actions, comment on peut jouer côte à côte sans querelle. Soyez une médiatrice, une modératrice, une Henry Kissinger du carré de sable. Mais n'oubliez pas, cependant, que c'est *leur* jeu, pas le vôtre. Si les choses tournent mal, prenez-les tous deux sur vos genoux et dites-leur des choses douces.

Est-ce que cela va régler le problème? Pas aujourd'hui sans doute. Mais, avec le temps, ils apprendront la modération et la raison. D'ici là, souvenez-vous que vous êtes la seule des trois à connaître la patience, et servez-vous-en.

Question: Nous avons deux filles, l'une de quatre ans, l'autre de dix-huit mois. J'ai entendu dire que celui qui naît en second est plus agressif mais à ce point, c'est ridicule! En fait, je dois même intervenir pour empêcher le bébé de faire mal à Andrée, notre aînée. Si Andrée joue avec quelque chose et refuse de le céder quand Marie le veut, Marie la frappe, la mord et lui lance des choses. Je sais bien qu'un enfant de dix-huit mois est incapable de se contrôler, mais qu'est-ce que je peux permettre à Andrée de faire pour son autodéfense?

Réponse: Il semble qu'Andrée soit particulièrement tolérante, patiente et douce avec Marie, surtout quand on pense à tout ce qu'elle subit de sa part. Marie entre dans sa "première adolescence". Pendant cette période, les enfants ont tendance à être extrêmement exigeants et rebelles et, quand on les frustre, ils réagissent souvent par une colère ou une forme d'agression quelconque. Alors, la situation que vous décrivez n'a rien d'inhabituel.

Vous êtes même d'une certaine façon chanceuse qu'Andrée ne soit pas plus jeune car si c'était le cas, les réflexes d'exclusivité territoriale de chacune des enfants se heurteraient violemment et vous auriez encore plus de difficultés.

À partir de maintenant, Marie a besoin, autant que de tout ce que vous pouvez lui donner d'autre, de la présence constante d'une main ferme mais douce. Il est temps pour elle de commencer à apprendre quelle est la véritable autorité qui gouverne sa vie et ce qu'est le comportement convenable qu'elle doit adopter avec vous, les autres adultes, les enfants de son âge et Andrée.

Vous ne devriez pas laisser Andrée se protéger elle-même contre un bambin qui n'entend presque rien aux restrictions. Cependant, autant que possible, permettez aux enfants d'établir leurs propres arrangements à propos de jouets et d'autres choses. Dites à Andrée que vous *ne* voulez *pas* qu'elle réponde par des coups quand Marie l'attaque, mais qu'elle devrait se protéger d'abord en s'éloignant de Marie puis en demandant votre aide pour résoudre le conflit.

Lorsqu'un jouet est en jeu, assurez-vous qu'Andrée le récupère et essayez de donner en échange quelque chose d'autre à Marie. Cela n'ira pas toujours tout seul avec Marie. Si elle pique une colère, mettez-la dans son lit ou dans son berceau (en laissant le côté mobile baissé) ou mettez-la par terre (s'il y a du tapis) et sortez de la pièce. En agissant ainsi vous lui ferez savoir qu'il existe des règles précises et constantes concernant l'expression de frustrations qu'elle peut éprouver quand le monde ne tourne pas comme elle voudrait qu'il fasse.

"Le syndrome de Dracula"

Les morsures, activités relativement courantes chez les bambins et les enfants de deux ans, sonnent de façon particulièrement dissonante pour les adultes. C'est, de notre point de vue civilisé, irrationnel et barbare.

Lorsqu'un groupe contient un enfant qui mord, nous avons tendance à oublier les autres agressions qui peuvent s'y produire. La morsure devient le centre de notre attention et l'enfant qui mord fait figure de bouc émissaire. Si un autre enfant commence à mordre, la faute en revient au premier mordeur qui a dû le "contaminer".

Si cela se produit dans un jardin d'enfants, comme c'est souvent le cas, les parents peuvent avoir l'idée fausse que c'est le professeur qui, par négligence ou incompétence, "permet" aux enfants de mordre. Mais ce que nous devons réaliser, c'est que les bambins n'avertissent pas qu'ils vont attaquer, ils attaquent, un point c'est tout.

Il y a peu de temps, par exemple, on m'a demandé de venir dans une garderie pour observer un "mordeur" de dix-huit mois. Il y avait cinq bambins dans le groupe. J'étais dans la pièce depuis environ quarante-cinq minutes quand l'enfant en question fit la "chose". Il y avait à ce moment-là trois adultes dans la pièce. Aucun d'entre nous n'avait été capable de prévoir l'attaque et nous n'avons pu l'empêcher.

En fait, les parents des enfants ne peuvent rien faire au sujet de ce qui se passe à la garderie. Et même, plus les parents se sentent responsables, plus ils vont en parler à la maison et en cours de route vers la garderie ou en en revenant. Cette attention augmente les chances que l'enfant morde encore et encore.

Il n'y a rien de "grave" à ce qu'un bambin morde. C'est simplement qu'il a appris, par un mélange de réflexe et de hasard, que ses dents sont une arme efficace. On doit maintenant lui apprendre à refréner cette impulsion, une des nombreuses leçons d'autocontrôle nécessaires.

Question: Je dirige une garderie et j'aimerais avoir vos commentaires sur une situation qui prévaut dans la salle des petits, dans laquelle sont réunis six enfants énergiques et assurés, dont l'âge va de dix-sept à vingt-quatre mois. Il y a trois mois, l'un des enfants s'est mis à mordre occasionnellement, habituellement quand un autre enfant essayait de lui prendre un jouet. Malgré nos efforts pour l'arrêter, il continue encore à mordre une ou deux fois par jour, généralement quand le degré d'activité du groupe est élevé. Ces morsures ont provoqué chez le groupe de parents une réaction qu'il est difficile de modérer. Tous sont partis en guerre contre cela et insistent pour que nous fassions quelque chose pour arrêter l'enfant. À part cela, ce n'est pas un enfant particulièrement agressif et il n'est pas non plus le seul du groupe à avoir mordu. Le responsable du groupe et sa mère commencent à se tenir sur la défensive. Pouvez-vous me suggérer quelque chose?

Réponse: Ses parents ne doivent pas parler de cela avec lui ou lorsqu'il est dans les parages (à moins, bien sûr, que cela ne se produise aussi à la maison). Il n'est même pas nécessaire de les tenir au courant des incidents qui peuvent se produire à la garderie. Moins ils en savent, moins ils jetteront de l'huile sur le feu.

Il y a plus de chance que les morsures se produisent au moment où l'ensemble des enfants est excité. Séparez donc le mordeur du groupe quand le niveau d'activité monte. Donnez-lui une chance de se calmer jusqu'à ce que les choses se tassent. Lorsqu'il mord, ou même lorsqu'il *essaie*, le responsable doit immédiatement se planter devant lui avec un "non" ferme, puis l'asseoir dans une chaise face au groupe. Il doit faire cela aussi vite que possible, avant même de s'occuper de l'enfant mordu. On peut permettre au mordeur de se lever de sa chaise après que sa victime soit calmée et ait rejoint le groupe.

Le reste n'est rien qu'une affaire de temps.

Les colères

Je vais maintenant vous démontrer mon talent très ordinaire pour mêler en une seule vision des plus courantes le passé, le présent et le futur. Je ferme les yeux et me concentre. Le message émerge lentement des eaux boueuses du temps, éclatant bien tôt en pleine lumière... Oui! Je l'entends! L'esprit parle!

Les enfants de deux ans piquent des colères. C'est ainsi depuis le commencement des temps et ce sera ainsi dans les siècles des siècles. Pourquoi donc en faire tout un plat?

Voilà une bonne question, Monsieur l'esprit. Les parents ont tendance à exagérer l'importance des colères. Qu'il suffise de dire que si les adultes font une montagne avec les petits tas de l'enfant, l'enfant apprendra vite à faire des montagnes.

Par exemple, certains parents pensent que les colères se produisent parce qu'ils ont fait une erreur dans leur façon de répondre aux demandes de l'enfant (qu'ils prennent à tort pour des expressions de besoins). Il devient dès lors sensé, s'ils *sont* à blâmer pour la colère de l'enfant, qu'ils réparent leur mal le plus vite possible. Alors, après avoir dit: "Non", ils disent: "Oui". Ou bien, après lui avoir donné une fessée, ils donnent à l'enfant plus que ce qu'il avait demandé au départ, pour pouvoir calmer leur sentiment de culpabilité.

Et ça marche. La colère s'arrête, les parents sont soulagés et l'enfant apprend que les colères sont d'excellents moyens d'obtenir tout ce qu'il veut. Alors il en pique des plus fortes et plus souvent.

D'autres parents réagissent plus par la colère que par la culpabilité. Pour eux, la colère de l'enfant est le signe qu'il n'accepte pas leur autorité. Ils perçoivent cette colère comme une mutinerie et réagissent en démontrant leur autorité sur le postérieur de l'enfant.

Le paradoxe, c'est que, dans cette situation-là, une fessée *n*'est *pas* une expression d'autorité. C'est un signe de peur, de panique et de désespoir. Les parents qui gardent vraiment le contrôle et sont sûrs de leur autorité savent bien qu'une colère occasionnelle est normale pour un jeune enfant, quel qu'il soit. Si les fessées arrêtaient les colères, les colères cesseraient. Mais ce n'est pas le cas. Alors fessées et colères se poursuivent, de plus en plus fréquentes.

Entre dix-huit et trente-six mois, les colères sont presque un réflexe en réaction à tout ce qui peut frustrer l'enfant. Et les enfants de deux ans sont faciles à frustrer. Ils veulent en effet plus que ce que leur ventre peut contenir, plus que ce que leurs bras peuvent prendre. En fait, une colère occasionnelle est une expression saine du besoin qu'a l'enfant d'expérimenter la rébellion.

Faites que ces colères demeurent occasionnelles en y réagissant calmement et sans faire d'histoires, comme il sied à une autorité qui garde le contrôle.

Lorsqu'un enfant d'un ou deux ans pique une colère, contentez-vous de le prendre et de l'emmener dans sa chambre. Mettez-le dans son lit. S'il dort encore dans un berceau, laissez le côté mobile baissé de façon que l'enfant puisse en sortir. S'il n'en est pas capable, mettez-le par terre. Puis quittez la chambre, car il n'y a rien à discuter avec lui. Si vous *devez* absolument dire quelque chose, dites seulement: "Tu peux piquer ta colère ici."

En partant, laissez la porte entrouverte. Si l'enfant sort avant d'être calmé, remettez-le doucement dans sa chambre. Lorsqu'il sort calmé, ne parlez pas de sa colère. Ce n'est pas important.

C'est clair et net. Faites cela chaque fois qu'une colère survient et les colères ne deviendront jamais un problème majeur. Les parents restent les patrons. L'enfant reste un enfant. Et le petit tas un petit tas.

Jaws II (cf. Les dents de la mer II)

Question: Mon enfant de deux ans se mord de temps en temps lui-même quand il est furieux parce qu'il ne peut pas en faire à sa guise. Que puis-je faire pour l'arrêter? Est-ce que cela veut dire qu'il ne se sent pas en sécurité ou que quelque chose le trouble émotionnellement?

Réponse: À votre première question, ma réponse est: ne faites rien. Les enfants de cet âge sont peu civilisés et la façon dont ils expriment leur colère est également plutôt primitive. Ils crient, lancent des choses, se roulent à terre, frappent les objets ou les gens qui sont dans les environs... et parfois ils mordent. Leurs cibles sont aussi bien les jouets, les meubles, les parents et les autres enfants qu'eux-mêmes. Il est possible de "guérir" un bambin de l'habitude de mordre les autres, mais virtuellement impossible de l'empêcher de se mordre lui-même. D'abord, vous ne pouvez même pas prévoir quand cela va se produire. C'est un peu comme l'éclair, sauf que cette foudre-là frappe souvent plus d'une fois au même endroit (habituellement les bras ou les mains).

Les parents s'alarment et sont perturbés par un enfant qui se mord lui-même et ils répondent généralement par quelque forme de panique primitive. Ils hurlent, courent chercher de l'aide, luttent pour retirer le bras de l'étreinte de "Jaws" ou carrément s'évanouissent. Il y a aussi des chances qu'ils se sentent coupables d'avoir "provoqué" l'enfant à se mordre, auquel cas l'enfant y gagne d'être pris et consolé.

Toutes ces réactions envoient à l'enfant, de la part de ses parents, le message suivant: "Je perds le contrôle quand tu te mords." La morsure devient un acte d'une extrême importance et l'enfant y investit comme dans une source de puissance. Si l'on accorde trop d'attention à cette action de l'enfant, il y a des chances qu'elle se reproduise.

Alors ne faites rien. Faites semblant d'être occupé à quelque chose d'autre. Si l'enfant vous montre les marques de morsure, dites-lui que vous êtes désolé qu'il se soit fait mal lui-même et retournez à vos occupations. Si la peau est enlevée, lavez calmement sa plaie et appliquez un antiseptique. S'il y a le moindre doute quant aux possibilités d'infection, appelez votre pédiatre. Prenez garde que la plaie ne suppure ou ne parvienne pas à cicatriser. En réagissant calmement, vous réduisez les chances que cela se reproduise.

La réponse à votre seconde question est non. Il n'est probablement ni insécure ni troublé émotionnellement. Beaucoup d'enfants se mordent eux-mêmes (plus, en fait, que les parents ne sont prêts à l'admettre). Les enfants de deux ans "s'aiguisent les dents" sur eux-mêmes simplement pour jouer et pour tester vos réactions. Il existe beaucoup de superstitions quant au sens à donner à un comportement "bizarre", mais souvent un tel comportement survient en premier lieu simplement parce que les enfants sont des enfants. Puis il continue parce que les parents réagissent de façon excessive.

D'un autre côté, si vous vivez avec un enfant plus vieux pour qui c'est devenu une habitude chaque fois qu'il est frustré ou avec un jeune enfant qui se mord plus que de temps en temps, je vous recommande d'en parler à un psychologue.

La crise du coucher

Question: Nous avons une petite fille de dix-huit mois qui, jusqu'à récemment, s'est toujours couchée (à vingt et une heures) sans histoires, s'endormant rapidement et faisant toute sa nuit. Depuis quelques semaines, elle est devenue infernale à l'heure du coucher. Elle hurle, se crispe et s'enrage quand nous quittons sa chambre. Je l'ai toujours bercée quelques minutes avant de la mettre dans son lit. Maintenant, dès que j'arrête de la bercer, elle se met à hurler. Cela a duré trois heures et demie la nuit dernière et nous avons fait tout ce qu'il est possible de faire. Elle a fini par s'épuiser toute seule, dans mes bras. Elle se réveille également au milieu de la nuit pour quelques instants. Qu'est-ce que j'ai bien pu faire pour causer cela et qu'est-ce qu'il faut faire pour l'arrêter?

Réponse: Vous n'avez rien fait pour la faire hurler. Si, à l'heure du coucher, elle s'est transformée de Dr Jekyll en Mister Hyde, c'est qu'elle en est au premier stade de la révolution que l'on nomme généralement: "les deux ans terribles".

Fini le temps où elle souriait et gazouillait gentiment quand papa et maman la mettaient au lit. Les berceaux sont des espaces confinés incompatibles avec sa nouvelle façon de penser. Fini le temps où un bercement de quelques minutes pouvait suffire. De quel droit maman s'arrêterait-elle de me bercer?

Elle s'est aussi aperçu que la vie continue dans la maison même après que la lumière se soit éteinte dans sa chambre. C'est une escroquerie. Comment osent-ils?

Pour rendre plus calme l'heure du coucher, vous devez d'abord vous débarrasser de cette idée paralysante qu'elle crie parce que vous avez fait quelque chose de mal. Elle crie parce que *vous* lui faites quelque chose à *elle* et qu'elle ne l'accepte pas. Il se peut qu'il n'y ait aucun moyen, pendant quelque temps, de la coucher sans qu'elle hurle, sauf en la laissant dormir avec vous (ne faites *jamais* ça!).

Ensuite, ne perdez jamais de vue que l'heure de son coucher est exclusivement fixée en fonction de vous. Si l'enfant se couche, c'est pour que les papas et les mamans puissent redevenir maris et femmes. Le coucher de bébé est un exercice dans l'art de séparer l'enfant du mariage (voir "Le coucher, c'est pour les parents", page 188). Avec tout ça à l'esprit, je vous recommande d'avancer l'heure du coucher à vingt heures. Entre 19h45 et 20h, préparez-la tranquillement. Puis mettez-la dans son berceau et, cris ou pas, quittez la pièce. Souvenez-vous qu'il suffit d'"une seconde d'hésitation et tout est perdu".

Je sais très bien combien il peut être difficile d'oublier qu'on est des parents quand un enfant crie dans la maison. Alors, donnez-vous des temps de garde. Que chacun à son tour "vérifie" l'enfant toutes les dix minutes. Entrez dans sa chambre en feignant l'insouciance, dites quelques brèves paroles à propos du dodo, refaites-la étendre, embrassez-la et sortez. À mesure qu'elle commence à comprendre le message, vous pouvez faire passer le temps des vérifications à quinze ou vingt minutes.

Pendant qu'elle hurle, vous et votre mari pouvez vous parler, jouer au jacquet, lire ou faire tout ce que vous aimez faire ensemble. Encouragez-vous mutuellement et aidez-vous l'un l'autre à faire la transition du parent au conjoint. Enfin vous revoici des personnes normales! C'est à cela qu'il faut penser.

Question: Notre fils de vingt mois nous fait subir certains changements. Il devient plus actif et refuse de faire la sieste l'après-midi. En plus, il a appris à sortir de son berceau. L'heure du coucher devient une bataille. Que faire?

Réponse: Avant de faire quoi que ce soit, vous devez comprendre à quel point ces changements sont importants pour la croissance et le développement de votre enfant. En surface, cette conduite peut sembler un signe de révolte et il n'est donc pas étonnant que vous ayez engagé une "bataille" avec lui.

Mais il y a là plus qu'il n'y paraît. La transformation qui est en train de se produire pourrait être décrite plus justement en termes de processus sous-jacent, le sol fertile où prend naissance le comportement "rebelle".

La transformation de la chenille en papillon a commencé. Les chrysalides se mettent à voler et les bébés descendent de leur berceau. La conscience que votre fils a de lui-même a pris de l'expansion, sa façon de voir le monde aussi. Tout prend des dimensions nouvelles et excitantes, stimulant son étonnement *et* son niveau d'activité. Qui peut le blâmer de ne pas vouloir rester dans son berceau?

L'acte pas aussi simple que cela qui consiste à sortir de son berceau est bien plus qu'une performance athlétique. Il nécessite et traduit un sentiment d'assurance, une confiance irrésistible dans sa capacité d'accomplir de nouvelles choses (de changer d'échelle, pour ainsi dire) et surtout il marque la permission que l'enfant s'est donné à lui-même et qu'il a senti que vous aussi lui donniez de commencer à se séparer de vous et à devenir indépendant. Il n'a plus maintenant à rester couché uniquement parce que vous l'avez couché.

Choisissez la voie de la moindre résistance. Au lieu de tenter de le faire rester là où il est bien décidé à ne pas rester, commencez un passage graduel du berceau au lit. Démontez le berceau (en le laissant vous aider) et placez son matelas directement par terre. Faites-le dormir là jusqu'à ce qu'il ait pris conscience des limites du matelas et ne roule plus à terre pendant son sommeil. À ce moment-là, installez-le dans un vrai lit.

Vous pouvez installer une barrière spéciale pour enfants à sa porte, surtout si vous habitez une maison à deux étages. Cette barrière l'empêchera de sortir de sa chambre après que vous l'ayez couché tout en lui permettant de vagabonder dans des limites raisonnables jusqu'à ce qu'il soit prêt à dormir. De cette façon vous ne le forcez pas à rester couché tout en imposant des limites à son activité après l'heure du coucher. S'il reste près de la barrière et crie, retournez dans sa chambre à intervalles réguliers, en augmentant graduellement ces intervalles (commencez avec dix minutes). Calmez-le et faites-lui fermement savoir qu'il doit dormir. Cela vous demandera certains efforts pendant quelque temps mais à la longue ce sera payant.

La meilleure réaction possible à l'augmentation de son niveau d'activité c'est de rendre votre maison sécuritaire pour l'enfant, si du moins vous ne l'avez pas encore fait. Non seulement cela garantira la sécurité de l'enfant mais cela vous assurera en plus la tranquillité d'esprit.

Quant aux siestes, tenter de le faire dormir est voué à l'échec. Mais vous pouvez du moins exiger qu'il reste encore dans sa chambre une heure chaque après-midi. Continuez à le mettre au lit pour la sieste, en tant qu'élément de sa routine quotidienne. Si nécessaire, utilisez la barrière pour qu'il reste dans sa chambre. Une fois qu'il se sera habitué à cette période de calme répétée, il va probablement recommencer à faire sa sieste. Qu'il dorme ou non, profitez de cette période. Au cours des quelques prochaines années, en fait, plus vous pourrez trouver de temps rien que pour *vous-même*, mieux *il* s'en portera.

Einstein n'a pas parlé avant d'avoir trois ans

Question: Nous sommes les parents d'un garçon de vingt mois actif et éveillé mais qui ne parle pas encore. Son vocabulaire se limite à "ma-ma", "pa-pa" et "r'voir" et chaque fois qu'il veut nous dire quelque chose, il le fait par gestes. Il n'a aucune difficulté à comprendre tout ce que nous lui disons mais nous nous demandons s'il n'a pas un problème pour parler. Jusqu'à maintenant, nous n'avons pas insisté pour qu'il parle mais on nous a suggéré de ne pas faire ce qu'il demande à moins qu'il ne parle pour dire ce qu'il veut. Qu'en pensez-vous?

Réponse: Un vocabulaire de trois mots à vingt mois n'a rien de préoccupant. Et même, dans un certain sens, le vocabulaire de votre fils paraît assez étendu.

Nous avons tous deux vocabulaires: l'un actif, ou expressif; l'autre passif, ou réceptif. Notre vocabulaire actif est composé des mots que nous utilisons pour parler (ou écrire), alors que notre vocabulaire passif est constitué de tous les mots que nous comprenons. En général nous comprenons plus de mots que nous n'en utilisons, et chez les enfants la différence est très marquée. Le vocabulaire passif de votre enfant est probablement le reflet le plus fidèle, à cet âge, de la façon dont il progresse dans son développement linguistique. De ce point de vue, manifestement il va bien.

Bon, mais alors pourquoi ne parle-t-il pas plus? Probablement pour plusieurs raisons, toutes liées à son âge.

Il est sur le seuil des "deux ans terribles", dix-huit mois, traumatisants dans la vie de la plupart des enfants. C'est la difficulté et le plaisir d'être enfant, et aussi bien parent. L'enfant de presque deux ans voit son monde et agit sur lui comme s'il était lui-même le centre de toute expérience. Il risque aussi à ce moment-là ses premiers pas vers l'indépendance. Et certes c'est un risque puisque son besoin d'être caressé et minouché est encore très fort. Son besoin de se sentir indépendant est satisfait lorsqu'il contrôle les situations, et les gens. Et ses besoins de dépendance, qui durent encore, sont comblés par sa relation avec vous, ses parents. Tous ces besoins se trouvent satisfaits, paradoxalement, en ne parlant pas. Il est capable de contrôler certaines situations, de prolonger les rapports que vous avez avec lui et de recevoir en prime beaucoup d'attention. N'est-il pas brillant?

Alors collaborez avec lui sans faire d'histoires. N'essayez pas de le forcer à parler en ignorant ses demandes mimées, car cela ne ferait que déclencher une lutte pour le pouvoir inutile et frustrante. Après tout, il est en train de devenir un adepte du langage par gestes, un art qui ne fera qu'augmenter ses capacités générales de communication, à long terme.

Parlez-lui, mais n'exigez pas qu'il vous réponde. Lorsqu'il sera prêt et qu'il aura trouvé d'autres moyens de satisfaire son besoin d'attention, il découvrira sans nul doute que la parole est plus efficace que les charades.

Lorsque l'enfant a vingt-quatre mois, il peut être bon de faire évaluer ses capacités linguistiques et auditives, s'il présente plusieurs des signes suivants:

- L'enfant utilise un vocabulaire expressif de moins de vingt mots.
- Ce vocabulaire n'augmente pas, ou encore, il ne paraît nullement intéressé à parler.
- L'enfant devient de plus en plus dépendant des gestes.
- Il devient visiblement frustré dans ses tentatives pour communiquer.
- Il ne répond pas quand on lui parle et ne semble pas non plus comprendre des ordres simples.
- L'enfant ne montre pas qu'il comprend ce que vous voulez qu'il fasse lorsque vous lui montrez des images en disant: "montre-moi le petit chien", "montre-moi le ballon" ou bien "où est le chapeau?"

Les enfants de trois ans

Le développement d'un enfant, comme celui de tous les êtres vivants passe par une série de stades. Chaque stade, ou phase, se définit par de nouvelles relations avec l'environnement et chaque partie successive est une extension et une amélioration des précédentes.

Un enfant de trois ans commence à se former un esprit d'initiative ou une confiance en soi dans la poursuite de ses buts, à partir de la confiance et de l'autonomie qu'il a acquises pendant son "merveilleux un an" et ses "deux ans terribles".

Pendant les dix-huit mois qui ont précédé son troisième anniversaire, l'enfant était occupé à se former une conscience claire de ce qu'il était. Comme on peut s'y attendre, sa jeune image de soi est fragile, comme un vase d'argile qui n'a pas encore séché.

L'omnipotence qu'il ressentait à deux ans a été mise sens dessus dessous. Il était une fois un enfant qui gouvernait le monde. Maintenant tout ce sur quoi il peut prétendre exercer sa domination, ce ne sont que quelques jouets et un vague et fluctuant sens de son identité et même ce petit territoire doit être défendu. Est-ce dès lors si étonnant que les enfants de trois ans se sentent si facilement menacés par le noir, les bruits violents et les coups sur la tête?

Les bobos

Les blessures physiques, fussent-elles mineures, sont des coups trop près du but pour le bien-être d'un enfant de trois ans. Même la plus petite douleur produite par une minuscule égratignure peut faire glisser la prise hasardeuse qu'il a sur ce "moi" qu'il lui faut garder avec tant de soins, de peur qu'il ne disparaisse aussi mystérieusement qu'il est venu.

De plus, un enfant de trois ans ne peut en aucune façon savoir que les blessures cicatrisent, ce qui augmente sa peur et son sentiment d'impuissance.

Question: Notre enfant de trois ans, habituellement sans problème, a commencé récemment à se montrer plus sensible à la douleur qu'auparavant. Il devient presque hystérique à propos d'une petite égratignure ou d'un genou écorché. Quant à sa réaction à une coupure, je ne tenterai même pas de la décrire. Nous avons essayé de lui faire réaliser que ses blessures ne sont pas si graves que ça, mais sans résultat. Nous ne savons plus quoi faire. Que nous suggérez-vous?

Réponse: Les enfants de trois ans (et ceux qui viennent d'avoir quatre ans) ont effectivement la réputation de réagir exagérément à de petites douleurs, de la façon que vous décrivez.

Cela ne sert à rien d'essayer de convaincre votre fils que la perception qu'il a de ces événements traumatisants est fausse. Il y a certaines choses que seul le temps peut apprendre. Plus vous dites, plus vous faites, plus sa réaction a des chances d'être exagérée. Contentez-vous de soigner sa blessure, de le prendre dans vos bras et de vous asseoir jusqu'à ce qu'il se calme. Votre présence est tout ce dont il a besoin pour restaurer son sentiment de "proximité" envers vous qui s'était un peu défait.

N'est-ce pas agréable de savoir qu'il n'est pas toujours nécessaire de beaucoup parler?

Les peurs

Tous les enfants de trois ans éprouvent certaines peurs. Les plus importantes sont la peur du noir, la peur d'être laissé tout seul et la peur des "choses qui cognent la nuit".

Les enfants de trois ans prennent souvent par erreur des événements très ordinaires pour des menaces à cause de trois caractéristiques qui se combinent:

1. Le besoin qu'ils ont de protéger leur sens de l'identité récemment acquis et encore fragile. À mesure que les enfants deviennent plus indépendants, ils doivent affronter l'anxiété qui accompagne cette séparation d'avec les parents. Les peurs sont la dramatisation de ce processus. Elles sont des expressions symboliques, produites par l'imagination, du sentiment de vulnérabilité qu'éprouve le jeune enfant.
2. L'éclosion de leur imagination. Les enfants de trois ans ont la capacité de faire naître des images mentales de choses réelles et irréelles mais ne peuvent encore contrôler ce processus.
3. Leur incapacité de séparer les *mots* des *choses*. S'il y a un mot pour une chose, c'est qu'elle *existe*. Les enfants de trois ans ne peuvent distinguer la réalité de la fiction parce que les deux sont représentées par le même médium: le langage.

Les parents prennent souvent à tort la peur de l'enfant pour un symptôme d'insécurité ou de problèmes émotionnels en train de se former. Ils réagissent comme si la peur était la façon qu'a l'enfant de leur dire: "Vous ne prenez pas soin de moi." Ils se sentent responsables de l'anxiété de l'enfant, alors ils tentent de l'en protéger. Malheureusement c'est leurs propres anxiétés que les parents, en fait, lui communiquent et ils ne font ainsi qu'*augmenter* son sentiment d'impuissance.

Essayer de chasser la peur par la raison ne marche pas non plus, en général. L'explication rationnelle et la peur imaginaire ne sont pas sur la même longueur d'onde. Une approche par la raison ne fait qu'accroître le sentiment d'isolement de l'enfant: si ses parents ne peuvent pas voir ce qu'il voit lui, c'est qu'il est vraiment à la merci des choses, quelles qu'elles soient, qu'il croit voir "rôder dehors".

L'approche la plus efficace consiste d'abord à reconnaître la peur: "Je sais que le noir est effrayant quand on a trois ans." Puis à s'identifier à l'enfant: "Moi aussi j'avais peur du noir quand j'avais trois ans." Enfin à le rassurer sur votre capacité de le protéger: "Je suis en bas, dans le salon et, si tu as peur, je m'occuperai de toi."

Restez assez proche de l'enfant pour qu'il se sente protégé, mais pas trop proche, pour ne pas confirmer sa peur.

Question: Croyez-le ou non, mon fils de trois ans et demi a peur des journaux. Il dit qu'il n'aime pas leur odeur et refuse d'entrer dans une pièce où il y en a un. Il a également peur d'autres objets en papier. Il ne s'assied pas à table s'il y a une serviette en papier à sa place, refuse de se moucher dans des mouchoirs en papier et veut que je le lave après qu'il soit allé à la toilette. Il insiste de plus en plus à ce sujet et pique une colère si nous ne coopérons pas. Que faire?

Réponse: J'avoue que le journal est nouveau pour moi, mais ce n'est pas plus significatif que la peur du noir ou la peur des grenouilles.

Les jeunes enfants ne voient pas la différence que nous établissons entre les faits et la fantaisie. Leur innocence joueuse les rend vulnérables, parce que ce qui change les baignoires en vaisseaux toutes voiles dehors peut aussi donner la vie aux ombres de la nuit. Avec un peu d'exagération, l'enfant se voit comme la victime de sombres forces qu'il ne peut ni comprendre ni contrôler.

En respectant ses demandes et en réorganisant le monde pour le protéger, vous devenez sans le vouloir un acteur du drame, ce qui ne fait que confirmer ses craintes. "Le journal peut me faire du mal. J'en suis sûr, puisque maman et papa prennent la peine de me protéger contre lui. Les autres sortes de papier peuvent aussi me faire du mal." Il peut aussi utiliser cela pour vous manipuler et prendre le contrôle de certaines situations familiales. Rien de surprenant, par exemple, à ce que ses craintes aient perturbé les repas et vous aient replongé dans l'obligation de l'aider quand il va à la toilette. Les luttes pour le pouvoir qui opposent les enfants à leurs parents concernent presque toujours le coucher, le repas ou la toilette.

Votre fils vous dit ainsi: "Je viendrai à table à mes conditions seulement. Je n'en ferai pas plus que d'aller seul à la toilette." Mais il n'est pas vraiment capable de se contrôler lui-même ou de contrôler la situation. Il est en fait convaincu que sa peur est justifiée. Plus vous coopérez, plus son insécurité originelle augmente et plus il a peur.

Vous devez plutôt l'aider à distinguer ce qui est réel de ce qui ne l'est pas. Il est essentiel que *vous* définissiez pour lui la façon dont fonctionne la famille. Je ne vois pas de mal à ce que vous le laissiez décider tout seul s'il va entrer dans une pièce où se trouve un journal, mais, en revanche, vous ne devriez pas vous laisser convaincre par sa panique d'enlever le journal. À propos des repas et de la toilette, ne faites aucune concession. Dites-lui: "Tu fais partie de cette famille et ta place à table sera pareille à celle des autres." Insistez pour qu'il prenne place à table avec la famille et utilise convenablement sa serviette en papier. Refusez fermement de l'aider à la toilette.

Laissez-le avec son problème. Après tout, c'est *lui* qui l'a inventé.

Le développement intellectuel

Les enfants de trois ans apprennent progressivement à supporter les retards dans la satisfaction de leurs désirs. Un enfant de deux ans choisira toujours la récompense immédiate, même si elle est moins attrayante, plutôt que celle qu'il lui faut attendre. Mais un enfant de trois ans peut se retenir quelque temps pourvu qu'il ait quelque chose pour l'occuper en attendant. Cette capacité de retarder la gratification indique une plus grande résistance à la frustration et un contrôle de soi accru.

Les enfants de trois ans font preuve d'une remarquable mémoire. Quand mes enfants avaient trois ans, ils me stupéfiaient constamment par la capacité qu'ils avaient de décrire, dans leurs moindres détails, des événements survenus des mois auparavant, événements que j'avais, moi, presque complètement oubliés et que je ne pouvais pas me rappeler avec une telle précision.

Les enfants de trois ans sont aussi capables de recueillir de l'information de façon sélective pour résoudre des problèmes. C'est pourquoi, les enfants de cet âge ont des approches plus variées des situations qui posent des problèmes. Si la première tentative d'un enfant de deux ans pour résoudre un problème ne fonctionne pas, il va très souvent s'enrager. C'est parce qu'il ne voit pas d'autre alternative. Un enfant de trois ans, au contraire, après avoir rencontré le même échec initial, est plus susceptible d'essayer une ou deux autres stratégies avant de se laisser envahir par la frustration.

Un enfant de trois ans apprend de ses erreurs et se sert de cette information pour modifier la façon dont il résout les problèmes. L'apparition d'une pensée qui fonctionne par essais et corrections d'erreurs est l'un des deux événements intellectuels les plus significatifs à survenir à cet âge. L'autre est l'éclosion d'une pensée créatrice, imaginative. Brusquement, les enfants de trois ans se montrent intéressés à fabriquer des choses. Ils aiment colorier, peindre, travailler l'argile et faire des choses avec n'importe quel matériau qui leur tombe sous la main. Mais par-dessus tout, les enfants de trois ans font *comme si* et, laissés à leurs propres moyens, ils passeront la majeure partie de leur journée occupés à des activités que leur imagination seule définit. Cet événement qui survient au bon moment représente le complément parfait de leur indépendance et de leur initiative qui augmentent de plus en plus. Pour la première fois de sa vie, l'enfant est capable de s'occuper et de se distraire tout seul pendant des périodes de temps relativement longues.

L'enfant de trois ans utilise sa liberté intellectuelle pour explorer et empoigner son initiation à l'aspect social de la vie. Le jeu presque constant de son imagination est une façon de pratiquer et de se préparer à de plus grandes responsabilités sociales. L'enfant de trois ans joue littéralement à grandir. Cette capacité de se représenter mentalement des scénarios sociaux complets permet aussi à l'enfant de cet âge de maintenir suffisamment de distance entre les événements réels et lui pour garder le contrôle de son niveau d'anxiété et protéger l'image encore fragile qu'il a de lui-même.

Les partenaires imaginaires

Un jour, peu de temps après le troisième anniversaire de mon fils, je m'assis en bas de l'escalier pour écouter tandis qu'il jouait en haut, dans sa chambre, avec un autre enfant. Après presque deux heures de conversation animée et de grande activité, Éric déboula les escaliers. Seul.

— Avec qui jouais-tu? lui demandai-je.

— Avec mon ami, dit-il, les yeux brillants.

— Et comment s'appelle ton ami?

— Jackson Jonesberry, répondit-il avec un plaisir évident.

Je n'ai pas la moindre idée d'où il avait bien pu tirer ce nom et j'aime à penser qu'il venait du même endroit que Jackson lui-même.

Quand ma fille eut trois ans, ce n'est pas un seul ami imaginaire qu'elle s'inventa mais tout un groupe parmi lesquels "Soppie", "Honkus" et l'inimitable "Shinyarinka Sinum".

L'apparition des partenaires imaginaires est un signe indubitable de l'intérêt que prend l'enfant de trois ans aux relations avec des pairs. En compagnie d'un Jackson Jonesberry ou d'une Shinyarinka Sinum, un enfant peut satisfaire ce profond besoin de rapports avec des égaux tout en pratiquant par la même occasion sa vie sociale dans un contexte sûr et contrôlé.

Quand Éric avait trois ans puis quatre, nous vivions dans une région rurale où il avait peu de possibilités de jouer avec d'autres enfants. Pendant presque deux ans, il joua avec Jackson et plusieurs autres amis invisibles. C'est-à-dire invisibles pour Willie et moi parce que pour Éric ils étaient tout à fait réels. Je suis certain qu'il pouvait même les "voir".

Il n'y a aucune raison de s'inquiéter du temps considérable que les enfants passent à ce genre de jeux. Les adultes ne devraient ni interrompre ni intervenir quand un enfant joue ainsi. Lorsque c'est absolument nécessaire d'interrompre le jeu pour des raisons pratiques, faites-le avec le plus grand respect pour son "invité". Les adultes ne devraient *jamais* mettre en question l'existence de telles inventions.

En raison de l'importance de l'imagination dans le développement social et intellectuel, j'enjoins fortement les parents à tenir les enfants de cet âge éloignés de la télévision. Elle peut en effet distraire et finalement même submerger l'imagination du jeune enfant.

Un enfant qui regarde la télévision apprend à dépendre de quelque chose d'extérieur à lui pour la stimulation de ses facultés créatrices. Il n'apprend pas à être créateur. Un enfant qui regarde la télévision ne se prépare pas à jouer un rôle plus important dans la vie. Il apprend à être un spectateur plutôt qu'un acteur, un suiveur plutôt qu'un meneur. Un enfant qui regarde la télévision ne pratique pas son indépendance et n'exerce pas non plus d'initiative. Il apprend à être facilement satisfait, dépendant, sans ressources personnelles et irresponsable.

Cela est vrai quel que soit le programme, y compris *Sesame Street* (voir "La télévision", page 241).

Kid Klutz: il trébuche, tombe, bredouille et se cogne aux murs

Dans leur quatrième année, les enfants peuvent sembler devenir plutôt moins coordonnés que plus coordonnés. De façon caractéristique, ils trébuchent et tombent plus souvent, leurs pieds s'emmêlent quand ils courent ("Il a deux pieds gauches") et ils laissent tomber ou se répandre tout ce qu'ils tiennent, et de façon générale ils jouent les Kid Klutz. Ils peuvent aussi commencer à bredouiller: ils se répètent, se reprennent, et s'arrêtent sur certains sons.

Paradoxalement, cette maladresse physique et verbale survient parce que l'enfant essaie d'orchestrer sa pensée, son langage et son mouvement. Jusqu'alors, il se concentrait sur chacune de ces zones de développement en faisant relativement abstraction des deux autres. Maintenant il tente de les coordonner dans un système qui les intègre.

Alors qu'avant il se concentrait pour apprendre séparément à marcher et à parler, il essaie maintenant de marcher et de parler en même temps. Cet exemple, bien que trop simplifié, illustre la principale caractéristique de cette étape du développement de l'enfant. C'est un temps de réorganisation et d'intégration et au début les divers éléments ne fonctionnent pas aussi bien ensemble qu'ils le faisaient séparément.

Malheureusement, les parents réagissent souvent comme si l'enfant venait d'être accablé brusquement d'un problème. Ils deviennent anxieux, perdent patience et essaient d'aider l'enfant à surmonter ses "difficultés". Tout cela crée un problème là où il n'y en avait pas. L'anxiété des parents dit à l'enfant que quelque chose "ne va pas" et des difficultés mineures deviennent ainsi de véritables pièges. C'est particulièrement vrai dans le cas du bredouillement.

La règle générale est la patience et la compréhension. Si l'enfant répand son lait pour la treizième fois en douze jours, au lieu de démolir son amour-propre ("Mais qu'est-ce qu'il t'arrive? Tu n'es plus capable de faire quelque chose de simple comme bonjour?"), dites-lui quelque chose comme: "Oh, oh! Tiens, prends ce chiffon et aide-moi à nettoyer. Je me souviens que moi aussi je renversais mon lait quand j'avais ton âge."

Le bredouillement peut habituellement être corrigé si les parents prennent le temps d'écouter et de se montrer intéressés à ce que l'enfant essaie de dire. S'il commence à bredouiller, voici ce qu'il *ne* faut *pas* faire:

- *Ne* terminez *pas* ses phrases pour lui.
- *Ne* dites *pas* des choses comme "parle plus lentement" ou "prends une bonne respiration et recommence".
- *Ne* parlez *pas* de son bredouillement lorsqu'il peut vous entendre.
- *Ne* l'interrompez *pas* ou *ne* lui dites *pas* de revenir quand il sera calmé et pourra parler "mieux".

Parlez lentement à un enfant qui bredouille. S'il éprouve des difficultés à vous dire quelque chose, posez-lui des questions auxquelles il puisse répondre en trois mots ou moins. S'il se plaint de son bredouillement, faites-lui savoir que parfois même les grands ont des *problèmes* pour *parler.*

Le développement social

Vers l'âge de trois ans, l'égocentrisme presque intolérable de l'enfant cède la place à une image plus sociale de lui-même par rapport aux autres. Il apprend le chacun son tour (qui précède le partage véritable) et il apprend aussi à jouer *avec* (plutôt que simplement dans leurs environs) les autres enfants.

Les enfants de trois ans se comportent à l'occasion comme s'ils pouvaient adopter, face à une situation, le point de vue d'un autre. Mais les signes de sympathie sont tout de même rares, excepté à l'endroit de leurs parents ou des personnes qui s'occupent d'eux et des enfants qu'ils connaissent bien. Les partenaires de trois ans se réconfortent mutuellement et même parfois se repentent d'avoir heurté les sentiments l'un de l'autre.

Les enfants de trois ans peuvent établir des relations de jeu instantanément avec d'autres enfants de leur âge ou légèrement plus vieux. Allez-y prudemment, cependant, en réunissant pour la première fois des enfants de trois ans. Ils ne comprennent pas l'importance des préliminaires sociaux et se précipitent au contraire dans des rapports intimes et risqués. Cela produit autant de premières rencontres désastreuses que de réussies. Et la première impression compte énormément pour un enfant de trois ans. Les enfants qui s'entendent bien d'emblée continuent généralement de le faire les autres fois alors que ceux dont la première rencontre a été pleine de frictions sont susceptibles d'éprouver encore des difficultés à s'accorder.

Mais les rencontres du pire type peuvent être évitées si les adultes sont sensibles aux risques qu'il y a à placer ensemble des enfants de cet âge et donnent aux enfants une bonne surveillance, une structure et de quoi les guider jusqu'à ce qu'ils jouent bien ensemble.

C'est le bon âge pour initier l'enfant aux garderies. Prenez soin de bien choisir la garderie parce que la valeur de l'expérience dépend de la qualité du programme offert. Dans l'ensemble, cependant, les recherches prouvent que les garderies orientées vers le développement en groupe produisent: 1) un accroissement du comportement constructif, orienté vers un but particulier; 2) une augmentation des jeux où chacun coopère; 3) un accroissement de l'assurance de l'enfant; 4) une amélioration de l'aptitude à régler les conflits et 5) une amélioration de la capacité qu'a l'enfant de s'adapter à de nouvelles situations (voir "Le choix d'un programme préscolaire", page 267).

Les enfants de trois ans observent attentivement les autres enfants et les imitent. Cette tendance à singer, même si elle est exaspérante par moments, est importante pour le développement des pratiques sociales. D'une part, l'imitation est un jeu, un échange presque rituel entre les enfants, échange qui forme des liens sociaux positifs basés sur la coopération. D'autre part, c'est une façon d'acquérir des compétences dans la solution de problèmes. Des chercheurs ont montré qu'une fois qu'un enfant de trois ans a vu un autre enfant surmonter un événement stressant, il pourra à son tour employer les mêmes stratégies pour faire face à la même situation. Sur un autre plan encore, l'imitation est une façon peu risquée d'expérimenter de nouvelles formes de comportement. Les enfants de trois ans sont avant tout des expérimentateurs et, pour cette raison, ce sont de petites personnes passablement imprévisibles.

C'est un âge où l'on essaie tout. Ils traversent cette phase de leur vie en essayant tous les comportements imaginables pour voir s'ils marchent ou s'ils ajoutent quelque chose d'intéressant soit à l'image qu'ils se font d'eux-mêmes, soit à celle que les réactions des autres à leur endroit font apparaître dans leurs regards.

L'enfant passe les trois premières années de sa vie à se donner une personnalité relativement solide, un équipement de base. Pendant les deux ou trois années suivantes, il fait du lèche-vitrines pour se trouver des "accessoires", parties et séquences de comportements destinées à ajouter de la variété et du piquant à leur performance.

Il peut emprunter ces attitudes à n'importe qui mais ses partenaires et les autres enfants sont les principales personnes mises à contribution. La passion de l'enfant de trois ans pour l'imitation est nettement un signe qu'il commence à s'identifier aux autres enfants, chacun exerçant une influence considérable en tant que modèle pour l'autre.

Des périodes de régression vers des comportements de bébé sont également très communs, encore plus s'il y a un nouvel enfant dans la famille. L'enfant peut, par exemple, recommencer à faire dans sa culotte, à demander un biberon, parler comme un bébé et vouloir être porté et pris plus souvent que d'habitude.

Pour la plupart de ces inoffensives excursions dans le passé, il vaut mieux regarder de l'autre côté. Mais si plusieurs répétitions lors de courtes périodes de temps semblent vous indiquer qu'une véritable habitude est en train de se former, il faut intervenir avec autorité avant que le ciment ne prenne.

Question: Mon mari et moi aimerions avoir vos suggestions quant à une situation qui nous inquiète. Notre enfant de trois ans et demi a appris tout seul à utiliser la toilette quand il n'avait que deux ans. Depuis ce temps, il aime jouer avec ses couches, ses culottes d'entraînement et divers articles de l'habillement d'un bambin. Nous l'avons laissé faire. Récemment, après être allé chez un ami de son âge qui n'est pas encore propre, il s'est mis plusieurs paires de culottes d'entraînement et les a mouillées, juste un petit peu. Depuis, il a refait cela deux fois et nous ne savons pas trop ce que cela peut bien signifier. J'ai aussi remarqué que, à l'occasion, son pénis devient dur quand il joue à mettre des couches ou des culottes d'entraînement. Devrions-nous lui interdire d'en mettre?

J'ajouterai que j'attends un nouveau bébé dans quatre mois. Est-ce qu'il peut y avoir un rapport?

Réponse: Je n'ai pas l'impression de quoi que ce soit de bizarre en lisant votre lettre. Votre enfant a l'air d'un enfant de trois ans typique. Ce n'est pas que beaucoup d'enfants de trois ans aiment à "revenir" aux couches et aux vieux vêtements, certes, mais votre enfant est typique en ce sens qu'à cet âge l'enfant est imaginatif, aime expérimenter et jouer des rôles.

Il n'est pas nécessaire de lui interdire de jouer dans ses vieux vêtements. Mais je suggérerais cependant que vous lui fassiez savoir clairement vos règles et vos attentes quant à ces vieux effets.

Ce serait probablement peu sage de le laisser jouer avec les couches. Cela peut lui faire croire qu'il a la permission de les mouiller, spécialement quand le nouveau bébé sera arrivé et qu'il remarquera que son cadet jouit de cette prérogative.

Quant à ses érections, n'oubliez pas que la sexualité d'un enfant de trois ans est diffuse et peut répondre à toute forme de stimulation agréable. Dans ce cas précis, mettre des couches et des culottes d'entraînement peut éveiller des sensations agréables associées aux nombreuses expériences plaisantes de la première enfance: être pris, se faire changer de couches, mouiller ses culottes et ainsi de suite. Des réactions physiques semblables sont très courantes chez les garçons et les filles (bien que, dans ce cas, moins évidentes) qui sucent leurs pouces ou ont une couverture fétiche.

Il n'y a pas là de quoi s'inquiéter et il n'y a aucun rapport entre le plaisir sensuel qu'il prend à ses couches et la suggestion que je vous ai faite de les lui reprendre.

Les mensonges

La fantaisie d'un enfant de trois ans est tellement chevillée à sa personnalité que la distinction entre ce qui est vrai et ce qui ne l'est pas est passablement floue pour lui. Le sens du mot "vérité" n'est pas *vraiment* clair pour lui jusqu'à presque sept ans.

Un jeune enfant ne comprend pas non plus complètement le concept de responsabilité. Pour lui, les choses se produisent simplement, et la part qu'il y prend n'est pas toujours claire dans son esprit. N'attendez donc pas d'un enfant de trois ans (ou même de quatre, cinq ou six ans) qu'il dise absolument la vérité. Et ne considérez pas leurs mensonges comme une faute morale.

L'enfant de cet âge peut être facilement effrayé au point de préférer cacher la vérité. S'il y a menace de punition, la défense naturelle de l'enfant est d'essayer de l'éviter en disant: "c'est pas moi". Si cela marche, l'enfant sera soulagé d'avoir réussi à éviter la colère de ses parents.

Il éprouve aussi un certain accès de joie intense à constater que son mensonge a "marché". Cette joie peut créer une accoutumance. Plus la menace est grande, plus le mensonge est risqué, plus est grand le plaisir de s'en tirer avec succès. Ainsi l'enfant relance encore les dés la fois suivante et encore et toujours.

De temps en temps, la ruse échoue et les parents "marquent des points" avec une fessée. Mais à d'autres moments, cela réussit au moins à mêler les parents et alors c'est l'enfant qui "compte". Si l'enfant fait cinq tentatives et qu'il n'y en ait qu'une qui réussisse, il y a des chances que, malgré tout, il continue à tenter le sort.

Question: Notre petit garçon qui a trois ans fait une bêtise et quand nous l'accusons, il nie avoir fait quoi que ce soit. Nous le punissons quand même mais cela nous gêne, parce qu'il a l'air d'en souffrir beaucoup. Nous nous demandons s'il sait vraiment pourquoi nous le punissons ou bien s'il pense vraiment qu'il n'a rien fait de mal. Comment faire dans ces circonstances?

Réponse: Souvenez-vous qu'"il vaut mieux prévenir que guérir". Ne laissez pas à un enfant la chance de vous cacher quelque chose dont vous savez déjà qu'il l'a fait. Au lieu de demander: "Est-ce que c'est toi qui a arraché toutes les feuilles des violettes africaines?", exprimez fermement les faits de façon affirmative, par exemple ainsi: "Tu as arraché les feuilles de mes violettes africaines. Je suis très fâché. Tu vas nettoyer le dégât et ensuite monter dans ta chambre." Ne posez pas de question à un enfant et il ne vous dira pas de mensonge.

Si vous voyez l'enfant faire une bêtise ou que des évidences précises le désignent comme coupable, n'ouvrez pas la porte aux discussions en lui posant la question dont la réponse est évidente. Il n'est pas nécessaire de lui arracher un aveu ou des excuses. Sauvez du temps et des ennuis en formant des phrases qui disent à l'enfant que vous savez ce qui s'est passé. Ignorez ses protestations et ses alibis. C'est une faveur que vous lui ferez.

Lorsque plusieurs enfants jouent ensemble et que quelque chose de mal se produit, cela ne vaut pas la peine de jouer à "qui a fait ça?" De plus, les enfants sont prompts à transformer l'un d'entre eux en bouc émissaire, habituellement le plus petit ou celui qui a déjà été souvent blâmé dans le passé. On ne peut se fier à eux: ce ne sont point des témoins impartiaux. Lorsque des frères et soeurs sont impliqués, dites: "Cela s'est produit pendant que vous jouiez tous les deux et vous serez punis tous les deux pour ça." Dans le cas où votre enfant est dans un groupe, arrêtez leur jeu et orientez la leçon de discipline vers lui.

Il y a moins de chances que l'enfant cache la vérité, s'il n'est pas question de fessée. Punissez en retirant des privilèges: faire de la bicyclette, jouer dehors, recevoir des amis à la maison, et ainsi de suite. C'est vrai qu'une fessée prend moins de temps mais dans ce cas précis elle a rarement un effet durable. D'un autre côté, il est trop tentant de réduire le "tu ne sortiras pas pendant trois jours" au bout du premier jour. Alors, que la punition soit courte mais significative.

Punissez l'action et oubliez le mensonge. Ne promettez pas à l'enfant que les choses iront mieux s'il dit la vérité ou qu'il sera puni doublement s'il ment. Ce type de "négociation-supplication" est extrêmement mêlant et dit à l'enfant que vous vous *attendez* à ce qu'il mente. À moins que vous ne vouliez la récolter plus tard, il vaut mieux ne pas semer cette idée dans la tête d'un enfant. Un enfant qui se conduit mal doit être puni immédiatement. Aucun marché, aucune tractation ne doit détourner l'attention de ce qui s'est passé.

C'est à moi?

Jusqu'à récemment, du point de vue égocentrique de l'enfant il n'y avait qu'un territoire, un ensemble de possessions: les siens. Grandir c'est en partie accepter le fait déplaisant que chacun a droit à sa part du gâteau. Cela nécessite que l'enfant civilise sa vision du monde en apprenant ce que contiennent les mots dont nous définissons "la possession".

Et c'est difficile, parce que la frontière qui sépare le "mien" du "tien" est en grande partie invisible. Il n'y a, par exemple, rien d'évident dans le "mon" de "mon camion de pompiers".

Les pronoms possessifs: le mien, le tien, le sien, le leur, le nôtre, sont des abstractions qui désignent la propriété. Les enfants de trois ans et demi éprouvent de la difficulté à comprendre les abstractions, qui sont un degré en retrait du monde de la couleur, du son, du toucher, du goût et de l'odeur.

Pour un enfant de trois ans et demi, "ce camion de pompiers est rouge" a du sens parce qu'on peut voir le rouge. On peut le constater *directement*. "Ce camion de pompiers est *à moi*", en revanche, n'a aucun sens. "Qu'est-ce que c'est "à moi" et où c'est?" se demande l'enfant.

En essayant de comprendre les abstractions, l'enfant les traduit en comportements. Souvent, le comportement est le contraire du message initial. Par exemple, les mots "ne pas" sont aussi une abstraction qui réfère à l'*absence* de telle ou telle action. "Assieds-toi sur le chien" a du sens pour un enfant de trois ans et demi parce que c'est un message concret, terre à terre. Mais, en revanche: "Ne t'assieds pas sur le chien" complique considérablement les choses. L'enfant reste perplexe et dans un effort pour surmonter sa confusion, il fait ce qui lui paraît évident, c'est-à-dire se laisser tomber sur le chien. Parce que nous ne replaçons pas cette action dans son contexte, nous disons que l'enfant est "désobéissant" et "peut mieux faire". Ce n'est pas ça du tout.

Question: Au cours des trois derniers mois, en quatre occasions différentes, notre fille de trois ans et demi m'a montré des objets qu'elle avait cachés après les avoir dérobés dans la maison d'une de ses amies et à la garderie. À chaque fois, je lui ai parlé calmement en essayant de ne pas "en faire tout un plat" mais je ne suis pas sûre que ce soit la bonne attitude. Est-ce que c'est plus grave que je ne veux bien l'admettre? Aurais-je dû la punir? Que me suggérez-vous de faire si cela se reproduit?

Réponse: Je vous suggère de ne pas vous inquiéter. Presque tous les enfants de cet âge essaient le jeu des "mains qui traînent". Il ne faut pas confondre cela avec un vol. Les motifs sont en effet tout autres. En fait, votre fille est, dans le sens le plus littéral du mot, *innocente.*

Pendant les années préscolaires, "prendre" est un comportement expérimental, sans intention de faire du mal. Elle ne fait, en premier lieu, que tester votre réaction: "Que dira maman si...?" Je félicite votre fille d'avoir inventé un moyen aussi brillant et ingénieux de définir la différence entre "le mien" et "le tien". En prenant ce qu'on lui a dit appartenir à quelqu'un d'autre ou ce qui se trouve dans la maison de quelqu'un d'autre, votre fille tente de définir les concepts de possession et de propriété.

Mais alors, qu'est-ce qu'on fait maintenant? Vous l'aidez. Elle vous pose une question. Donnez-lui la réponse. Réagissez calmement et de façon directe. "Oh!, tu as pris un jouet dans la maison de Luc. Ce jouet est à Luc. C'est *le sien.* Toi et moi nous allons ramener ce jouet à la maison de Luc et le lui rendre."

Il est extrêmement important que vous rapportiez l'objet immédiatement, pendant que la question est encore fraîche dans son esprit. Il est également impératif que votre fille vous accompagne dans cette mission.

Mais ce *n*'est *pas* important qu'elle avoue, s'excuse ou rende elle-même l'objet. Ces exigences ne feraient que la punir de sa question et rendraient la réponse confuse. Il suffit qu'elle vous voie présenter les excuses et rendre l'objet à son propriétaire. Que la leçon reste simple et directe. Pas besoin de la pimenter de culpabilité ou de peine.

Joue avec moi

Les enfants de trois ans ont résolu la majeure partie des conflits qui entourent la question de la dépendance en rapport avec l'indépendance. Mais pas complètement. Il y a encore des moments où ils sont tentés d'abandonner le terrain conquis et de faire retraite vers un mode de vie qui leur garantissait le confort et la sécurité. L'indépendance implique des risques et n'oubliez pas que l'enfant de trois ans n'a pas de carte pour lui montrer la voie. La dépendance, par ailleurs, est sûre et crée l'accoutumance. Une des façons d'exprimer ce tiraillement intérieur est d'attraper maman par la manche et de lui dire, en substance: "Sois ma partenaire."

Question: Combien de temps environ devrais-je passer chaque jour à jouer avec mon enfant de trois ans? Je ne travaille pas, alors je peux lui donner à peu près tout le temps qu'il veut.

Réponse: C'est une question très difficile et pour laquelle il n'existe pas de réponses précises. À cet âge, il devrait y avoir encore beaucoup de temps passé à vous asseoir ensemble tous les deux, juste pour le plaisir, mais vos responsabilités *ne* nécessitent *pas* que vous soyez sa partenaire.

En fait, bien qu'il puisse vouloir que vous passiez la journée à jouer avec lui et qu'il insiste beaucoup là-dessus, c'est exactement ce qu'il *n*'a *pas* besoin que vous lui donniez à ce stade.

Il n'a pas besoin d'autant d'attention, et de cette sorte, de la part des adultes. Il a besoin des adultes pour sa protection, l'affection qu'ils lui portent et le contrôle qu'ils exercent sur lui. Il a besoin des adultes pour lui faire la lecture, pour organiser et arranger son aire de jeu, pour encourager ses initiatives, son indépendance et pour lui donner des idées dont il puisse se servir pour voler de ses propres ailes dans de nouvelles directions qu'il définira lui-même.

Burton White, l'auteur de *Les trois premières années de la vie*, une autorité sur le sujet des enfants d'âge préscolaire, a dit qu'un des signes les plus nets du bon développement d'un enfant de trois ans est la capacité qu'il a de s'occuper et de se distraire tout seul pendant des périodes de temps suffisamment longues.

Cela ne veut pas dire que les parents devraient arrêter de jouer avec leurs enfants après qu'ils ont trois ans. Les enfants de trois ans ont besoin de savoir que leurs parents sont encore accessibles pour eux. Mais n'oubliez pas que plus un parent est un partenaire plus son autorité et l'autonomie de l'enfant sont sapées.

Établissez des limites entre le moment où vous jouez avec lui et celui où vous ne jouez pas. N'ayez pas peur de dire "non" même s'il crie. Trouvez une garderie préscolaire et inscrivez-le pour trois matins par semaine.

Et, tandis que vous prenez ainsi soin de *son* indépendance, n'oubliez pas la vôtre.

Siestes et coucher

Question: Ma fille a maintenant trois ans et demi. Même si je lui ménage une heure pour une sieste l'après-midi, vers quatorze heures, elle ne s'endort pas. Puis, vers dix-sept heures trente, elle s'effondre. Elle pleure, devient susceptible, et peut à peine s'asseoir pour avaler son souper. Si elle va se coucher vers quinze heures trente, j'essaie de la réveiller au bout d'une heure environ, sinon elle sera debout jusqu'a vingt et une heures trente ou vingt-deux heures. Est-ce que ce n'est qu'une nouvelle période à passer?

Réponse: Il semble que votre fille n'ait plus guère besoin d'une sieste l'après-midi. Mais ce passage de la sieste à l'absence de sieste ne se fait pas en un jour. Pendant un certain temps, il y aura des jours où manifestement elle aura besoin d'une sieste et d'autres où elle n'en aura pas autant besoin.

Pendant cette période de transition, il y a des chances qu'elle résiste au sommeil qui la prend l'après-midi pour la simple raison qu'être éveillé est bien plus excitant que dormir. Souvenez-vous que les enfants sont perturbés quand on change leur routine. Aussi cette transition peut-elle être dérangeante dans la mesure où elle nécessite que l'heure du coucher soit tantôt reculée tantôt avancée. Vous pouvez vous attendre à ce qu'elle soit parfois irritable et mal dans sa peau.

Une routine l'aiderait à effectuer cette difficile adaptation. C'est vous qui devez l'établir et vous devez la faire respecter en cas de résistance occasionnelle. En gardant cela à l'esprit, fixez une heure de coucher. Cette décision devrait prendre en considération des facteurs tels que les horaires de travail, le temps dont chacun a besoin pour se préparer à quitter la maison le matin, où l'enfant passe ses journées et ainsi de suite. Mais au bout du compte les parents doivent surtout décider quand *ils* veulent que l'enfant soit au lit. Tous les enfants ont besoin de parents qui passent régulièrement un certain temps seuls tous les deux. Alors, disons que vous choisissiez vingt heures trente comme heure où vous voulez que votre fille soit sous les draps.

Pour que cela arrive, commencez à la préparer vers vingt heures. Fermez la télévision, que tout le monde diminue son niveau d'activité, donnez-lui un bain chaud, envoyez-la sur le pot, offrez-lui une petite collation (de préférence, sans sucre), lisez-lui une histoire (au lit), parlez doucement avec elle des choses plaisantes qui se sont passées dans la journée, embrassez-la, bercez-la un peu, éteignez la lumière et quittez la pièce. Si elle résiste au sommeil, faites-lui clairement savoir qu'elle doit rester au lit avec la lumière allumée. Faites respecter votre décision calmement, mais aussi fermement que nécessaire.

Si son horloge biologique correspond à la norme, elle dormira jusqu'à environ huit heures le lendemain matin. Selon l'activité que connaît sa journée, elle peut vouloir faire la sieste ou non. Si elle s'endort d'elle-même, ne la laissez pas dormir plus d'une heure. Le soir, qu'elle ait ou non fait une sieste, commencez encore à calmer les choses à vingt heures, en visant les vingt heures trente prévues pour son coucher. La chose la plus importante à se rappeler est que c'est *vous* qui établissez la routine et *vous* qui faites qu'elle s'y adapte en la faisant respecter calmement et fermement. Le pli finira par se prendre et elle fera ses propres ajustements quant aux siestes, en fonction de ses propres besoins.

Quatre et cinq ans

Les jeux d'un enfant de trois ans sont ouverts et improvisés. Il les déclenche lui-même et peut s'occuper pendant des périodes de temps relativement longues, mais il joue uniquement dans le présent: l'ici et maintenant. Il n'a pas d'objectif en tête; il joue simplement pour le plaisir de jouer.

Les enfants de quatre et cinq ans commencent, au contraire, à se fixer des buts et orientent leurs activités vers leur atteinte. Si vous demandez à un enfant de trois ans: "Qu'est-ce que tu fais?" vous aurez généralement comme réponse: "Je joue." Un enfant de quatre ou cinq ans répond, lui, à la même question, de façon plus spécifique, en disant le but de son activité: "Je construis un bateau."

Cette capacité de conceptualiser et de travailler en vue d'un but prédéterminé est le pas suivant dans la marche de l'enfant vers la maîtrise de son environnement. Il révèle l'émergence des motivations d'accomplissement, un désir orienté vers l'accomplissement, la création, le faire.

Les enfants de quatre et cinq ans expriment ce besoin de diverses façons. Ils commencent à se former des intérêts bien définis et, le plus souvent, ces intérêts sont liés à leur sexe. De façon typique, les garçons s'identifient au modèle paternel, montrant de l'intérêt pour les mêmes choses (le sport, les voitures, le jardinage et ainsi de suite). Ils expriment un plus grand besoin de l'approbation de papa et de sa camaraderie et se lancent dans des activités qu'ils associent à leur père (le bricolage, la cuisine et ainsi de suite). Au même moment, les petites filles établissent des liens étroits avec leur mère et montrent des préférences très nettes pour des comportements et des activités féminines caractéristiques, quant aux normes en vigueur dans la maison, du moins.

L'identité sexuelle des enfants de cet âge se stabilise également. Les enfants de quatre ans réalisent que les garçons sont en train de devenir des hommes et les filles des femmes. L'émergence chez les enfants de cet âge d'un comportement "sexuel" précoce est leur façon d'explorer et ainsi de comprendre tout ce qu'entraîne la mystérieuse différence entre l'homme et la femme.

Comme on peut s'y attendre, les stratégies qu'ils emploient pour obtenir des réponses à leurs questions sont directes et sans pudeur. C'est l'âge du "on joue au docteur" et du "fais-moi voir", un âge qui a des chances de causer quelque consternation chez les parents.

Si tu me montres le tien, je...

"Je les entendais qui gigotaient et riaient en haut dans la chambre de ma fille et je suis montée voir ce qui pouvait bien être si drôle. Ils avaient tous quitté leurs vêtements, complètement. Ils sautaient tout autour de la pièce en se donnant des coups d'oreiller. Je suis restée là. Je n'arrivais pas à ouvrir la bouche."

"Il y avait un bon moment que Luc était dans la salle de bains alors je suis allée voir s'il n'avait pas besoin d'aide et je les ai vus. Je m'étais préparée à tout, mais deux garçons?"

"Chaque fois que je regarde ailleurs, Julie met la main dans sa culotte. Elle le fait partout. J'ai essayé tout ce que je savais pour l'arrêter, mais cela ne fait qu'empirer les choses. Je suis gênée de l'emmener n'importe où."

Cela arrive dans les meilleures familles. Vous voici, à faire marcher les choses en douceur, à affronter les ennuis occasionnels prévus mais au moins il y a *une* chose dont vous n'avez pas à vous préoccuper pendant au moins les dix années qui viennent, du moins c'est ce que vous croyez. Puis, un jour, il vous arrive d'aller jeter un oeil sur les petits qui jouent si tranquillement ensemble depuis une bonne demi-heure, et...

Quelque part entre leur quatrième et leur sixième anniversaire, la plupart des enfants découvrent que leur corps a des endroits qui, au toucher, sont presque aussi agréables que le goût d'une crème glacée au chocolat (cf. d'une glace au chocolat). Il n'y a rien de pervers ou de mal dans le fait qu'un enfant aime la crème glacée et il n'y a rien de contre nature non plus à ce qu'il veuille connaître son corps, ou celui d'un autre, une fois qu'il a découvert les mystères qui s'y trouvent.

La curiosité d'un enfant n'obéit pas facilement aux lumières vertes et rouges que les adultes installent pour marquer ce qui est "bien" et ce qui ne l'est pas. Il ne vient jamais à l'esprit d'un enfant qui se livre à des jeux sexuels précoces qu'il est en train de faire quelque chose de mal et l'idée que cette découverte délicieuse puisse être interdite peut être troublante et destructrice. Après tout, c'est *son* corps, et c'est agréable. Quand les adultes ont l'air dégoûtés, crient, frappent la main coupable ou disent que c'est mal, le message perçu est que c'est mal de se faire du bien. L'enfant entend ainsi les gens dire qu'il y a quelque chose de mal dans son corps, qu'il ne faut pas le toucher.

Au bout du compte, ce que l'enfant trouve agréable et plaisant dans son corps est banni de son esprit et des mots comme "dégoûtant" et "sale" y sont accolés. La gêne, la honte et la culpabilité peuvent ainsi facilement marquer l'image qu'il a de son corps et se traduire dans l'idée qu'il se fait de lui-même. La conclusion finale: "Je suis *mauvais* de vouloir me sentir bien." Il y a un autre danger à punir ou à montrer de la désapprobation pour de telles découvertes de soi. Si l'on punit l'intérêt qu'un enfant éprouve pour son corps; si cet intérêt devient lié à la honte, alors il le cachera. Il est essentiel que nos enfants se sentent libres de discuter du sexe ou d'autres sujets connexes avec nous. Si la franchise sans honte d'un jeune enfant est punie, il y a peu de chances que, plus tard, adolescent, il se sente à l'aise pour aller voir ses parents avec des questions, de doutes ou des problèmes concernant la sexualité.

Alors, que faire? Il n'existe pas de conseils faciles mais voici quelques indications générales.

Un enfant, comme n'importe qui d'autre, a besoin de son intimité et il y a droit. Ne faites pas irruption dans son monde, à intervalles réguliers, ou simplement parce qu'il est "trop tranquille". S'il vous arrive de trouver votre enfant en train d'explorer son corps en privé, dans sa chambre, laissez-le faire. Il ne se fait aucun mal, ni physique ni psychologique et sûrement aucun mal non plus à quelqu'un d'autre.

Quant aux enfants qui explorent leur corps dans les endroits publics, il faut leur apprendre que le corps est une affaire privée, personnelle. Dites-leur quelque chose comme: "Je sais que ça fait du bien, mais le salon n'est pas un endroit pour faire ça. Si tu veux, tu peux aller dans ta chambre. Personne ne viendra t'y déranger." Cela aidera l'enfant à se contrôler sans définir l'acte comme "interdit". En public également, l'approche directe est la meilleure. "S'il te plaît, enlève la main de ta culotte quand nous sommes dans le magasin. Tu pourras faire ça dans ta chambre, quand nous serons à la maison." Quand il y a deux enfants ou plus dans le jeu, détournez simplement leur attention et mentionnez brièvement, en passant, que ce qu'ils font n'est pas permis. "Ce n'est pas permis de jouer à ça tous les deux. Remettez vos vêtements et descendez. J'ai besoin de votre aide pour quelque chose."

N'oubliez pas qu'il est naturel pour de jeunes enfants de montrer un intérêt précoce pour le sexe, d'une façon ou d'une autre et qu'il n'y a, à cet âge, aucune différence entre la curiosité que l'on montre à l'endroit de son propre corps et celle que l'on montre à l'endroit du corps des autres, *quel que soit* leur sexe. Soyez franc et simple en répondant aux questions qui peuvent survenir. Gardez un visage calme même si vous êtes stupéfait ou choqué. Respectez le droit de l'enfant à son intimité mais en même temps apprenez-lui qu'il y a un temps et un lieu pour chaque chose.

Le développement moral

Les enfants de quatre et cinq ans commencent à se donner un certain sens des valeurs morales. Mais, comme ils ne sont pas capables de pensée abstraite, ils définissent "bien" et "mal" en des termes qui se rapportent directement à leur besoin d'approbation. C'est ainsi que "bien", c'est faire ce que les parents acceptent et "mal", ce qu'ils désapprouvent.

Ils ne sont pas encore capables d'appliquer des concepts moraux à un large éventail de situations. Par exemple, un enfant de quatre ans sera peut-être capable de vous dire qu'il serait mal de sa part de prendre quelque chose dans la maison de son ami (le concept de possession étant largement compris à cet âge) mais il serait bien incapable d'appliquer le principe général selon lequel "c'est mal de voler". Si on lui demande: "Pourquoi ne dois-tu pas prendre de jouet dans la maison de Luc, il répondra probablement: "Parce que c'est le jouet de Luc."

De plus, il ne comprend pas pourquoi certains comportements sont acceptables dans certaines situations et pas dans d'autres. Il se fie presque exclusivement à des signaux de ses parents ou d'autres adultes pour pouvoir faire ces distinctions subtiles et ajuster son comportement en conséquence.

Pour ces raisons, il est essentiel que les parents établissent des règles et des lignes de conduite uniquement en termes de ce qui est permis et de ce qui ne l'est pas dans chaque type spécifique de circonstance. Plus les parents parlent et expliquent, plus l'essentiel du message, la règle, se perd dans le flot des mots.

Bla-bla-bla

Michel a quatre ans. C'est un petit gars brillant, plein de vilains tours et têtu comme une mule. Ses parents sont très attentifs à la façon dont ils l'élèvent. Ils ne veulent pas faire la *moindre* erreur.

Ils sont persuadés que la meilleure façon d'apprendre à Michel la différence entre le bien et le mal est de raisonner avec lui, en l'aidant à comprendre tous les complexes "pourquoi" et "pourquoi non" de ce monde. Portons nos regards sur la maison de Michel pour voir si nous ne pourrions pas trouver un exemple. Ah!, oui, justement, son père est précisément en train de "raisonner" avec lui: "Combien de fois faudra-t-il que je te dise, Michel, que ce n'est pas gentil de frapper quelqu'un qui est notre invité et ensuite de se moquer de lui. Le révérend Diggs est notre pasteur et il mérite qu'on le traite avec respect quand il vient nous visiter. C'est mal de frapper les gens et de leur dire des injures. Ce n'est pas poli et tu le sais très bien, n'est-ce pas?"

Michel hoche la tête.

"Je le pensais bien. Quand tu frappes quelqu'un qui est notre invité à la maison et que tu l'injuries, il est triste parce qu'il croit que tu ne l'aimes pas et maman et moi nous sommes en colère quand tu fais des choses comme ça parce que nous avons déjà parlé avec toi des coups et des injures aux invités et bla, bla, bla..."

Pauvre Michel! Il n'a pas la moindre idée de ce que son père veut dire mais il en sait assez pour rester là et tout encaisser. Il sait qu'il est mal pris, mais qu'est-ce que c'est que cette histoire à propos d'un jureur?

La vérité, c'est que Michel n'est pas assez grand pour comprendre la moitié de ce que dit son père. En fait, plus son père parle, *moins* Michel comprend.

Son père veut certainement bien faire, et sans nul doute il marque un point: Michel doit apprendre à exprimer son affection d'une autre façon. Mais Michel ne le savait pas. Il s'est laissé emporter par son excitation. Malheureusement, à la fin du monologue de son père, Michel n'en aura pas appris beaucoup plus. En fait, ce monologue est si obscur pour un enfant de quatre ans que, quand il sera fini, Michel aura probablement oublié ce qui a bien pu le déclencher au départ.

Apprendre à parler nécessite plus qu'apprendre à émettre certains sons. C'est comme construire une maison, sauf que cette maison-là prend au moins douze ans à construire et un autre six ou huit ans pour appliquer la touche finale. Parler suppose que l'on apprenne des milliers d'associations entre des groupes de sons (les mots) et les choses (les noms) ou les actions (les verbes) qu'ils représentent. Puis l'enfant doit apprendre comment et quand utiliser tous les qualificatifs (les adjectifs et les adverbes) qui donnent leurs valeurs aux noms et aux verbes. Puis il apprend à classer et organiser les mots en de plus grandes unités de signification. Finalement, il est capable de comprendre les mots qui renvoient à des idées plutôt qu'à des objets. Et tout au long de ce processus, l'enfant apprend également un ensemble complexe de règles de grammaire sans lesquelles rien de tout cela n'a le moindre sens. C'est compliqué, n'est-ce pas?

La "maison" de Michel a des fondations. Les murs du premier étage sont en train de s'ériger lentement. Son père, lui, est en train de lui lancer les bardeaux du toit.

À quatre ans, tous les Michel du monde ne peuvent comprendre que les mots qui renvoient aux choses et aux actions, aux affaires qu'ils peuvent voir ou appréhender par leurs sens.

Des mots tels que "respect" et "poli" s'évaporent dans le cerveau de Michel. La clé de la compréhension *n*'est *pas* la pratique, c'est la *maturité.* Les parents de Michel pourraient bien l'ennuyer pendant une semaine avec le sens du mot "respect" sans qu'il sache plus ce que cela veut dire. Il ne sera pas capable de comprendre "respect" l'année prochaine ni même l'année d'après. En fait, une certaine compréhension de mots tels que "respect" ne commencera pas à se faire jour avant que Michel ait environ sept ou huit ans.

Mais revenons un instant à Michel et à son papa. "Est-ce que tu comprends ce que je suis en train de te dire, Michel?"

Michel opine du chef.

"Bon. Alors, je ne veux pas que tu manques de respect à notre invité et cela inclut les injures. Tu as compris?"

Michel opine encore.

"Bon. Maintenant je veux que tu ailles t'excuser au révérend Diggs."

Michel est un malin petit diable. Il a appris à échapper au peloton d'exécution en opinant de la tête juste au bon moment. Il sait quand il doit faire ce geste d'après les changements dans le ton de la voix et les expressions faciales de son père.

Michel ira même jusqu'à s'excuser auprès du révérend, mais il ne saura pas pourquoi il dit: "je m'excuse". Il ne sait même pas d'ailleurs ce que veut dire "excuse". Alors, la prochaine fois qu'il y aura un invité, Michel peut encore tout aussi bien s'exciter et le frapper et l'injurier et tout va recommencer. Le père de Michel parlera encore à toute allure et Michel ne saura pas plus de quoi il est en train de parler.

S'il vous faut raisonner avec un jeune enfant, souvenez-vous que vous l'aidez à construire une maison. Assurez-vous que la structure est solide. N'essayez pas de poser la couverture du toit avant que les murs soient debout. Observez trois règles de base:

Premièrement, parlez avec l'enfant immédiatement, avant que son souvenir de l'événement ne s'efface.

Deuxièmement, utilisez des mots simples qui réfèrent directement à *ce qui* s'est fait, *qui* l'a fait, et à l'endroit de *qui* ou de *quoi* il l'a fait. N'employez pas de mots qui renvoient à la morale ou à l'éthique (par exemple: "mériter", "respect" et "poli").

Troisièmement, que votre discours n'ait que cinquante mots ou même moins. Dites ce que vous avez à dire et (si vous croyez que c'est nécessaire) fixez une forme de punition. "Michel, tu as frappé le révérend Diggs et tu lui as dit des vilaines choses. Cela ne se fait pas. Va dans ta chambre. Ton réveil est réglé pour cinq minutes. Tu pourras sortir quand il sonnera." C'est assez. Michel comprend.

Est-ce que tu crois en...?

Question: J'ai une fille de cinq ans avec qui je crois partager une relation ouverte et confiante. Le seul problème que je ne parviens pas à régler, c'est celui de mes conceptions religieuses. Par certains membres de la famille, le jardin d'enfants et des amis, ma fille est exposée à un système de croyances que je ne partage pas. Je n'y suis pas nécessairement opposée mais j'éprouve des réticences à partager mes conceptions religieuses avec elle de peur que, si elle répète mes idées, elle ne soit isolée à un moment de sa vie où elle n'est pas capable de le supporter. Et pourtant, elle commence à me poser des questions à propos de mes croyances. Avant je répondais à ses questions en disant: "Oui, beaucoup de gens croient cela."

Mais maintenant, elle demande: "Est-ce que *toi* tu y crois?" Comment faire pour maintenir la relation ouverte que nous avons sans menacer les rapports qu'elle a avec les autres?

Réponse: Le besoin qu'a votre fille de savoir exactement quelle est votre opinion à ce sujet est plus important que celui que vous éprouvez de la protéger contre le danger d'avoir des opinions différentes de celles des autres enfants.

À ce moment de sa vie, son besoin de s'identifier à vous prend le dessus sur ses rapports avec ses pairs et leur approbation. Vous êtes son plus important modèle et elle s'efforce consciencieusement de se modeler sur votre image: votre comportement, vos intérêts, vos idées. Elle attend de vous que vous lui donniez des normes et ne veut que suivre votre exemple. Eh! oui, c'est vrai, elle *va* s'identifier à vos croyances et les revendiquera comme siennes.

Vous êtes aussi sa principale source de sécurité et vous allez continuer à jouer ce rôle pour les sept prochaines années (ou à peu près) avant qu'elle ne se trouve une place confortable au milieu de sa propre génération. Avant qu'elle ne s'aventure dans un nouveau territoire social, cependant, il lui faut un modèle de comportement et les directions qu'elle va suivre doivent être claires. Elle a besoin de vous pour lui montrer le chemin mais, dans ce cas particulier, elle semble avoir quelque difficulté à vous "déchiffrer".

Si vous lui rendez cette tâche difficile (souvenez-vous qu'elle ne sait pas que vous essayez de la protéger), elle va se buter sur la question: "À quoi est-ce que maman croit?" Si vos réponses sont vagues et évasives, elle deviendra frustrée et son sentiment d'insécurité grandira. Dans un effort pour réduire son anxiété, elle se fixera sur les questions religieuses jusqu'à ce que vous clarifiiez les choses pour elle.

De plus, elle peut interpréter votre gêne comme le signe que vous êtes mal à l'aise avec vos propres croyances, que peut-être *vous-même* pensez qu'il y a quelque chose de mauvais en elles. Sinon, pourquoi donc jouer à cache-cache ainsi?

Je pense aussi que vous surestimez peut-être l'importance que ses croyances religieuses peuvent avoir dans son acceptation par ses pairs. Les conceptions religieuses d'un enfant, ou celles que ses parents lui donnent, revêtent relativement peu d'importance dans le processus social, à cet âge. Les jeunes enfants d'âge scolaire ne se briment pas les uns les autres pour des différences de race, de religion, d'idées politiques ou de quoi que ce soit à moins que leurs parents ne les y encouragent. L'exception serait un enfant qui arborerait ses différences "comme une décoration".

Répondez à ses questions. Je suggérerais, cependant, qu'au lieu de lui dire ce à quoi vous *ne* croyez *pas*, vous lui disiez plutôt d'abord ce que vous *croyez*. N'oubliez pas que les enfants de cinq ans ne peuvent pas comprendre les abstractions philosophiques. Expliquez-lui vos croyances de façon claire, concise et concrète.

Au nom de la confiance.

De six à onze ans: le milieu de l'enfance

La psychologie du jeune enfant d'âge scolaire peut se résumer en deux mots: acceptation et accomplissement. L'estime qu'il peut avoir pour lui-même provient de son succès à se tailler une place sûre dans le corps social de son groupe de pairs, à se fixer des buts d'excellence spécifiques et à les atteindre.

Un enfant doit alors apprendre à se consacrer à une grande variété de tâches, souvent exigeantes et qui lui posent des défis. Pour ce faire, il puise dans la confiance, l'autonomie, l'initiative et l'imagination joueuse qu'il a acquises lors de ses années préscolaires.

Les enfants dont les années préscolaires ont été un succès sont bien préparés à affronter les défis sociaux, intellectuels et émotionnels du milieu de l'enfance. Ils sont capables de prendre avec confiance des risques raisonnables; ils trouvent de plus en plus leurs récompenses et leurs motivations en eux-mêmes; ils acceptent, et même recherchent, de plus grandes responsabilités et ils continuent d'expérimenter de nouvelles formes d'indépendance et d'autonomie.

Au contraire, l'enfant qui parvient à cette croisée des chemins avec le handicap d'une préparation insuffisante peut éprouver des difficultés à tenir les rôles nouveaux que ses parents, ses professeurs et ses pairs attendent de lui.

L'école expose un enfant à de nouvelles pressions sociales, émotionnelles et intellectuelles. Pour la première fois, il doit s'adapter à un nouvel ensemble d'exigences de comportement et de fonctionnement intellectuel. Être un "élève" exige une plus grande indépendance de pensée et de comportement, agrandit la distance entre l'enfant et ses parents, le met en rapport avec de nouvelles images de l'autorité et l'amène à une plus grande proximité avec ses pairs.

Comme sa base sociale s'agrandit et que l'éventail de ses intérêts et de ses activités s'élargit, l'enfant crée pour lui-même des précédents significatifs et relativement durables à l'intérieur de son groupe de pairs. Sa personnalité sociale se négocie par ses relations avec les autres enfants de son âge et se définit, dans une large mesure, par les rôles qu'on lui donne ou qu'il prend de lui-même à l'intérieur de la tribu.

La plupart des enfants ont, à six ans, intériorisé les règles de comportement que leur ont apprises leurs parents. À partir de ce moment, l'attention de l'enfant glisse vers l'apprentissage des règles implicites et explicites qui régissent les comportements à l'intérieur du groupe de ses pairs. Son jugement moral se raffine par la participation à des activités gouvernées par une règle: jeux compétitifs, structurés, etc., et l'atmosphère relativement formelle de la salle de classe.

Bien qu'il soit capable d'appliquer des principes éthiques à un large éventail de situations, les jugements moraux d'un enfant d'âge scolaire ont tendance à être dogmatiques, rigides et égocentriques. Les conflits typiques entre enfants de cet âge exigent des discussions à propos de qui a le "bon" point de vue, qui s'est bien comporté, qui a enfreint une règle et ainsi de suite. Les jeunes enfants d'âge scolaire se comparent les uns aux autres de toutes les façons imaginables. Tout fait l'objet de contestations, de l'absurde au trivial.

L'hypersensibilité

Question: J'ai un enfant de huit ans qui est hypersensible. Il croit tout ce que lui disent les autres enfants. Récemment, il a fièrement annoncé à l'un de ses amis qu'il avait vendu vingt billets pour la fête de l'école. L'autre a répliqué que *lui* en avait vendu cent (ce qui était faux). Mon fils l'a cru et il était tout triste parce qu'il n'en avait pas vendu autant. Je lui ai expliqué comment et pourquoi les enfants trichent parfois avec la vérité, mais mon fils continue à croire tout ce qu'on lui dit. Qu'est-ce que je peux faire pour l'aider à comprendre?

Réponse: Dans toute situation compétitive, il y a un risque que quelqu'un puisse éprouver du chagrin. Apprendre à entrer en compétition nécessite que l'on apprenne à accepter de perdre de telle façon que son amour-propre ne soit pas menacé.

Dans un tel contexte, l'enfant "hypersensible" est désavantagé. Mais hypersensible, c'est une étiquette que *vous*, ses parents, lui avez collée. Elle en dit, en fait, plus sur *vous* que sur votre fils. C'est en effet parce que vous le pensez "fragile" que vous avez tendance à vouloir le protéger quand la compétition le domine.

Il est compréhensible que des parents sentent qu'il leur faut protéger leurs enfants quand ils souffrent, mais réagir de façon trop protectrice n'est pas *toujours* dans le meilleur intérêt de l'enfant. L'hypersensibilité devient une prophétie qui s'accomplit d'elle-même lorsque les réactions des parents empêchent les enfants d'affronter seul les situations et d'en tirer une leçon.

En d'autres mots, il se peut que vous vous occupiez trop de lui, alors que tout ce dont votre fils a besoin c'est un maximum d'espace pour apprendre à se débrouiller mieux tout seul. Une dose trop forte de compassion peut devenir une drogue dont l'enfant ne pourra plus se passer.

Je suggère que vous vous contentiez d'analyser pour lui le contenu de ces situations de façon objective, tout en reconnaissant ses sentiments et en l'aidant à trouver de meilleurs moyens d'affronter ces problèmes. Par exemple: "Marc veut être meilleur que toi dans la vente des billets et toi, tu veux être meilleur que Marc. Quand Marc t'a dit qu'il avait vendu cent billets, qu'est-ce que ça t'a fait?... Penses-tu que Marc a vraiment vendu cent billets?... Pourquoi penses-tu qu'il t'a dit ça?.... Parlons un peu de ce que tu pourrais faire la prochaine fois que quelque chose de semblable se produit, de façon à ne pas te mettre dans de tels états... Tu as une idée, *toi?*"

Ne faites plus porter l'accent sur la pitié qu'il peut éprouver pour lui-même et orientez son énergie vers la façon de résoudre le problème. Sa confiance en lui dépend de sa capacité de le faire tout seul et il a besoin de vous entendre dire: "Je sais que c'est difficile, mais tu peux le faire."

Vous pouvez devoir vous accommoder d'un enfant "sensible" mais il peut en même temps être "hyper" ou "super".

Les agaceries

Question: Nous avons récemment déménagé dans un quartier où il y a beaucoup d'enfants qui ont environ le même âge que notre fille de huit ans. Les autres enfants se mettent en bande et l'agacent presque constamment. Je les ai vus lui prendre des choses, l'agacer jusqu'à ce qu'elle pleure, se moquer d'elle, l'exclure de leurs jeux et l'injurier. Elle rentre à la maison en pleurant plusieurs fois par jour. J'ai essayé autant que possible de la convaincre de les éviter mais aussitôt que nous en parlons et qu'elle s'arrête de pleurer, elle veut y retourner comme si elle en voulait encore. Elle s'entend bien avec chacun des enfants individuellement, mais dès qu'ils sont en groupe, ils sont méchants avec elle. Est-ce que je dois régler cela en l'empêchant de jouer avec eux pendant quelque temps ou ne la laisser jouer avec eux que lorsque je les surveille? Ou bien encore, faut-il parler aux enfants ou à leurs parents?

Réponse: Ne faites rien de tout cela. La bonne solution est de rester en dehors de ça.

Quelque chose doit être fait, c'est évident, mais c'est votre fille qui doit le faire. Il y a plus là qu'il n'y paraît.

Le traitement qu'elle reçoit vient de ce qu'elle est la nouvelle du quartier. Son arrivée menace de faire bouger la fragile structure du groupe ainsi que de briser quelques-unes des subtiles alliances qui se sont établies entre les "anciens". Alors le groupe a une réaction de défense. Vous l'avez dit vous-même: individuellement, les enfants n'ont rien contre elle, mais collectivement, ils la considèrent comme une intouchable. Elle est ainsi lentement initiée au groupe.

Le problème le plus grave prend ici la forme d'un paradoxe: vous devez agir pour empêcher votre fille de devenir une victime, mais vous ne devez pas intervenir dans l'épreuve qu'elle subit. Le rôle de "victime" est tentant car il convoque une protection puissante, mais destructrice: la sympathie.

De plus, en acceptant son image de "chien battu" et l'idée qu'elle a besoin de vous (et de vous seule) pour l'aider, vous pouvez devenir sa "bouée de sauvetage". Vous en arrivez à vous sentir compétent et indispensable; une tentation à laquelle il est difficile de résister. Et finalement, les "méchants", grâce à la faiblesse de la victime, finissent par se sentir puissants. Chacun des rôles est le complément des deux autres. Les méchants ont besoin de victimes qui elles ont besoin de quelqu'un qui leur donne de la sympathie et leur tende une main secourable. Ce drame triangulaire crée l'habitude et se perpétue de lui-même parce que tout le monde retire quelque chose de cet arrangement. C'est un roman-savon aussi séduisant et répétitif que tous ceux que vous pouvez voir à la télévision.

Retirez-vous de cela. Une victime sans "bouée" doit couler ou nager. Quand une victime commence à nager, ce n'est plus une victime. Je suis sûr que votre fille saura nager. Manifestement elle ne court aucun vrai danger et veut être avec ces enfants, alors laissez-la avec son problème.

Si vous n'avez pas de minuterie de cuisine, achetez-en une. Chaque fois que votre fille revient à la maison en pleurant, après une rencontre avec ses bourreaux, dites-lui qu'elle a besoin de "repos" et qu'elle doit rester à la maison pendant trente minutes. Réglez la minuterie pour que sa sonnerie indique quand elle pourra ressortir. Pendant ce temps, vous pouvez l'écouter et lui renvoyer ce qu'elle dit mais ne discutez pas de son angoisse en termes sympathiques. Si elle continue à pleurer, que ce soit seule dans sa chambre.

Si elle est en train de jouer dehors et que vous l'entendiez pleurer, sortez et ramenez-la dans la maison et adoptez la même attitude (ces suggestions ne s'appliquent pas aux coupures, aux bosses, aux hématomes et aux autres blessures du corps). Il se peut qu'elle veuille savoir pourquoi vous ne faites rien à propos de la façon horrible dont les autres enfants la traitent. Vous pouvez lui répondre quelque chose comme: "Ce ne sont pas *mes* compagnons de jeu. Ce sont *tes* amis et c'est *toi* qui dois apprendre à t'entendre avec eux. Je ne peux rien faire d'autre que d'en parler avec toi. Est-ce que tu veux qu'on en parle?"

Peut-être le plus difficile du métier de parent est-il de prendre certaines décisions qui forcent vos enfants à se débrouiller tout seuls, même quand ils vous disent qu'ils n'en sont pas capables.

Jeckyl Junior et Maître Hyde

Question: Mon fils a six ans et est en première année. À la maison, c'est un véritable problème, désobéissant, turbulent et généralement difficile à manier. Je suis allée à ma première rencontre avec ses professeurs prête au pire. Au lieu de cela, ils m'ont dit que c'était un des enfants qui se tenaient le mieux et un de ceux qui lisaient le mieux de la classe. Je n'en savais rien. Depuis lors, j'ai essayé de le faire lire à la maison, mais il refuse (comme d'habitude). Je ne comprends pas. Qu'est-ce que je peux bien faire de mal? Ou, qu'est-ce qu'*ils* peuvent faire qui soit bien?

Réponse: Il y a bien plus de chances que les enfants entrent en conflit avec leurs parents qu'avec leurs professeurs. Cela, c'est la trente-neuvième des immémoriales cinquante façons de faire de la peine à votre mère: être un petit ange pour son professeur et mordre la jambe de maman, ou son ego (celui des deux qui s'avère le plus tendre).

Il y a au moins cinq raisons pour lesquelles le numéro 39 est devenu une tradition chez les enfants:

Première raison: Le rôle d'un professeur est plus clairement défini que celui d'une mère. Les professeurs sont là pour enseigner, ce qu'ils font de 8 heures à 15 heures, du lundi au vendredi, neuf mois par an.

Les mères sont là pour... tout, ce qu'on attend qu'elles fassent... tout le temps. Ses relations avec sa mère sont pour l'enfant un vaste territoire à explorer, parce que les limites de cette relation sont vagues. Alors, tout est permis, ou au moins tout peut être essayé.

"Professeur", c'est un métier. Son statut de figure de l'autorité est clair et jouit du support d'une institution. Mais, si cela peut vous consoler, dites-vous bien que beaucoup de professeurs qui n'ont aucun problème à diriger trente enfants dans une salle de classe ne parviennent pas à venir à bout de l'unique enfant qui les attend à la maison. Un professeur est un professeur et une mère est une mère et jamais les deux ne se confondent.

Deuxième raison: Les mères ont tendance à prendre une terrible hypothèque émotionnelle sur chacun de leurs enfants, avec des paiements à vie et aucune assurance. Cet investissement fait que l'objectivité est presque impossible. L'amour-propre d'une mère, son sentiment de compétence et son bien-être sont trop souvent liés à ses enfants et à leur comportement. Il peut être difficile de démêler l'un de l'autre.

Les professeurs, eux, sont payés pour être objectifs. Ne sont-ils pas chanceux?

Troisième raison: Les règles sont plus claires à l'école qu'à la maison. Les parents s'attendent souvent à une "bonne" conduite sans définir exactement ce que veut dire "bonne". De plus, les parents ont plus tendance à faire des exceptions, à négliger des choses (en espérant qu'elles vont disparaître) et à discuter entre eux de la façon de faire respecter les règles. Souvent les parents agissent de façon confuse, ce que les enfants ne négligent pas de remarquer.

Les règles du professeur sont généralement peu nombreuses et claires. Il les fait respecter rapidement, ne fait pratiquement pas d'exception et son conjoint n'est pas dans la classe. Il est, de façon évidente, "le patron".

Quatrième raison: À l'école, l'enfant peut observer le comportement des autres enfants et suivre leur exemple. Cela *peut* marcher, et c'est ce qui se produit, pour le meilleur et pour le pire, mais habituellement le groupe fait pression sur ses membres pour qu'ils se conduisent d'une façon qui embellit son image. Les compagnons de classe s'attendent à ce que chaque enfant contribue à l'identité collective et évitent les enfants qui s'écartent de cette image.

Cinquième raison: À la maison, toute l'éducation de l'enfant est centrée sur la question de l'autonomie et de l'indépendance. La question fondamentale du degré d'indépendance possible et des moyens de l'obtenir est essentielle à la participation de l'enfant à la vie familiale. Par sa nature même, cette question *exige* que les enfants soient quelque peu rebelles. Un certain nombre de conflits entre les parents et les enfants sont non seulement inévitables mais sains. C'est la responsabilité des parents *envers l'enfant* de contenir cette rébellion dans des limites sûres, raisonnables et convenables.

À l'école, en revanche, la question cruciale est l'accomplissement, qui exige souvent une certaine coopération. Parce que la rébellion est incompatible avec les attentes de la classe, les chances de conflits entre le professeur et les élèves sont considérablement réduites. Les enfants qui se révoltent à l'école sont ceux pour qui le défi est trop grand ou pas assez, ceux qui n'ont pas eu la possibilité de se rebeller efficacement à la maison et ceux qui ont de la difficulté à s'adapter à la configuration sociale du groupe.

Votre petit James Dean est un rebelle *avec* une cause, à la maison, parce qu'il s'est développé un sentiment d'autonomie dévorant et une certaine appréciation pour sa propre individualité. Il coopère avec le professeur parce qu'il a acquis le sens de l'initiative et le désir de réussir.

Félicitations pour le travail bien fait.

Les sports organisés

Question: Que pensez-vous des compétitions sportives organisées pour les enfants? Notre fils a huit ans et la grande folie actuellement chez les enfants du quartier, c'est le football pee-wee. En fait, les adultes semblent être aussi excités par ce sport que les enfants. La façon dont les parents se comportent pendant les parties me fait me demander s'ils ne misent pas de fortes sommes sur leurs résultats. Cette manie ravage le quartier au printemps, pendant la saison des ligues mineures. Nous sommes tiraillés entre le désir de voir notre fils se sentir intégré au groupe et le refus de lui faire apprendre, à cet âge, que remporter une partie est la chose la plus importante dans la vie.

Réponse: Les activités organisées de cette nature ne sont pas valables pendant le milieu de l'enfance (de six à dix ans). À première vue pourtant, les sports organisés peuvent sembler idéaux pour les enfants, à cet âge compétitif, mais ce n'est pas le cas.

Tout d'abord, les adultes sont trop engagés dans ces activités, tant par leur présence physique que par l'investissement émotionnel qu'ils y mettent. Ce sont eux qui organisent, qui trouvent l'argent, qui établissent le calendrier des parties, qui sélectionnent les équipes, sont entraîneurs, arbitres, donnent des trophées et constituent la majeure partie du public.

Mais cela ne s'arrête pas là. Non seulement les grands jouent-ils un trop grand rôle dans la préparation et l'organisation de ces événements mais on peut aussi les voir occupés à définir et régler des questions sociales, à encourager des rivalités, à accorder certains statuts comme bon leur semble et à résoudre des conflits.

Les adultes n'ont pas intérêt à se mêler autant des jeux des enfants. Leur participation complique les choses et empêche les enfants d'apprendre à résoudre certaines questions par eux-mêmes. Au lieu d'être des activités pour les enfants, le football pee-wee et les ligues enfantines de base-ball deviennent un théâtre où les enfants sont manipulés pour la satisfaction de l'amour-propre des adultes.

Ce n'est pas le fait que ces sports soient compétitifs qui est, en soi, préoccupant. L'enfant de cet âge a besoin de compétition et, laissé à lui-même, il recherchera des situations de compétition. Ce qui *est* préoccupant, c'est que les enfants enrôlés dans ces sports, ne jouent pas simplement pour l'amour du jeu, son plaisir, en fait, mais jouent pour se gagner l'approbation des adultes. De fait, ils ne jouent pas du tout. Ils *travaillent*, en jouant pour le public.

La différence entre un jeu de compétition et le travail compétitif se mesure en termes de conséquences émotionnelles. Lorsque des enfants se réunissent pour jouer à un jeu de carré de sable, une équipe gagne et l'autre perd mais généralement chacun quitte le terrain de bonne humeur. Mais quand des adultes dirigent un événement sportif organisé, les enfants de l'équipe perdante finissent souvent par se sentir furieux, abattus, frustrés, honteux et déprimés. Ce n'est plus un jeu. C'est une affaire sérieuse et les enjeux sont trop élevés. Sous la pression des adultes qui exigent des performances, le sens de l'accomplissement et l'amour-propre de l'enfant athlète se définissent en termes de victoire et de défaite. L'événement lui-même et la participation sont subordonnés au résultat, ce qui n'est pas du tout ce que signifie être enfant. Chacun en souffre, y compris les enfants qui ne peuvent pas jouer parce qu'ils ne sont pas assez "bons".

Le problème fondamental, et qui ne se limite pas à la question des sports, c'est la tendance qu'ont les adultes à agir comme si les enfants gâcheraient l'ouvrage de leur développement si nous ne programmions pas le processus pour eux. C'est le contraire qui est vrai. Lorsque nous nous interposons *entre* l'enfant et le défi que lui pose son développement, nous ne sommes plus en mesure de l'aider. Au contraire, nous nuisons et, dans cette mesure, l'enfant est finalement moins capable d'affronter la vie.

De la direction, du soutien, de l'encouragement, de la supervision, c'est cela que l'enfant a besoin que nous lui donnions. Mais si l'on pousse ces exigences trop loin, cela devient de l'ingérence pure et simple.

L'argent de poche

Personne n'a plus que les enfants de ce pays le droit de se plaindre de l'inflation. Les tendances récentes ont confirmé hors de tout doute ce que les vieux du Maine disaient depuis longtemps: "Comme va l'économie, ainsi va l'argent de poche."

Depuis le début de l'année, cet indicateur économique majeur a plongé de douze points, un record. Devant le refus des chefs d'entreprise de renégocier le montant de ces allocations particulières, on a signalé des achats de gomme exagérés dans plusieurs écoles secondaires.

L'inquiétude quant aux effets que peut avoir sur l'économie cette enveloppe budgétaire se reflète dans le nombre croissant de questions que j'ai reçues à ce sujet, parmi lesquelles, celles-ci:

Question: À quel âge peut-on commencer à donner de l'argent de poche à un enfant?

Réponse: Comme règle empirique, cela a du sens de commencer à donner un peu d'argent de poche à un enfant au moment où son professeur commence à lui parler des mathématiques de l'argent. Les enfants d'âge préscolaire sont généralement incapables de comprendre que le montant d'argent qu'ils ont définit la limite supérieure de *ce* qu'ils peuvent acheter et en *quelle quantité*. Dans l'esprit de l'enfant, il n'y a pas de rapport entre la taille d'un objet ou le désir qu'il en a et son prix. Jusqu'à ce qu'un enfant soit assez vieux pour comprendre le principe de l'échange et pour faire face aux complexités qui y sont engagées, je recommande que les parents bornent son expérience de l'argent à certains exercices où l'enfant doit *payer* pour certaines choses.

Question: Est-ce qu'on doit exiger que l'enfant gagne son argent de poche en faisant de menus travaux dans la maison?

Réponse: Absolument pas. La question du degré de participation que l'enfant doit prendre à l'entretien de la maison est *complètement* étrangère à la question de l'argent de poche.

L'argent de poche devrait n'avoir d'autre raison d'être que de donner à l'enfant des chances de pratiquer une bonne administration de l'argent. On *ne* devrait *pas* s'en servir pour persuader l'enfant d'accomplir les tâches qu'on lui confie, ni non plus de lui enlever brusquement pour le punir d'un mauvais comportement.

Les petits travaux sont là pour développer la responsabilité, la discipline personnelle, et d'autres choses essentielles, mais cela prend le meilleur de l'enfance pour que cette leçon porte. Si on leur donne le choix entre acquérir une certaine responsabilité et faire de la bicyclette, la plupart des enfants choisiront la bicyclette. C'est pourquoi c'est aux parents de faire le choix et, une fois ce choix fait, de le faire respecter.

Cela se résume à une simple question d'obéissance, et en fait il n'y a qu'un seul stimulant efficace: l'autorité des parents. En fin de compte, les enfants font ces petits travaux parce qu'on leur *commande* de les faire.

Les parents qui échangent de l'argent contre de petits travaux se perdent eux-mêmes sans s'en apercevoir. En effet, quand on a recours à l'argent pour rendre plus facile cet aspect de la relation parents-enfant, on perd de vue les questions capitales que sont l'autorité et l'obéissance.

Tous les enfants doivent apprendre la valeur des petits travaux qu'ils font pour leurs parents et tous les enfants doivent apprendre la valeur de l'argent. Quant aux parents, ils doivent s'assurer que les deux leçons ne sont pas confondues.

Question: Est-ce bien pour les parents de donner à l'enfant une chance de gagner un peu d'argent supplémentaire en faisant certains travaux en plus de ceux que l'on attend de lui?

Réponse: Certainement. Les tâches normales sont celles qui font partie de la routine domestique: sortir les déchets, nourrir l'iguane apprivoisé, et ainsi de suite. Il est parfaitement acceptable que les parents donnent aux enfants des contrats pour des travaux qui échappent aux tâches ordinaires, bien que des arrangements de ce type doivent être plutôt l'exception que la règle. Personne ne devrait oublier que, dans la famille, le travail *n'est pas* fait pour de l'argent, mais simplement parce qu'il doit être fait.

Question: À quoi devrait-on obliger les enfants à dépenser leur argent?

Réponse: Voilà une question intéressante. Tout d'abord, l'argent de poche de l'enfant *n'est pas son argent.* C'est *l'argent des parents*, qu'ils partagent avec l'enfant pour lui apprendre à s'en servir. Les parents ne devraient pas perdre de vue la façon dont l'enfant entend dépenser cet argent et ils devraient se réserver le droit de refuser de laisser l'enfant le dépenser de façon irresponsable ou à des dépenses qui sont incompatibles avec les valeurs de la famille. Les parents doivent apprendre à leurs enfants à être des consommateurs avertis: comment reconnaître la qualité, comment comparer, comment chercher les achats avantageux et ainsi de suite.

Il va sans dire que l'on ne devrait pas demander à l'enfant de dépenser son argent de poche à l'achat de nourriture de base, de vêtements, de livres ou de fournitures scolaires. L'argent de poche n'a pas pour but de fonder le standard de vie de l'enfant; il doit au contraire en être un *supplément.*

Question: Combien devrait-on donner, par semaine, à un enfant?

Réponse: Quelque chose entre trop peu et trop. Si le montant est insuffisant ou excessif, l'enfant n'apprendra pas à fixer des limites raisonnables à ses dépenses.

Déterminez le chiffre exact en prenant en considération le niveau économique de la famille et celui du groupe de camarades, l'âge de l'enfant, les activités auxquelles il participe en dehors de la famille, le lieu où vit la famille et en dernier, mais non le moindre, le niveau actuel d'inflation.

De onze à quatorze ans: "L'entre-deux âges adolescent"

"Chaque fois que je lui demande de faire quelque chose, il reste assis là, comme si je n'existais pas. Il est imprévisible aussi: il passe de la joie à la tristesse comme s'il glissait sur des montagnes russes émotionnelles. Et quand il est sombre, attention! Rien de ce que je puis faire, rien de ce que j'essaie ne le satisfait. Mais la chose la plus difficile à supporter c'est cette idée qu'il a qu'il peut faire tout ce qui lui plaît, sans s'occuper des autres. Et têtu avec ça! Si je lui dis de partir, il veut rester. Si je veux rester, il veut partir. Affectueux un instant, intouchable l'instant d'après. Pour dire la vérité, j'en ai par-dessus la tête. Il y a des moments où j'aurais envie d'étrangler ce petit monstre, mais je reviens toujours à moi quelques instants avant de porter mes mains à sa gorge. Parfois je pense: c'est lui ou moi."

Un autre bambin de deux ans, pas vrai? Faux. Le monstre dont se plaint ce parent n'a pas usé de couche depuis dix ans. Et voici maintenant, mesdames et messieurs, le "deux ans terribles" grand format, modèle peu économique: il fait la moue, il traîne ses pieds, il beugle à pleins poumons... Mesdames et messieurs! Une grande ovation pour celui qui se classe second parmi les plus terribles des terribles: j'ai nommé "l'entre-deux adolescent*".

Ces années-là peuvent être misérables aussi bien pour l'enfant que pour quiconque doit s'en occuper quotidiennement, les parents et les professeurs, en particulier. Il y a de nombreuses ressemblances entre "les deux ans terribles" et le non moins terrible "entre-deux". Tellement que beaucoup d'auteurs désignent maintenant les deuxièmes dix-huit mois de vie comme "la *première* adolescence".

Comme le bébé de deux ans, le préadolescent est un rebelle qui se cherche une cause. Sa défiance à l'égard de l'autorité parentale (et de la plupart des autres autorités) est un réflexe aveugle. Mais l'incroyable développement du langage au cours de la décennie précédente a changé le "non" monosyllabique en une forme particulière de verbiage égocentrique qui n'a aucun sens pour quiconque sauf celui qui le parle.

Et, comme son prédécesseur, le préadolescent est un pendule qui va d'une passion extrême à une autre: un éléphant dans la porcelaine des sentiments.

C'est un autre deux ans de colère presque certaines qui éclatent chaque fois que les désirs inévitablement déraisonnables du

---

* Note de l'auteur: cette formule bizarre *n*'est *pas* une erreur. Elle réfère à un enfant de onze, douze ou treize ans. Je l'ai forgée pour désigner cette période de trois ans qui, dans la vie d'un jeune, est tout à fait différente des années qui la précèdent et la suivent. La plupart des jeunes de onze, douze et treize ans ne sont plus tout à fait des enfants mais ne sont pas non plus encore tout à fait des adolescents. Ils sont entre toutes définitions, d'où l'expression: "l'entre-deux adolescent".

préadolescent ne sont pas satisfaits. Plus ils sont déraisonnables, plus l'explosion sera forte.

Ce personnage volatile a été brillamment dépeint par le jeune Michael London dans *J'ai été un loup-garou de l'entre-deux adolescent*, étude approfondie d'une préadolescence hollywoodienne (malheureusement, "l'entre-deux" a été coupé par un réviseur débutant qui l'avait pris pour une faute).

Le bébé de deux ans est également le maître du préadolescent en ce qui concerne son égocentrisme forcené. Le préadolescent est prêt à déranger tout le monde pour obtenir ce qu'il veut. Il est prêt aussi à *vous* pardonner d'avoir laissé traîner vos pieds où sa royale préadolescence vous les a écrasés. Toute faiblesse sympathique qui pourrait nuire à cet obsessif "moi d'abord" est suspendue pour toute la durée de cette période.

Sur ce point aussi semblable au bébé de deux ans, le préadolescent ne parvient pas à décider s'il préfère être dépendant ou indépendant. Mais quel que soit le rôle qu'il choisisse, Freddy le solitaire ou James Dean, c'est diablement sûr que ce sera à *ses* conditions uniquement. Par exemple, il maudira ses parents d'avoir le culot de restreindre sa liberté, en faisant valoir qu'il est capable de se débrouiller seul, quoi qu'il arrive; puis il leur demandera de l'argent, ou de le conduire quelque part ou même (plus probablement) les deux.

Mais il y a de la méthode dans ses folies. Exactement comme le bambin de deux ans, dont le comportement reflète une conscience qui s'étend rapidement et le transforme vite d'explorateur en expérimentateur et d'observateur en acteur, le préadolescent effectue un bond comparable dans sa capacité de résoudre les mystères de l'univers. Son esprit, après dix ans d'empoignade avec la logique des rapports concrets et mesurables, commence à saisir l'abstrait, l'hypothétique, la matière du non-matériel. Il n'est pas étonnant que dans le processus et les révélations qui l'accompagnent, le préadolescent soit tout aussi étourdi que le bébé de deux ans l'a été en son temps.

Ajoutez à cela un excès d'hormones, placez le mélange sous la pression de plus en plus forte du groupe des pairs et vous avez deux ou trois ans garantis de "prends un siège et assieds-toi par terre".

Ah! mes frères, mais voici au moins deux raisons de se réjouir au sein de cette géhenne: la plupart des préadolescents vont à la toilette tout seuls et très peu mordent.

Les années de préadolescence sont un temps de transition: une symphonie, ou plus exactement une *cacophonie* de changements qui engagent l'enfant dans tout son être et changent dramatiquement la définition qu'il se fait de lui-même et de son univers.

Les changements dans la structure et la chimie du corps de l'enfant ainsi que les bouleversements émotionnels qui s'ensuivent le mettent nez à nez avec sa sexualité naissante.

Vers cette époque, le cerveau d'un enfant commence à traiter l'information de façon radicalement différente, de nouvelles dimensions s'ajoutant à sa perception du monde et compliquant encore plus l'image qu'il se fait de lui-même.

Les préadolescents ont tendance à être introspectifs; c'est-à-dire qu'ils pensent beaucoup à eux-mêmes, parfois jusqu'à l'obsession. Ils ruminent et évaluent leur comportement, leurs sentiments et même leurs pensées. Cette capacité de regarder à l'intérieur de soi amène en pleine lumière non seulement l'individu tel qu'il est mais aussi tel qu'il pourrait être: le *moi idéal.* La comparaison entre le moi réel (présent) et le moi idéal produit soit des aspirations, soit de l'anxiété, en fonction de facteurs qui incluent la plus ou moins grande contradiction qu'il y a entre les deux et la façon soit positive, soit négative dont le préadolescent se considère lui-même.

Parce qu'ils s'examinent eux-mêmes avec autant d'attention et spéculent sur l'opinion des autres, les préadolescents se croient souvent constamment surveillés, habituellement par leurs pairs. C'est pourquoi, et c'est très compréhensible, ils s'adonnent à des "représentations" devant le public qu'ils imaginent (et qui n'est pas nécessairement imaginaire). Cela explique pourquoi les préadolescents sont en général si soucieux de leur apparence, et passent des heures (du moins, cela paraît des heures à *qui* attend pour se servir de la salle de bains) à se pomponner avant toute "apparition publique" même la plus routinière.

Lors de cette période critique, l'enfant transfère la plupart de ses besoins de sécurité de ses parents à ses pairs. Le groupe fait le pont entre l'enfance (où l'enfant s'appuyait sur ses parents) et l'âge adulte (où l'individu sain compte d'abord sur lui-même); c'est un laboratoire social où les règles et les rôles peuvent être essayés, évalués et adoptés. Graduellement, la clique devient une chose du passé à mesure que le préadolescent tourne son attention vers la formation d'amitiés stables et la participation à des activités de groupes plus larges.

Le début de l'adolescence est un temps de grande vulnérabilité psychologique. L'image que se fait le jeune de lui-même est ambiguë et donc fragile. Du point de vue de son développement, il incombe à l'enfant d'établir son identité: le sentiment durable de ce qu'il est et de ce qu'il est en train de devenir. Ce n'est pas si facile pour quelqu'un qui se trouve pris, momentanément du moins, entre le confort et la sécurité de l'enfance et les incertitudes de l'adolescence.

J'étais un préadolescent misanthrope

Quand j'avais douze ans, je haïssais tout. Il y avait tant de choses à haïr que je ne pouvais pas me les rappeler toutes. Pour m'en souvenir, je les notai toutes sur papier. En accord avec ma vision du monde viril et sans fioritures, j'intitulai cela ma "Liste de haine".

Elle remplissait des deux côtés plusieurs pages d'un calepin quadrillé. Je l'avais sur moi en tout temps de façon à pouvoir m'y reporter ou y ajouter des choses à chaque instant. Rien ni personne n'y était épargné. Naturellement mes parents trônaient tout en haut de la liste — en LETTRES MAJUSCULES entourées de points d'exclamation. Je détestais chacun de mes professeurs, même ceux qui toléraient ma rudesse. Je les haïssais s'ils me donnaient un C et je les haïssais s'ils me donnaient un A. Rien ne pouvait m'acheter.

Je haïssais mon frère. Je haïssais ma soeur. Je haïssais mes voisins. Je haïssais même mes amis. Chacun prenait son tour sur ma liste. Je haïssais les livres, les devoirs, le gérant du magasin du coin, le coiffeur qui chaque fois me coupait les cheveux trop courts, l'herbe parce qu'il fallait la tondre, les feuilles parce qu'il fallait les ramasser, les voitures parce qu'il fallait les laver, ma chambre, les filles, les bas blancs, les jeans blancs, la police et tout ce qui se mange à l'exception des hamburgers, des frites et du coke. Mais je haïssais les hamburgers de ma mère. Elle les faisait terriblement mauvais rien que pour me punir de dépenser mon maigre argent de poche chez le roi du Burger. Je haïssais avoir de l'argent de poche. C'était dégradant. Je haïssais ne pas avoir d'argent.

Je haïssais les traitements pour l'acné, mes vêtements, mes chaussures, ma veste, la stupide casquette que ma mère m'avait achetée et les couvre-chaussures que mon père me forçait à porter quand il neigeait. Mais, par-dessus tout, je me haïssais moi-même. Je ne pouvais pas supporter de voir ma face dans un miroir.

"Yeurk! Regarde-moi cette face. Pas étonnant que Linda m'évite. Je suis horrible! Je hais Linda. Je suis petit, je suis trop maigre, mon visage est informe, j'ai des points de rousseur, mes biceps sont concaves, on voit mes côtes, j'ai des pellicules, mes cheveux sont roux, je n'arrive pas à bronzer, je n'ai pas de poils au menton... oh! mon Dieu, faites que je ne porte plus jamais de shorts pour la gymnastique, mes jambes sont trop maigres, et mes genoux trop cagneux. Pourquoi est-ce que je dois porter des lunettes? Pourquoi est-ce que je dois porter des bretelles? J'ai les bras trop longs, le nez retroussé, les oreilles décollées, le menton pointu, je ne peux pas jouer au football, je ne peux pas me battre, rien de bien ne m'arrive jamais! Je suis un reptile! Je suis un ver de terre! Un cloporte! On devrait m'écraser comme un insecte!"

Quelle vacherie d'avoir douze ans. Vous n'êtes rien. Vous n'êtes pas un enfant et vous n'êtes pas un adolescent. Vous n'êtes pas non plus un adulte. Vous avez besoin de vos parents et vous voudriez qu'ils vous fichent la paix. Vous voulez des amis mais vous ne savez pas comment vous en faire. Vous voulez faire partie du groupe et vous voulez être différent. Vous êtes toujours sur vos gardes, à protéger cette conscience fragile de ce que vous êtes ou voudriez être.

Confusion. Ressentiment. Victime d'une farce cosmique. Douze ans, c'est le fond du puits. Mais il y a une façon de s'en sortir.

Avoir treize ans.

Gardez les deux mains sur le volant

La préadolescence peut-être émotionnellement tumultueuse et perturbante pour toutes les personnes en cause. Malheureusement, dans bien des familles, c'est le temps où les limites commencent à céder. Il est facile pour les parents de se laisser impressionner par les bouleversements émotionnels de l'enfant et de commencer à lui donner plus de responsabilités qu'il ne peut en prendre, de façon à éviter les confrontations.

C'est exactement le contraire qu'il faudrait faire. C'est le temps de réaffirmer votre autorité plutôt que de permettre à l'enfant de la battre en brèche. Bien qu'il refusera sûrement cette idée, c'est aussi le temps où l'enfant a besoin de savoir que d'autres mains que les siennes sont prêtes à prendre le volant.

Question: Il y a six mois, nous avons déménagé de la côte Est dans une agréable localité du Midwest. L'adaptation a été quelque peu difficile pour nous tous, mais ce changement semble avoir particulièrement affecté notre fils de douze ans. Cet enfant auparavant très liant et très populaire ne s'est pas fait de véritables amis depuis que nous sommes ici. En fait, il semble éviter les enfants de son âge et a commencé à se lier avec des enfants de plusieurs années plus jeunes. Nous avons essayé de le convaincre de faire plus d'effort pour se trouver un ami, mais il reste amorphe et passe la majeure partie de son temps libre dans sa chambre à regarder la télévision. Il est aussi devenu plus dépendant et plus attaché à son père et à moi. Comment pourrions-nous l'aider?

Réponse: Je suggère que vous commenciez à parler avec votre enfant de la façon dont le déménagement vous a tous perturbés, de lui dire combien il a été difficile de quitter de vieux amis et de s'en faire de nouveaux, et ainsi de suite.

Les inconvénients d'un déménagement font souvent régresser le préadolescent vers des formes antérieures de comportement. Il se peut qu'il recherche la compagnie d'enfants plus jeunes parce qu'ils sont plus tolérants et que son statut parmi eux est virtuellement assuré. Il y a aussi des chances qu'il se montre plus dépendant de ses parents.

Soyez compréhensifs et aidez-le. Encouragez-le et aidez-le à se trouver des activités en dehors de la maison. Une aide discrète prenant par exemple la forme d'arrangements que vous prenez pour qu'il participe à des activités organisées par l'église, le YMCA* ou autre, peut s'avérer utile.

Finalement, je ne saurais trop insister pour que vous enleviez la télévision de sa chambre et que vous limitiez son accès au poste familial à un maximum d'une heure dans la soirée. L'intérêt trop fort qu'il porte à la télévision est un moyen de fuir le défi d'avoir à se tailler une place dans son nouvel environnement. Chaque heure passée devant la télé atténue son esprit d'initiative et augmente son inertie.

Question: Notre enfant de treize ans a récemment commencé à nous menacer de s'enfuir de la maison. Il est le second de nos trois enfants et a presque exactement trois ans de moins et trois ans de plus que ses frères. Il se plaint de tout: nous attendons trop de lui, il n'a jamais rien à faire, nous sommes plus "coulants" à l'égard de son cadet, son aîné peut faire plus de choses que lui, et ainsi de suite. Il semble malheureux presque tout le temps. Il est capable de se montrer affectueux et coopératif, mais ne l'a pas été depuis au moins trois mois. Devrions-nous nous inquiéter de ses menaces? Nous les entendons deux ou trois fois par semaine. Que faire?

---

* Young Men Catholic Association.

Réponse: Je ne pense pas qu'il y ait beaucoup de chances qu'il parte pour de bon, du moins pas tout de suite. Ceux qui s'en vont avec l'intention de ne pas revenir n'en parlent pas beaucoup avant. Ils *s'en vont*, un point c'est tout et les pressions qui peuvent les mener à cette extrémité sont bien plus sérieuses que le typique "blues du préadolescent" que vous décrivez ici. De la même façon, les gens qui menacent sans cesse de se suicider sont rarement (sauf erreur de calcul) ceux que l'on retrouve à la morgue. Dans les deux cas, la menace n'est qu'une façon dramatique d'attirer l'attention sur soi: "Hé! vous feriez mieux de bien me regarder, parce qu'il se pourrait bien que ce soit votre dernière occasion!"

Il y a des victimes et il y a aussi des "victimes". Dans la première catégorie, les fugueurs à vie et les suicidés à mort. Mais une "victime" n'est rien d'autre qu'une caricature de tragédie, trop prise par ce masque-là pour même seulement considérer la possibilité de jouer un moindre rôle. Dans cette deuxième catégorie entrent très souvent les enfants du milieu et les préadolescents. Félicitations! Vous en avez eu deux pour le prix d'un seul!

Dans un certain sens, l'enfant du milieu est un préadolescent pendant toute son enfance. Né à la fois trop tard et trop tôt, il peste contre l'injustice qui l'a fait avoir un aîné qui jouit de plus de liberté que lui et un cadet qui semble obtenir plus d'attention: "Tu le laisses faire tout ce qu'il veut!"

L'enfant du milieu veut ce qu'il y a de mieux dans chaque cas, sans avoir à en payer le prix. Il veut à la fois être magnifiquement indépendant et que l'on s'occupe douillettement de lui. Dans cet insoluble dilemme, la tentation de poser à la victime est presque irrésistible. "Je vais m'échapper" est une expression frustrée, exagérée de ce conflit. C'est en même temps un cri de guerre pour la liberté et une supplique pour plus d'attention.

À mesure que l'enfant du milieu avance dans ses années de préadolescence, sa situation d'intermédiaire s'aggrave. Malheur à lui! On ajoute l'insulte à l'injure! La goutte d'eau qui fait déborder le vase... et tout le reste.

À votre place, je m'inquiéterais moins de ses menaces que des sentiments qui les inspirent. Comprenez qu'il s'agit là d'une transition particulièrement difficile dans sa vie et également d'un moment important de la vie de votre famille.

Maintenez la communication, mais faites attention de ne pas donner à l'enfant une voix trop forte dans la définition des questions les plus importantes. Les questions (ou les défis) que soulèvent les enfants de cet âge sont souvent superficielles ou sans importance et ne font que distraire l'attention et empêcher la solution de problèmes plus importants auxquels la famille doit faire face.

Par exemple, l'inquiétude que vous éprouvez face à ses menaces de fugue peut vous cacher la question plus cruciale de: "Qu'est-ce que cela représente d'être un membre de cette famille lorsque l'on a treize ans?"

Question: À plusieurs reprises, lors des derniers six mois, nous avons trouvé des bas-culottes, habituellement plusieurs paires à la fois, dans la chambre de notre fils de douze ans (il aura bientôt treize ans). Il dit qu'il a pris la plupart chez sa tante (où il va parfois garder les enfants). Il nie les avoir jamais mis, mais est incapable (ou ne veut pas) d'expliquer pourquoi il s'y intéresse tant. Nous ne comprenons pas quel peut bien être son problème, puisqu'il semble à part cela être un garçon normal, bien développé: il est sportif, a des bonnes notes et beaucoup d'amis. Qu'est-ce qui se passe, à votre avis et comment pourrions-nous régler ça?

Réponse: Vous avez raison. Ce que vous avez là, c'est un garçon de douze ans normal et bien développé qui exprime sa sexualité naissante d'une façon plutôt inhabituelle mais en aucune façon anormale.

Et il a raison *lui aussi*. Il *ne* sait probablement *pas* pourquoi il est attiré par les bas-culottes; il sait seulement qu'il l'est. Soyons franc: une partie du mystère et de la magie du sexe à n'importe quel âge vient de ce que les mots sont impuissants à dire pourquoi c'est si diablement bon. C'est bon et ça suffit. Par exemple, si j'essaie d'expliquer pourquoi je suis attiré sexuellement par ma femme, je finis par *la* décrire. Bon, d'accord, mais pourquoi est-ce que c'est précisément cet ensemble de caractéristiques qui m'attire? J'sais pas. Ça m'attire, point.

Le seul problème avec les bas-culottes c'est que la plupart des adultes ont l'esprit étroit quant aux expressions de la sexualité de l'enfant. Nous avons tendance à avoir des idées bien arrêtées sur ce qui est convenable et ce qui ne l'est pas. Alors, quand un enfant de douze ans se laisse transporter par une paire de bas-culotte, nous déprimons parce que cela ne s'accorde pas avec ce que nous considérons, de façon préconçue, comme étant correct. Un autre aspect du problème, c'est que nous pensons aux différences entre les enfants et les adultes en termes purement quantitatifs. Un enfant de douze ans est moins "adulte" qu'un homme de trente, parce qu'il est plus petit, a l'esprit moins pratique, et ainsi de suite.

Mais l'enfance ne représente pas que les dix-huit barreaux inférieurs de l'échelle de la vie. C'est une tout autre échelle. Les enfants jouent un jeu différent, et en particulier quand il s'agit de choses comme le sexe. En fait, la différence fondamentale, entre les enfants et les adultes, c'est que les enfants apprennent cela *en jouant* alors que les adultes prennent cela très au sérieux.

Depuis approximativement l'année dernière, votre fils s'est senti de plus en plus, et de façon irrésistible, attiré par le corps de la femme. Il peut à peine contenir sa curiosité! Et pourtant, il le faut. Le garçon de douze ans normal a suffisamment de présence d'esprit pour savoir que le corps d'une femme lui est interdit pour encore quelques années. Mais il se trouve qu'existent des choses que l'on appelle des bas-culottes et que les femmes portent sur une partie très mystérieuse de leur anatomie. Alors...

Il ne fait que jouer. Qu'apprendre, sans risque et sans faire de mal. Dans ce cas, les bas-culottes sont des "objets transitionnels", des choses que le jeune utilise pour pouvoir affronter les changements qui sont en train de se produire dans son corps, dans son esprit et dans ses émotions. Il s'y intéresse parce que la "vraie chose" n'est pas seulement interdite, elle est trop menaçante pour le moment.

Si votre fils n'était pas "normal", si son comportement était très inhabituel dans d'autres domaines ou s'il s'isolait des autres enfants de son âge ou encore s'il semblait déprimé, vous pourriez alors vous faire plus de soucis. Mais même dans un tel cas, l'histoire des bas-culottes serait encore le détail *le moins* important.

Saisissez cette occasion unique de lui faire savoir que vous comprenez à quel point des bas-culottes peuvent être intrigants (mais *n*'analysez *pas* l'intérêt qu'il leur porte). Dites-lui qu'à mesure que son corps deviendra plus mûr et que ses sentiments à l'endroit des femmes évolueront, vous serez là pour l'aider à trouver les réponses aux questions qu'il se pose et pour discuter de ses préoccupations avec lui. Si vous ouvrez la porte, il la franchira et quand il aura constaté que vous êtes prête à l'écouter sans le juger ni le critiquer, il recherchera plus souvent vos conseils.

Troisième partie

Cabinets, colères et innombrables autres choses

L'apprentissage de la propreté

Les signes qui indiquent que l'enfant est prêt

"Mon pédiatre dit que les parents ne devraient même pas *penser* à commencer à rendre propre leur enfant avant qu'il ait eu au moins deux ans et demi" me dit une mère une fois.

Tout docteur qui émet une telle opinion devrait être condamné aux travaux forcés dans une blanchisserie de couches. Car c'est faux. En fait, il n'y a pas du tout de règle générale concernant l'âge où un enfant peut apprendre à aller sur le pot. Certains enfants sont prêts à quinze mois. D'autres ne montrent aucun signe permettant de croire qu'ils le sont avant presque trois ans.

Mais ces deux exemples sont des exceptions. La plupart des enfants sont prêts quelque part entre l'âge de dix-huit mois et deux ans et demi. Dans tous les cas, il n'y a pas d'âge "normal" pour l'apprentissage de la propreté et on ne peut donner aucun avis sur le moment d'entreprendre cet apprentissage ou le temps qu'il devrait prendre. Car l'élément important *n*'est *pas* l'âge. C'est l'enfant et les signes qu'il donne pour vous convaincre qu'il est prêt à tâter un peu du pot.

Ne retenez pas votre souffle dans l'attente d'une déclaration de l'enfant du genre: "Maman, je pense qu'il est temps que tu me parles de la légendaire grande chaise percée, blanche." Il se pourrait fort bien qu'il ne dise rien. Mais il y a des chances, en revanche, qu'il fasse des petits signes que l'on peut traduire à peu près dans le même sens. Ces signes incluent (mais ne s'y limitent pas):

- se réveiller sec le matin pendant plusieurs semaines;
- être sec après la sieste, de façon assez régulière;
- rester sec pendant plus de deux heures entre les changements de couches.

Cela veut dire que sa vessie contient davantage et qu'il est en train d'acquérir un certain contrôle des muscles qui contrôlent la miction.

Pour continuer la liste:

- vous dire quand il est sur le point de faire;
- enlever de lui-même sa couche quand elle est mouillée ou souillée;
- vous demander de le changer, dans de tels cas;
- vous imiter lorsque vous utilisez la toilette;
- montrer un intérêt certain dans la toilette et laisser voir qu'il sait à quoi elle sert;
- demander à s'asseoir sur le pot.

Le temps où ces signes peuvent apparaître provient à la fois de l'enfant et de son environnement. Une question importante est: "Est-ce que Carole a la possibilité d'exprimer qu'elle est prête?" Par exemple, est-ce que vous laissez la porte de la salle de bains ouverte? Est-ce qu'on lui permet et même est-ce qu'on l'incite à regarder les grands se servir de la toilette? A-t-elle un siège à sa taille sur laquelle elle puisse s'asseoir et faire semblant?

Une autre question importante surgit de la précédente: "Si Carole fait plusieurs de ces signes, est-ce que quelqu'un va le remarquer?" Il arrive parfois qu'une mère ne soit pas prête à entendre parce qu'elle veut que la proximité et l'affection qui entourent le rituel des couches durent encore.

À un certain moment au cours de sa deuxième ou troisième année la capacité de l'enfant à devenir propre atteint son maximum. Cela dure plusieurs semaines. Les parents qui commencent l'apprentissage de la propreté pendant cette période clé trouveront probablement que l'enfant s'en tire très facilement.

Il est donc important que les parents soient attentifs aux expressions de l'enfant qui disent: "Je suis prêt." Si l'on n'agit pas lors de la phase critique, le désir naturel de l'enfant disparaîtra. Plus tard, il sera difficile pour tout le monde de ramer à contre-courant.

D'un autre côté, si les parents se montrent trop pressés et désireux d'en finir au plus vite, l'enfant deviendra négatif et ne coopérera pas. Ce n'est que sa façon de dire: "Je préfère le faire à ma façon!" Vous pouvez mener l'enfant à la chaise percée mais pas le forcer à s'y asseoir.

Chaque enfant est unique et chaque maisonnée est différente. Il n'est pas deux enfants qui montreront les mêmes signes au même âge et il n'y a pas non plus de méthode dont le succès soit garanti.

Donnez à l'enfant de nombreuses chances de découvrir pourquoi les mamans et les papas et les frères et les soeurs vont à la toilette. N'essayez pas d'accélérer le processus mais soyez attentive aux signes qui indiquent que l'enfant est prêt et soyez prête à commencer l'apprentissage quand ces signes apparaissent. N'oubliez pas qu'une fois ces signes apparus, plusieurs semaines d'hésitation peuvent laisser filer la meilleure des chances. Et par-dessus tout, surveillez l'enfant, pas le calendrier.

Une affaire de famille

Question: Il y a dans la ville où nous vivons un psychologue qui pour environ trois cents dollars offre de venir chez vous pour rendre votre enfant propre. Il utilise une méthode dont il prétend qu'elle garantit virtuellement le succès complet en un jour. Nous avons une fille de vingt-six mois qui semble prête à se servir du pot et nous voudrions savoir ce que vous pensez de notre intention d'engager le psychologue pour cela.

Réponse: En toute franchise, cette idée me déplaît profondément, du début à la fin. Je ne crois pas qu'il soit du ressort légitime d'un psychologue d'offrir un tel service.

Apprendre à se servir de la toilette fait normalement partie de la socialisation de chaque enfant. En temps voulu, si l'enfant est prêt et si les parents l'encouragent gentiment, cela se passera sans trop de stress ni sans trop d'efforts. En ce sens, ce n'est pas une pratique plus importante que d'apprendre à boire dans un verre, à se servir d'une fourchette ou à s'habiller tout seul.

Mais évidemment, l'apprentissage de la propreté entraîne plus de dégâts et d'odeurs que boutonner une chemise et après deux années ou plus de changements de couches, les parents sont habituellement très désireux d'en finir. C'est sur ce désir que table votre gentil psychologue du voisinage en vous offrant son petit service.

N'importe quel spécialiste en développement de l'enfant devrait être capable de faire des commentaires sur l'acquisition de cette capacité et d'identifier, par exemple, les facteurs qui faciliteront le succès de l'enfant. Cependant, excepté dans les cas où soit l'enfant, soit les circonstances sont exceptionnelles, les services en personne et à domicile d'un spécialiste ne sont pas nécessaires à l'apprentissage lui-même.

En fait, il vaut probablement mieux et pour les parents et pour les enfants que les professionnels restent à distance respectable d'un processus normal de développement de cette nature.

Plus de choses sont en jeu lors de cet apprentissage de la propreté que n'en voit l'oeil de ce psychologue. Apparemment, il se soucie fort peu de la transition que l'apprentissage de la propreté ménage dans la relation parent-enfant.

Non seulement, l'enfant apprend où mettre les déchets de son corps mais il apprend également à moins dépendre de ses parents. Cela nécessite généralement quelque ambivalence. Est-ce qu'il veut vraiment échanger le confort quasi animal qui va avec le fait d'être un enfant aux couches contre une culotte sèche? Cette ambivalence et l'anxiété qui l'accompagne, c'est seulement avec les parents qu'elles peuvent être surmontées.

Pour les parents, l'apprentissage de la propreté, signifie qu'ils doivent réajuster leur manière d'être en relations avec l'enfant ainsi que la perception qu'ils ont de lui. Il est capital que les parents et leurs enfants passent par cette transition ensemble, de leur façon personnelle à leur propre moment.

Vous voulez que votre enfant fasse sur le pot? Voici comment, en moins de cinquante-cinq mots (voir pp. 159 et 160 pour les signes qui indiquent que l'enfant est prêt).

Achetez-lui un pot et quelques culottes d'entraînement, mettez les couches dans le sac à chiffons et dites-lui où il doit mettre ses "affaires". Aidez-le tout d'abord pour les détails. Puis, restez bien à l'écart de façon qu'il puisse vivre cela comme un exercice d'indépendance.

C'est simple, n'est-ce pas? Vous n'avez pas besoin d'un doctorat pour faire ça.

Ce monsieur le psychologue avait probablement dans sa manche assez de bonbons pour convaincre un bambin de se servir du pot, mais la plupart des enfants sont assez brillants pour aller faire dans un coin dès qu'il serait parti.

Mieux vaut tard que jamais

Question: Mon enfant de presque quatre ans n'est pas intéressé à se servir de la toilette. Lorsqu'il avait deux ans, j'ai décidé que je laisserais aller les choses jusqu'à ce qu'il se montre fin prêt. Cela fait maintenant près de deux ans et tout ce qu'il me montre ce sont des culottes d'entraînement mouillées et souillées. Lorsqu'il a eu trois ans, j'ai commencé à paniquer et à me préoccuper de son manque de progrès, puis j'ai regretté d'en avoir fait toute une histoire et j'ai tourné capot complètement. Lorsqu'il a un accident (cinq ou six fois par jour), il est très bon pour se nettoyer lui-même et mettre ses vêtements sales où il faut. La nuit, il porte encore des couches. Il va à la garderie (il adore ça) cinq matins par semaine et lorsqu'il est avec d'autres enfants, il se contrôle. Il a même utilisé la toilette à plusieurs reprises à la garderie. Mais dès que nous arrivons à la maison, il se laisse aller. Ne me dites pas de lui retirer certains privilèges: il n'y a *rien* qu'il aime assez pour se montrer coopératif. L'infirmière de notre médecin de famille m'a dit que c'est signe de problèmes émotionnels et qu'il nous faut aller voir un psychologue. Êtes-vous d'accord?

Réponse: Non. Il n'a pas de problèmes émotionnels, c'est seulement un enfant de quatre ans auquel on n'a pas clairement passé le message qu'il devait utiliser la toilette. Il ne vous a probablement jamais entendu lui dire: "Je veux que tu fasses toutes tes affaires dans le pot... et pas ailleurs."

Il y a une différence entre faire *toute une affaire* de quelque chose et formuler des *exigences* à ce sujet. Malheureusement, l'apprentissage de la propreté est devenu quasiment un drame, plein de mythes, d'anxiété et de mauvaise information. Par conséquent nous avons de la difficulté à y *penser* de manière efficace et encore plus à formuler adéquatement des exigences à ce sujet à nos enfants.

Il n'y a qu'en Amérique, par exemple, que vous trouverez des livres entiers consacrés au sujet. Plusieurs des plus récents contiennent même des histoires à raconter aux enfants. L'un d'eux a même des dessins représentant un pompier, un policier et un professeur tous assis joyeusement sur une toilette. Quelle production!

Il n'y a qu'en Amérique que quelqu'un peut penser à écrire, pour un public avide de l'acheter, un livre intitulé *L'apprentissage de la propreté en moins d'une journée* (Azrin et Fox, Simon et Schuster).

Il n'y a qu'en Amérique que vous pouvez trouver des psychologues du comportement, bardés de diplômes et d'expérience qui offrent, pour un coût modeste (trois cents dollars et plus) de venir chez vous et, à l'aide d'une poupée qui se mouille, de mettre votre enfant propre en une journée tandis que vous sirotez votre café en regardant *La fin du monde* à la télévision. Vous pouvez confier en toute confiance votre enfant à l'homme au doctorat (prononcer "doc").

C'est le grand spectacle magique du vingtième siècle: "Stupéfiant, tout à fait stupéfiant. Oui m'sieur, oui m'dame, entrez,

entrez et voyez ce que je suis capable de faire, sous vos yeux, avec un vrai bébé de deux ans, semblable en tous points à celui que vous avez à la maison: l'apprentissage de la propreté en un seul jour... Parfaitement! Un jour! Pas deux, un! Vous m'avez bien entendu... plus jamais de culottes souillées, plus d'odeur d'ammoniaque collée à vos narines, plus de couches jetables bouchant votre fosse septique, et le tout en une seule et unique journée."

Au milieu de tout ce cirque, la confusion règne en maître. Nous avons fait tout un mystère de quelque chose qui n'est rien d'autre qu'un simple exercice pratique, sans surprise, d'autosuffisance, comme apprendre à manger à la cuiller. Pensez-y un peu. D'abord, l'enfant vous voit utiliser une cuiller, et il apprend ce que c'est que d'être nourri à la cuiller par vous. Quand vous voyez qu'il a acquis suffisamment de dextérité pour tenir une cuiller et la porter à sa bouche, vous lui donnez sa propre petite cuiller. Au début, il renverse sa nourriture partout, il a des "accidents", que vous nettoyez patiemment en l'encourageant. Et voici, ô merveille! qu'en temps voulu il apprend à manger avec une cuiller. À travers tout le processus d'apprendre à manger avec une cuiller, ressort le message suivant: "Tu es capable de te nourrir tout seul." Et c'est ce qu'il fait. Je n'ai encore jamais entendu dire qu'un enfant ait été traumatisé par l'apprentissage de la cuiller.

Il y a deux ans, vous auriez pu montrer à votre enfant comment se servir d'un pot à sa taille en lui disant: "Toi aussi, tu peux faire sur le pot, comme tout le monde." Et il l'aurait fait pendant un certain temps, un peu partout aussi. Et vous auriez pu l'encourager patiemment. Et il aurait appris.

Mais il n'a jamais reçu le message. Au lieu de cela, un an plus tard, il a senti votre anxiété, a entendu des avis contradictoires et s'est dit à lui-même: "Bon, eh! bien s'ils ne savent pas ce qu'ils veulent de moi, je ne le sais pas moi non plus."

Et maintenant? Maintenant, il vous faut le convaincre. Mais d'abord, convainquez-vous vous-même. Voulez-vous qu'il aille sur le pot comme tous les autres enfants de quatre ans du monde, ou voulez-vous continuer à vous montrer troublée et paralysée par des formules comme: "problèmes émotionnels"?

Ne me dites pas qu'"il n'y a rien qu'il aime assez" pour ça, puisque vous avez dit aussi: "il adore" la garderie.

Alors, voilà un enfant de quatre ans qui sait quoi faire mais ne veut pas le faire. Convainquez-le! Dites-lui, sans incertitude: "Je veux que tu fasses toutes tes affaires dans le pot... et pas ailleurs."

Donnez-lui une "chance" d'un accident par jour les deux premières semaines: "Si tu as deux accidents, tu n'iras pas à la garderie le lendemain." Après deux semaines, retirez-lui sa "chance".

Pendant tout ce temps, tenez une feuille de pointage au sujet des accidents et affichez-la en un endroit bien en vue (le réfrigérateur, par exemple). Mettez une croix dans la case du jour pour chaque accident.

Ah! oui, et ne lui demandez jamais, au grand jamais: "Est-ce que tu as envie d'aller à la toilette?" Rendez-*le* responsable. Et il le sera.

L'histoire la plus délicieuse que j'aie jamais entendue à ce sujet est celle d'une mère qui avait donné à son enfant de deux ans une paire de culottes d'entraînement et un pot rien qu'à lui, en lui disant: "Sers-t'en."

Eh! bien, le petit garçon refusa carrément. "Non! dit-il, je veux faire dans ma couche."

"Très bien", dit sa mère. Elle prit une couche, la mit au fond du pot et dit: "Vas-y, fais dans ta couche, ici."

C'est tout ce dont il avait besoin pour se laisser convaincre.

Ne demandez pas, commandez

Question: Notre fils de presque trois ans refuse absolument de se servir de la toilette. Il répond par un "Non!" très ferme, tonitruant, chaque fois que je lui demande s'il veut aller sur le pot. Si j'essaie de l'y forcer, il pleure. En fait, je l'ai pris "par surprise" à plusieurs reprises les six derniers mois et il m'a montré qu'il sait très bien s'en servir. À part cela, il refuse de coopérer. J'ai hâte de me débarrasser du seau à couches. À l'aide!

Réponse: Pourquoi devrait-il coopérer? Manifestement, il vous faut encore lui dire, en termes précis, ce que vous attendez exactement de lui. Aussi longtemps que vous continuerez de lui demander, de quelque façon que ce soit: "*S'il te plaît* sers-toi de ton pot plutôt que de tes couches, veux-tu?", vous lui donnerez la permission de dire: "Non!"

Les enfants passent presque la totalité de leurs deux premières années à percevoir l'univers comme s'ils trônaient en son centre. À cause de leurs évidentes limites, nous les servons à quatre pattes:

nous les portons, les baignons, les poudrons, les consolons, les nourrissons et les habillons.

Il ne devrait surprendre aucun d'entre nous que presque tous les enfants émergent de ce cocon en pensant qu'ils sont l'être le plus important au monde, celui qui, de plein droit, contrôle tout et tous. Ce rêve exerce une fascination évidente, et la plupart des enfants sont réticents à l'abandonner.

Les parents qui veulent survivre aux "deux ans terribles" doivent développer une mystérieuse capacité de deviner et d'éviter les luttes pour le pouvoir. Chaque fois que nous réagissons à l'inclination naturelle d'un enfant de deux ans à s'opposer à nous (après tout, de *son* point de vue, c'est *nous* qui sortons des rangs) en essayant de le forcer à coopérer, la partie est perdue.

La lutte elle-même, c'est nous qui la permettons. Car une personne qui garde le contrôle n'a pas besoin de lutte.

Jusque-là, tout va bien. Au moins, vous *n*'êtes *pas* engagée dans une lutte pour le pouvoir avec votre fils au sujet de la toilette. Vous dites: "S'il te plaît", il répond: "Non!" et vous cédez. Dans ces conditions, il n'a pas besoin de lutter. C'est lui qui mène.

Oui, mais *éviter* les luttes pour le pouvoir n'est qu'une partie du tableau. Le bon truc, c'est d'apprendre à éviter l'opposition, plutôt que de reculer devant elle. En d'autres termes, vous ne vous battez pas mais vous ne fuyez pas non plus. Jusqu'à présent, vous n'avez pas vraiment pris une position ferme quant à la question de savoir si votre fils va aller sur le pot, ou non. À cause de votre indécision, votre fils a saisi cette occasion de pouvoir proclamer: "Je suis plus fort que toi."

Pendant sept jours, ne faites pas mention du pot. Changez ses couches en temps voulu, sans protester ni vous impatienter. S'il vous dit qu'il *veut* s'asseoir sur la toilette, aidez-le et sortez. S'il vous appelle pour que vous voyiez son accomplissement, reconnaissez ce qu'il a fait de façon positive, mais sans en faire toute une histoire: "C'est très bien. Maintenant, je vais te remettre tes couches."

Pendant la semaine, achetez plusieurs paires de culottes d'entraînement en coton solide. Le matin du huitième jour, saluez-le avec cette annonce: "Aujourd'hui est un tout nouveau jour! Aujourd'hui, tu commences à aller sur le pot. Tu ne porteras plus de couches. Tu vas porter ces culottes de grand garçon et apprendre à ne pas les mouiller. Viens avec maman. Je veux te montrer quelque chose."

Menez-le à la salle de bains et montrez-lui un réveille-matin que vous aurez placé là la veille (la minuterie de votre cuisinière ferait tout aussi bien l'affaire).

"Ce réveil a une sonnerie qui te dira quand tu dois aller sur le pot. On l'appelle la sonnerie du pot. Quand tu l'entends, je *veux* que tu viennes ici t'asseoir sur le pot. La sonnerie va marcher quatre fois aujourd'hui (remontez-la pour qu'elle sonne le matin, après le dîner, avant le souper et avant le coucher) mais tu peux aussi te servir du pot n'importe quand, si tu as besoin. Tu ne portes plus de couches maintenant. Je *veux* que ces culottes de grand garçon restent sèches."

Pendant les prochains jours, faites sonner le réveil aux mêmes heures chaque jour. Quand il sonne, dites à votre fils: "C'est l'heure d'aller sur le pot. Appelle-moi si tu as besoin d'aide." Ne vous engagez pas trop. Contentez-vous de le pousser à aller sur le pot quand le réveil sonne, puis gardez vos distances.

S'il vous dit qu'il ne veut pas y aller tout de suite, ne l'y forcez pas, mais rappelez-lui gentiment qu'il doit garder ses culottes sèches.

Répondez à ses succès par des encouragements mais pas nécessairement en fanfare. Traitez les accidents (il y en aura sûrement quelques-uns) de façon calme et directe: "Tu as oublié d'aller sur le pot. Ce n'est pas grave. Tu y penseras la prochaine fois. Je vais t'aider à mettre des culottes propres. Souviens-toi, je *veux* que tu les gardes sèches en te servant du pot."

En vous servant d'une sonnerie pour signaler "l'heure du pot", vous détournez sa résistance de vous. Et en même temps, vous lui donnez un avis clair et ferme sur ce que vous attendez de lui.

Au lieu de lui donner la permission de dire: "J'le ferai pas", vous pouvez ainsi lui donner une chance de grandir. C'est une offre qu'il ne peut refuser.

Les luttes pour le pouvoir

Question: Ma fille de quatre ans se retient. Son pédiatre nous assure qu'elle n'a rien, physiquement. Elle fait seulement un petit peu chaque fois. C'est pourquoi je la laisse aux couches. Je ne me suis pas affolée et je n'exagère pas la chose, mais elle a un frère plus jeune qui est encore un bébé et je commence à en avoir assez du plaisir de changer des couches.

Réponse: Je n'hésiterais pas, à votre place, avec un enfant de quatre ans, à communiquer fermement ce que vous attendez d'elle dans ce domaine. Les jeunes enfants sont très sensibles et peuvent deviner quand leurs parents investissent beaucoup dans une question. Je soupçonne votre fille d'avoir trouvé cette forme de résistance passive pour maintenir votre attention sur elle plutôt que sur son jeune frère. De cette façon, elle continue de se faire confirmer l'importance qu'elle a. Ce dont vous avez besoin, c'est d'une méthode qui la fasse utiliser la toilette et en même temps lui réaffirme son importance.

Affichez quotidiennement sur la porte du réfrigérateur ou tout autre endroit bien en vue une feuille de papier. Dites-lui fermement qu'elle ne portera plus de couche dorénavant et qu'elle doit faire ses besoins dans la toilette. Informez-la que, quand elle aura un accident, elle recevra un crochet (✓) sur sa feuille de pointage.

Maintenant demandez-vous quels sont les privilèges dont elle jouit chaque jour. Jouer dehors après le dîner? Faire du tricycle? Aller chez une amie? Établissez la liste des trois activités auxquelles elle tient le plus. Dites-lui que vous supprimerez une activité pour chaque accident, en commençant par celle qui est la plus importante pour elle.

Puis expliquez-lui qu'un jour sans accident lui vaudra un privilège spécial. Faites une liste de cinq activités qu'elle aime mais n'a pas l'occasion de faire souvent (aller chez McDonald's, aller au parc, se coucher à vingt et une heures trente au lieu de vingt heures trente). Laissez-lui en choisir une à la fin de chaque jour "parfait" et donnez-lui sa récompense le lendemain.

Attendez-vous à voir passer deux ou trois semaines avant de pouvoir observer des progrès certains. Ne vous laissez pas décourager par une rechute après un bon début. Restez ferme mais douce et encouragez-la tout le temps. Votre confiance en elle combinée à une ferme attitude d'autorité fera toute la différence pour elle, plus que quoi que ce soit d'autre.

Ce n'est pas de vos affaires

Question: Robert, notre fils de quatre ans, n'est pas encore propre. Il se retient et devient constipé plusieurs jours de suite, parfois jusqu'à une semaine. Quand il ne peut pas se retenir plus longtemps, il laisse tout aller, habituellement dans ses culottes. Parfois il nous dit qu'il a envie et l'un de nous l'emmène à toute allure dans la salle de bains, mais une fois là, l'envie lui a passé, le plus souvent. Plus tard, il a son inévitable accident. Nous avons essayé de lui donner des laxatifs et cela l'a rendu un peu plus régulier mais nullement plus coopératif. Nous le faisons se nettoyer lui-même, en le surveillant, après chaque accident. Il a également besoin d'aide pour baisser sa culotte et s'asseoir sur le pot. Nous avons tout essayé.

Réponse: Wow! Je suis crevé! En toute franchise, votre fils ne fait pas sur la toilette parce que c'est vous qui faites tout le travail. Peut-être que *lui* n'est pas entraîné, mais *vous*, vous l'êtes, sans nul doute. Et, soit dit en passant, il *coopère* vraiment, à la confusion.

Vous investissez une incroyable quantité d'énergie à le diriger, le superviser et l'aider pour quelque chose qu'à quatre ans il devrait faire tout seul. Cet investissement à long terme a créé un climat de chaos et de confusion autour des "besoins" de Robert.

Personne, y compris Robert, ne sait exactement quoi faire quand il a envie. La formule: "Nous avons tout essayé" veut probablement dire qu'au fil des ans il y a eu une accumulation de réponses et de messages contradictoires en réaction à ses gestes, ses demandes et ses erreurs.

Votre fils est mêlé. Il se demande probablement: "Qui a envie, moi ou mes parents? Est-ce que cette envie est quelque chose qui doit se produire, ou pas? Est-ce que je peux en avoir une tout seul? Pour qui est-ce que je fais ça? Est-ce que j'ai vraiment quatre ans?" Parce qu'il n'y a pas eu de précisions claires, la confusion n'a jamais été levée.

Il est essentiel que vous vous retiriez du décor. D'abord, définissez la situation.

Apprenez-lui, s'il ne le sait *vraiment* pas, à baisser sa culotte et à s'asseoir sur la toilette. S'il éprouve des difficultés, mettez-lui des shorts à ceinture élastique. Un petit tabouret de bois lui donnera le seul petit coup de pouce dont il a besoin.

La plupart des enfants de quatre ans sont capables de se nettoyer tout seuls *sans surveillance*. Quelques indications de départ aideront Robert à reconnaître cette action comme sa responsabilité. Prenez le temps de lui montrer exactement ce qu'il devrait faire quand il se salit. Mais cette leçon devrait avoir lieu à un moment où *il est propre*.

Placez l'équipement nécessaire (serviettes, éponge, savon liquide, sous-vêtements propres, etc.) dans un endroit spécifique de la salle de bains, facile d'accès et habituez-le à se nettoyer lui-même.

Pratiquez avec lui la suite des opérations plusieurs fois, de façon positive et en l'encourageant.

Quand il vous dit qu'il a envie, dites-lui d'aller à la salle de bains et de s'asseoir sur le pot "comme tout le monde". S'il veut que vous l'y emmeniez (après tout, il n'a, jusqu'à présent, rien eu à faire à ce sujet) dites-lui: "Je ne t'aiderai pas avec tes besoins."

S'il a un accident (vous pouvez y compter) envoyez-le à la salle de bains se nettoyer tout seul. S'il revient avant que lui ou la salle de bains ne soient nettoyés, dites-lui simplement: "Tu n'as pas fini. Retourne finir ton travail, alors seulement tu pourras sortir."

Pendant la journée, ne lui demandez pas s'il a besoin et *ne* l'aidez *pas* à s'en souvenir. Un enfant de cet âge n'a plus besoin qu'on le protège des conséquences de ses propres fautes.

Quand il réussit, réagissez de façon modérée. Après tout, il est en train d'apprendre là à prendre ses responsabilités, pour *son* bien, pas pour le vôtre. De plus, le succès n'est pas une grosse affaire, c'est simplement ce que l'on attend de lui. "C'est bien. Non, je n'ai pas besoin de venir voir. Tu peux faire ça tout seul. Tu n'as pas besoin que papa vienne voir."

Enfin, donnez-lui beaucoup de temps pour s'adapter et attendez-vous à quelques accidents en cours de route. Si vous réussissez à vous en tenir au programme et à bien supporter les hauts et les bas du début, il finira par prendre la voie que vous lui avez tracée. Exactement comme il l'a fait jusqu'à maintenant.

Pipi au lit

Si votre enfant mouille son lit presque chaque nuit, vous savez sans doute qu'aucun des "remèdes maison" n'est très efficace. Les punitions, moins de liquide à boire, le lever à intervalles réguliers, rien de cela ne marche. Certaines de ces méthodes peuvent donner une amélioration temporaire mais même toutes ensemble elles ne parviendront pas à empêcher l'enfant de mouiller son lit.

Quelque part en cours de route, la plupart d'entre nous nous sommes fait dire que le pipi au lit est un symptôme de paresse et d'insécurité et que c'est une façon qu'a l'enfant de nous avertir que les choses ne tournent pas rond à la maison. Même s'il est vrai que beaucoup d'enfants qui mouillent leur lit se sentent vraiment honteux et sont très stressés à cause de cela, il n'y a aucune raison de croire que c'est le signe d'un mauvais état émotionnel.

En fait, cela arrive, dans la plupart des cas, parce que l'enfant a un sommeil exceptionnellement profond. Ce sommeil profond l'empêche de se réveiller lorsque sa vessie envoie un signal au cerveau pour l'avertir qu'elle est pleine. Le signal est trop faible ou le cerveau est trop profondément endormi pour l'"entendre". Dans un cas comme dans l'autre, la vessie fait ce qui lui est naturel: elle se vide. Il est facile de voir pourquoi les remèdes maison mentionnés plus haut ne sont pas plus utiles que de se cogner la tête contre les murs.

Cependant, il y a une façon de prendre cela qui ne demande pas plus que votre patience et votre compréhension. D'abord, rendez le problème à l'enfant. Arrêtez d'essayer fébrilement de le résoudre à sa place. C'est *son* problème, et il peut le résoudre seulement s'il est *le seul* à s'en occuper.

Arrêtez de faire de "Est-ce que tu as mouillé ton lit cette nuit?" la première question de chaque journée. Cela ne devrait pas faire l'objet des discussions familiales.

Dites-lui que quand il mouille son lit, il doit se changer de pyjama, placer une serviette épaisse sur la tache et se recoucher sans réveiller la famille. Le matin, il doit défaire son lit et placer les draps et le pyjama mouillé en tas juste derrière sa porte. Après avoir lavé tout cela, placez les draps pliés sur son lit. À l'heure du coucher, faites-le vous aider à faire le lit, en lui apprenant patiemment comment faire et en le laissant en faire de plus en plus jusqu'à ce qu'il soit capable de tout faire seul.

Donnez-lui autant de liquide qu'il en veut pendant la journée. C'est probablement bon de rappeler aux jeunes enfants d'aller à la salle de bains avant de se coucher, mais faites-le sans trop insister.

Aidez votre enfant à comprendre son problème en lui donnant une éducation de base. Dites-lui qu'il y a un muscle juste en dessous de sa vessie (vous pouvez lui donner un nom imagé) qui normalement est fermé. Quand il va à la toilette, il détend ce muscle et il s'ouvre (ouvrez et fermez votre poing pour démontrer). Donnez-lui l'envie de vouloir rendre ce muscle plus fort en le contractant et en le maintenant ainsi pendant quelques secondes dans la journée. Et quand il va à la toilette, il peut fortifier encore plus ce muscle en arrêtant puis en laissant couler le flot d'urine à volonté. La plupart des enfants accepteront de faire cet exercice.

Un certain nombre de pédiatres conseillent maintenant aux parents dont les enfants mouillent leur lit d'éliminer le sucre raffiné de leur menu. Remplacez-le par des fruits, des noix, des légumes crus ou du beurre d'arachide avec des craquelins accompagnés d'un verre de jus non sucré en guise de collation avant le coucher, au lieu de "friandises" sucrées. (Pour de plus amples informations sur ce sujet, voyez le livre du Dr Lendon Smith: *L'amélioration des processus chimiques du corps de votre enfant.*)

Si, après avoir fait cela pendant six semaines, rien n'a changé, je vous conseille d'acheter un système d'alarme spécialement conçu pour cela (il en existe un bon, en vente sur catalogue, chez Sears, Roebuck et Cie, pour environ trente dollars). Le système classique consiste en un ensemble de coussinets que l'on place sous les draps et qui sont reliés à une sonnerie déclenchée aussitôt que l'enfant commence à mouiller son lit. Par la répétition, cet appareil finit par apprendre à l'enfant à se réveiller lorsqu'il sent que sa vessie est pleine. On peut alors débrancher la sonnerie.

Ce système fonctionne sur piles de faible voltage, il est absolument sans danger et lorsque l'on s'en sert convenablement, il donne généralement des résultats. Cependant, il *ne* faut *pas* l'utiliser pour des enfants de moins de quatre ans, beaucoup d'entre eux étant alors en train d'acquérir un contrôle nocturne. Il ne faut pas non plus s'en servir sans le consentement de l'enfant et sans une indication claire de sa part qu'il veut arrêter de mouiller son lit.

Les enfants qui font pipi au lit ne sont pas "vilains". Mais vous pouvez parier que plus vous ferez de ce problème une question importante, plus l'enfant se sentira dépassé et plus ce sera long avant qu'il puisse le résoudre par lui-même.

Question: Notre enfant de cinq ans, qui a toujours mouillé son lit, a commencé depuis peu à mouiller aussi ses culottes dans la journée. Il ne nous en dit rien mais attend que l'un de nous lui fasse remarquer qu'il est mouillé et lui suggère de se changer. Nous ne l'avons ni critiqué ni réprimandé pour ces accidents et son pipi au lit n'est pas non plus un sujet de discussion. Pensez-vous qu'il pourrait faire cela pour attirer l'attention? Avez-vous des suggestions à nous faire?

Réponse: Ma première suggestion est que vous rompiez votre voeu de silence. Faire pipi au lit peut devenir, pour un enfant, un handicap de plus en plus lourd à mesure qu'il grandit, un handicap qui limite sa vie sociale et attaque son amour-propre.

Votre décision de ne pas en parler, même si elle part d'une bonne intention, l'empêche en fait d'entreprendre un effort en vue d'une solution durable. Vous semblez lui donner une permission tacite de laisser durer indéfiniment le problème. Ce n'est dans l'intérêt de personne.

Pour commencer, je parie que vous *êtes* perturbée, tout autant par les accidents de la journée que par le pipi au lit. Il vous faut reconnaître et accepter comme légitime la frustration que vous éprouvez à devoir changer et laver des draps, des pyjamas et maintenant des vêtements malodorants presque tous les jours. *Comment* vous exprimez cette frustration plutôt que le *fait* de l'exprimer, c'est ça la *question* essentielle.

Vous avez probablement réussi à supprimer votre embêtement. Mais nos enfants sont plus sensibles à nos émotions que nous ne le croyons généralement. Bien qu'aucune de ces deux situations n'aient fait l'objet de discussions, vous ne pouvez probablement pas vous empêcher d'émettre de subtils signaux non verbaux qui disent votre déplaisir: une expression du visage, un geste, un regard échangé. Votre silence lui-même est peut-être le plus évident de tous ces messages.

Le sujet exige des explications, mais comme personne n'a la permission d'en parler, votre fils ne peut demander: "t'es fâchée, ou pas?" Aussi, dans une tentative pour lever cette ambiguïté, il commence à mouiller ses culottes dans la journée, quand vous ne pouvez pas manquer de vous en apercevoir. *Maintenant*, est-ce que vous allez dire quelque chose? Combien vous en faudra-t-il pour vous faire sortir de votre cachette?

C'est probablement faux de dire qu'il fait ça pour attirer l'attention. Le fait qu'il attende que vous le remarquiez suggère fortement qu'il essaie de vous faire vous manifester. C'est le moment de montrer votre nez.

Commencez par une discussion concernant son pipi au lit. Présentez-le comme un problème pour vous. Dites-lui que ça ne vous amuse pas du tout de changer et de laver des draps et des pyjamas tous les jours. Mettez tout cela au clair, de façon à commencer à l'aider à résoudre sa difficulté.

Faites attention, cependant de *ne pas* en assumer la responsabilité. C'est *sa* responsabilité. Il a besoin d'un message clair et net de votre part au sujet de vos sentiments ainsi que d'une manifestation de compréhension et de soutien.

"Junior, nous voulons te parler de ton pipi au lit. Tu le fais presque chaque nuit et nous pensons tous les deux qu'il est temps que tu commences à rester sec la nuit. Nous voulons savoir ce que tu en penses. Est-ce que tu veux continuer à mouiller ton lit comme ça ou est-ce que tu veux arrêter?"

Il est essentiel que vous obteniez de lui quelque indication à l'effet qu'il veut arrêter de mouiller son lit, mais vous ne pouvez pas le forcer à le vouloir. Au moins sera-t-il plus facile pour lui de formuler cette décision quand il saura ce que vous pensez.

Il a aussi besoin d'entendre un message clair quant à ses accidents dans la journée: "Nous voulons aussi que tu arrêtes de te mouiller dans la journée."

Une fois que vous aurez affronté clairement la question et que vous aurez levé votre ambivalence, il n'aura plus besoin de mouiller ses culottes. Il y a aussi de fortes chances qu'il arrête de mouiller son lit. S'il ne le fait pas et commence à exprimer quelque frustration de ne pas obtenir le succès qu'il voudrait, je vous recommande d'acheter le système d'alarme dont j'ai parlé plus haut (voir page 172).

J'ai entendu des critiques à l'endroit de ces appareils, stigmatisés comme étant des moyens artificiels et impersonnels de conditionner l'enfant à arrêter de mouiller son lit. C'est tout à fait à côté de la question.

Mon fils a commencé à mouiller son lit peu après que nous ayons déménagé en Caroline du Nord, alors qu'il avait quatre ans et demi. Neuf mois plus tard, un collègue et ami nous parla de ce système d'alarme. Nous en avons acheté un et nous avons demandé à Éric s'il voulait l'essayer. La première nuit, il a mouillé son lit avant de s'endormir rien que pour entendre la sonnerie.

Dans les trois semaines qui ont suivi, il parvint *tout seul* à triompher de ce que nos efforts conjugués n'avaient pu qu'empirer. À la fin de ces trois semaines, il nous annonça fièrement qu'il n'avait plus besoin de l'appareil. Je suis sûr qu'il ne s'était jamais senti aussi fier de lui. S'il y a quelque chose d'impersonnel là-dedans, c'est que j'en ai perdu des bouts.

Le fabricant ne garantit pas le succès et il serait ridicule de ma part de prétendre que c'est à toute épreuve. Cependant, l'amour-propre de votre enfant vaut bien les quelques dollars qu'il vous en coûtera de l'essayer.

Un endroit pour les colères

Les enfants commencent généralement à piquer des colères vers deux ans. Elles se produisent pour diverses raisons. Tout d'abord, il faut dire que c'est un sous-produit inévitable de l'enfance, fût-elle la plus normale et la plus saine. Les enfants deviennent frustrés et se mettent en colère tout comme nous mais eux ne peuvent pas savoir qu'"il y a plusieurs façons de plumer un canard". Ils éprouvent aussi des difficultés à exprimer leurs frustrations et à savoir quelles questions poser. S'ils ne réussissent pas du premier coup, ils piqueront tout simplement une colère.

La règle d'or est de ne pas répondre aux colères en enlevant le problème à l'enfant. Car si les parents aident trop souvent l'enfant, il va apprendre que les colères résolvent les problèmes. Si un enfant pique une colère parce que "cet imbécile de jouet ne veut pas m'obéir", prenez-lui l'imbécile de jouet et dites à l'enfant hors de lui qu'il le récupérera quand il sera calmé.

Une deuxième règle de base est de ne pas céder aux demandes à cause d'une colère. C'est vrai que céder arrête les cris mais cela garantit aussi qu'ils finiront par revenir.

La fessée ne guérit pas de l'habitude des colères. En fait, elle *augmente* les chances de colères. On ne combat pas le feu par le feu.

La colère occasionnelle peut être mieux traitée en la laissant suivre son cours et en étant là quand elle cesse pour aider l'enfant à régler ce qui le perturbe.

Des colères fréquentes sont souvent le signe que les parents ne font pas assez respecter les règles. Un jour, Manon veut un biscuit avant le dîner et l'obtient parce que maman est trop fatiguée pour se montrer ferme. Le lendemain, le biscuit lui est refusé parce que maman a pu faire une sieste l'après-midi. Manon pique une colère. Maman peut alors a) lui donner une fessée, b) lui donner un biscuit, c) l'envoyer dans sa chambre, d) piquer elle aussi une colère, e) les quatre ensemble. Ce genre d'inconstance stresse l'enfant. Le stress provoque la tension, la fatigue et les colères.

Souvenez-vous de ce que grand-mère vous a dit quand vous lui avez annoncé que vous alliez quitter la maison? Elle a probablement dit: "C'est une excellente idée. Tu devrais avoir quitté la maison pour découvrir le monde bien avant. Après tout, tu as déjà six ans et le temps fuit. Alors, je vais t'aider à faire ta valise et te préparer un sandwich..." Et vous vous retrouviez à la porte de grand-mère, vingt minutes plus tard, ayant vu bien assez du monde pour vos six ans.

Grand-mère avait pas mal de bonnes idées. Elle pouvait séparer les enfants des grands sans programme et sans feuille de pointage. Alors, arrachons une page des mémoires de grand-mère et voyons si l'on ne peut pas régler les colères avec un peu de "psychologie inverse" maison.

Choisissez un moment de calme où tous les membres de la famille se sentent détendus. Asseyez-vous avec votre enfant et dites quelque chose du genre: "Manon, nous voulons te parler de tes colères. C'est lorsque tu es furieuse et cries, que tu lances des objets et que tu as de la mousse au bord des lèvres.

Tu piques environ dix colères par jour, alors nous avons décidé de te donner un espace rien que pour tes colères. Nous l'appellerons ta place à colères. Ta place à colères, c'est la salle de bains d'en bas (ou tout autre endroit relativement privé de la maison).

"À partir de maintenant, quand tu voudras piquer une colère, tu iras (ou nous t'emmènerons) à ta place à colères, tu fermeras la porte et tu feras ta colère. Tu pourras y piquer toutes les colères que tu voudras. Personne ne viendra te déranger pendant tes colères."

Quel que soit l'endroit que vous choisissiez, présentez-le comme si c'était le meilleur de toute la maison pour les colères. Aucun endroit n'est aussi bon pour les belles colères que fait Manon.

"Nous avons décidé de te donner la salle de bains parce qu'elle semble absolument parfaite pour les colères. C'est petit, alors la colère fera plus de bruit. Il y a une toilette, si tu as envie. Il y a un interrupteur que tu peux allumer et éteindre pour que la colère soit plus grosse. Tu peux t'étendre sur le tapis de bain, donner des coups de pied et crier. Quand la colère est finie, tu as des mouchoirs en papier pour sécher tes larmes et de l'eau pour te laver le visage. Nous espérons que tu aimeras ça. Et même, cela serait très bien si tu voulais y aller *tout de suite* et y piquer une colère, juste pour voir comment ça marche."

Il y a des chances qu'elle fera quelques petits essais le premier jour, puis, une fois l'excitation tombée, elle commencera à faire des colères plus courtes et moins fréquentes. À mesure qu'elle pique moins de colères, faites-le-lui remarquer et remerciez-la d'aider ainsi à garder la maison calme.

Si jamais elle oublie l'endroit spécial et commence à piquer des colères dans le salon, dites quelque chose comme: "Oh!, oh!, n'oublie pas la place à colères. Tu ferais mieux d'y aller vite avant que la colère s'arrête." Si nécessaire, emmenez-la pendant qu'elle crie, fermement mais sans vous mettre en colère.

Si elle continue à piquer de temps en temps une colère ailleurs, quand vous n'êtes pas près d'elle ou toute seule dans sa chambre, laissez faire sans y prêter attention.

Est-ce que c'est un mauvais tour? Non. Les parents ne trompent pas l'enfant à cause d'une blague particulièrement élaborée. C'est en réalité un jeu dans lequel chacun apprend quelque chose d'utile quant à l'art de régler les situations stressantes.

J'ai vu cette technique marcher avec des enfants entre deux et cinq ans, âges où les colères sont les plus fréquentes. Les enfants plus âgés que cinq ans n'entreront probablement pas aussi facilement dans le jeu et l'on peut simplement leur dire: "Je n'aime pas les colères. À partir de maintenant, quand tu feras une colère, je te mettrai dans la salle de bains d'en bas. Quand tu y seras, je fermerai la porte et tu n'en sortiras pas tant que ta crise ne sera pas complètement terminée. Si tu sors avant, je t'y remettrai."

Si le jeu de grand-mère ne semble pas marcher, vous pouvez devoir vous montrer plus ferme. Si rien de ce que vous puissiez essayer ne semble donner de résultat, songez à consulter un spécialiste. Quoi que ce soit que vous décidiez, si vous ne réussissez pas du premier coup, ne piquez pas une colère.

Se cogner la tête

Question: Nous avons une enfant de trois ans qui se cogne la tête partout. À six mois, elle a commencé à se la cogner contre les barreaux de son lit, assez fort pour avoir des bosses. À deux ans, cela s'est transformé, elle se cognait la tête presque constamment sur le plancher, une chaise, etc., non seulement au coucher mais pendant la journée; il y a deux types de cognement de tête: l'un pour se consoler ou pour s'endormir: l'autre pour exprimer la colère ou la frustration. Elle sait que ça nous affecte et nous nous sommes laissés aller à lui céder plusieurs fois pour arrêter cela. Je sais bien que ce n'est pas la solution mais rien d'autre de ce que nous faisons ne semble avoir le moindre effet. Notre pédiatre nous assure qu'elle ne peut pas se faire mal. Mais il pense, cependant, qu'elle doit avoir un problème psychologique. Nos parents et nos amis commencent à demander ce qu'elle a qui ne va pas. Que faire pour arrêter ça?

Réponse: Tout d'abord, votre pédiatre a raison: elle a peu de chance de se faire mal. Ce n'est certainement pas son but.

Mais je ne pense pas qu'elle ait un problème psychologique. Même s'il est *vrai* que beaucoup d'enfants perturbés émotionnellement et même autistiques se cognent la tête, c'est aussi un fait que bien des enfants normaux le font aussi.

C'est très courant chez les bébés et les bambins. En règle générale, cela commence vers six mois, peu après que l'enfant soit devenu capable de se mettre à quatre pattes. À ce stade, les bébés essayent leur équilibre en se faisant aller d'avant en arrière à quatre pattes, comme s'ils étaient en train d'essayer de prendre assez d'élan pour pouvoir s'envoler. Si un objet solide, comme un mur ou une tête de lit, se trouve immédiatement en face d'eux, ils ont des chances de découvrir les plaisirs secrets du cognement de tête.

La combinaison monotone du rythme et de l'autostimulation est hypnotique, et met l'enfant dans un état de transe agréable et très prenante. Sous cet angle, se cogner la tête n'est guère différent de sucer son pouce ou de jouer avec une couverture fétiche. Tous ces comportements ont un effet calmant et l'enfant qui découvre leurs avantages s'est ainsi trouvé une façon ingénieuse de se donner à lui-même un peu du bien-être qu'autrement il demanderait à ses parents. En suçant son pouce ou en se cognant la tête, il peut s'endormir tout seul, se séparer de sa mère, occuper son temps et même retarder le besoin d'être pris ou nourri. Dans un sens, c'est donc un heureux parent que celui qui a un cogneur de tête.

Mais ce *n*'est *pas* ainsi que les parents voient cela. En premier lieu, les bons parents ne laissent pas leurs enfants se faire mal. Ensuite, le bercement et le cognement de tête ont été associés à tort à de graves problèmes émotionnels. L'idée que nous puissions élever un enfant qui est si perturbé qu'il aime vraiment se faire du mal est trop difficile à supporter.

Alors, nous essayons de l'arrêter. D'abord, nous lui donnons quelque chose d'autre à faire. La distraction marche, temporairement. Un tout petit peu plus tard, nous entendons un bruit curieux provenant de son repaire. Nous nous précipitons pour voir qu'il a rampé jusqu'au mur et se cogne tranquillement la tête contre la plinthe. Nous le prenons, l'emmenons dans la cuisine et nous lui donnons un biscuit.

Cela dure tout au long de la journée et il finit alors par faire le lien: non seulement c'est agréable de se cogner la tête, mais en plus c'est une forme de communication. Quand vous voulez que maman vienne, vous n'avez qu'à vous cogner la tête contre quelque chose, c'est comme le morse.

Plus il se cogne la tête, plus son seuil de douleur augmente et plus il doit se cogner fort pour pouvoir sentir quoi que ce soit. Les bosses deviennent des ecchymoses et les gens commencent à nous regarder d'un drôle d'air, leur imagination en plein vol.

Mais plus nous essayons de l'arrêter et plus il se cogne. Quand il atteint ses "deux ans terribles", ses cognements de tête s'incorporent à ses colères et comme il est déjà hors de lui, les cognements deviennent encore plus violents. À ce moment-là, nous sommes prêts à tout pour le faire cesser et il apprend alors que ses cognements de tête peuvent lui valoir à peu près tout ce qu'il veut. Ce qui avait commencé comme un petit plaisir personnel sans conséquence est devenu une source de tension dans la famille. La famille tout entière menace de perdre les pédales. Vous devez absolument prendre en mains la situation.

Que faire? Fort peu de choses. Plus vous jetez de l'huile sur ce feu-là, plus les flammes vont grandir.

Trouvez un moment où la maison est calme et où tout va pour le mieux et que les deux parents en profitent pour parler à l'enfant de ses cognements de tête: "Nous avons décidé qu'il te faut un endroit spécial pour que tu puisses te cogner la tête. Cela ne nous dérange pas mais nous ne voulons ni les voir ni les entendre. Si tu veux le faire, va dans ta chambre. Tu pourras t'y cogner la tête contre tout ce que tu voudras. Maman et moi nous t'aiderons à te rappeler cette règle."

Que cela soit clair et aille droit au fait. Ne vous attendez pas à ce qu'il se rappelle la règle. Chaque fois qu'il se cogne la tête, que ce soit pour se calmer ou par rage, dites-lui: "Tu as oublié la règle. Il n'y a que dans ta chambre que tu as le droit de le faire. Je vais t'y emmener."

Qu'il résiste ou pas, emmenez-le et laissez-le là, en lui disant: "Quand tu auras fini, tu pourras sortir."

Peut-être ne remarquerez-vous aucun résultat pendant plusieurs semaines. En fait, il peut y avoir une révolte dans la mesure où sa volonté s'oppose à la vôtre. La forme la plus évidente du cognement de tête devrait diminuer en six semaines, mais il se peut qu'il continue à le faire pour se détendre pendant plusieurs années encore. Après tout, c'est toujours aussi bon.

Zeke et le bébé goudron

Dans une des histoires de l'oncle Rémus de Joël Chandler Harris, compère Renard et compère Ours fabriquent un bébé goudron, espérant pouvoir ainsi attraper compère Lapin une fois pour toutes. Et cela ne manque pas; très vite compère Lapin rencontre le bébé goudron et lui fait une remarque à propos du temps, mais le bébé goudron ne répond rien. Après avoir échoué plusieurs fois à engager la conversation, compère Lapin se fâche et frappe le bébé goudron juste dans le morceau de charbon que compère Renard et compère Ours lui avaient mis en guise de nez. Évidemment, le poing de compère Lapin reste collé dans le visage du bébé goudron, ce qui le rend encore plus furieux. Alors il refrappe le bébé goudron, cette fois avec son autre main qui elle aussi reste prise. Furieux, compère Lapin commence à donner des coups de pieds au bébé goudron. En peu de temps, le voilà couvert de goudron et incapable de bouger. Alors compère Renard et compère Ours font leur entrée.

Parfois, les parents s'enlisent dans des problèmes avec leurs enfants de la même façon que compère Lapin avec le bébé goudron. D'abord, ils commettent l'erreur d'accorder plus d'importance à une chose qu'elle n'en mérite. Puis, au lieu d'apprendre de leurs erreurs, ils deviennent frustrés et commencent à tomber à bras raccourcis sur le problème. Plus ils tapent, plus ils sont pris. Finalement le problème commence à infecter presque tous les aspects de leur vie en commun et, comme compère Lapin pourrait sûrement en témoigner, une fois que le bébé goudron vous a pris, vous n'allez plus nulle part.

Il y a plusieurs années, un jeune couple m'a demandé mon avis au sujet de leur fils de trois ans et demi que j'appelle Zeke. Zeke n'était guère différent des autres enfants de trois ans et demi, en ce sens qu'il n'acceptait pas "Non" comme réponse et qu'il était décidé à prendre la vedette autant que ses parents le lui permettraient.

Eh! le lui avaient-ils permis, ses parents! À trois ans et demi, Zeke faisait pratiquement ce qu'il voulait. Ses parents prétendaient avoir épuisé tous les moyens de contrôle possibles. "Rien ne marche!" chantaient-ils en choeur. Devinez qui menait le bal?

Ils avaient essayé la fessée. Les fessées légères le faisaient rire et les grosses le rendaient furieux et hors de lui. Pour empirer encore les choses, les parents de Zeke fessaient trop tard et chaque fois ils se sentaient coupables après, ce que Zeke sentait, en en tirant le meilleur profit.

Lui enlever des privilèges n'avait pas marché non plus. Et cela n'avait rien d'étonnant. Après tout, qu'est-ce que c'est qu'un petit privilège pour un enfant qui tire presque toutes les ficelles.

Ses parents avaient essayé de lui parler. Oh!, et il fallait voir comment ils lui parlaient. Comme un avocat dans sa péroraison, c'est comme cela qu'ils lui parlaient. Quand ils avaient fini, Zeke disait: "Je serai gentil" et se mettait à faire exactement ce qu'ils lui avaient dit de ne pas faire. Et avec le sourire, en plus!

L'enfermer dans sa chambre n'avait pas marché. Oh!, Zeke y allait bien, mais là il devenait complètement fou, renversant les étagères, vidant les tiroirs et lançant des jouets et des vêtements partout, tout en poussant un cri dément, aigu à crever des tympans. Si ses parents lui demandaient de ramasser ses dégâts, il devenait pire (si l'on peut concevoir une chose pareille), continuant à hurler et à cogner partout jusqu'à ce que l'un d'eux vienne et ramasse à sa place. Le service aux chambres en cellule!

Après m'avoir décrit tout cela, ils me demandèrent ce qu'à mon avis ils devaient faire quand Zeke se conduisait mal.

— Le mettre dans sa chambre ne m'apparaît pas si mal, leur dis-je.

— Bon, d'accord, répliquèrent-ils, mais qu'est-ce qu'on fait quand il pique une de ses crises?

— Est-ce qu'il est capable de ramasser ses dégâts après? leur demandai-je.

— Oh! oui, répondirent-ils, le problème ce n'est pas qu'il ne peut pas, c'est qu'il ne veut pas.

— Bon, alors, risquai-je, puisqu'il est capable de ramasser tout seul après, faites-le rester dans sa chambre jusqu'à ce qu'il le fasse.

Ils m'ont trouvé drôle:

— Il y resterait pendant des jours, gloussèrent-ils.

— Et alors? Qu'est-ce que c'est que quelques jours? répliquai-je.

Après que j'aie réussi à les convaincre que je ne plaisantais pas et que ce que je leur suggérais là n'était pas trop poussé (rien qu'un petit inconvénient, somme toute commode), nous fîmes une liste des transgressions les plus fréquentes de Zeke. Zeke devrait aller dans sa chambre chaque fois qu'il ferait quelque chose d'inscrit sur la liste.

Et une nouvelle règle fut instaurée: si Zeke piquait une crise, il devait rester dans sa chambre jusqu'à ce qu'il ait complètement ramassé ses dégâts, quel que soit le temps que ça lui prendrait. Pendant ce temps, il pouvait sortir pour aller à la salle de bains, aller à sa garderie (trois matins par semaine), prendre ses repas en famille (sans qu'il soit question de sa chambre lors des repas) et accompagner ses parents chaque fois qu'ils quittaient tous les deux la maison. À part cela, Zeke était en quarantaine complète.

Voici ce qui se passa:

Jour 1: 15h45: Zeke frappa sa mère et fut envoyé dans sa chambre où, exactement comme prévu, il devint fou furieux. Refusant de ramasser quoi que ce soit, il passa le reste de la journée en réclusion (sauf pour le souper), hurlant des insultes à ses parents (exemple: "têtes de doo-doo!").

Jour 2: À l'exception de la matinée passée à la garderie et un petit tour au magasin avec sa mère, Zeke resta dans sa chambre.

Jour 3: Zeke resta dans sa chambre, refusant de bouger.

Jour 4: Toujours dans sa chambre, Zeke donna des signes de faiblesse. À un moment, il offrit de ranger une partie de sa chambre à condition que sa mère fasse le reste. Sagement, elle refusa le marché. Il la traita de "doo-doo" (l'abandon de la référence à sa tête fut incontestablement un signe de progrès).

Jour 5: Cet après-midi-là, une amie vint faire un tour à la maison, avec son fils de trois ans et demi lui aussi. En moins de quinze minutes, Zeke rangea sa chambre.

Zeke chamboula sa chambre à plusieurs reprises les semaines suivantes. Mais chaque fois, il la remettait en ordre avant la fin de la journée. À ma connaissance, il n'a plus recommencé depuis et c'est là que ses parents l'envoient quand il se conduit mal. Parce que ça marche. Un autre bébé goudron mord la poussière.

L'heure du coucher

Une histoire de coucher très "grenouillante"

Il y a très très longtemps, dans une chambre, très très loin d'ici, il y avait un garçon de trois ans nommé Grognon Follet qui ne voulait pas dormir.

Chaque soir à vingt heures trente, sa mère disait: "Grognon Follet, c'est l'heure de se coucher."

Il criait: "J'veux pas!" et sa mère demandait: "Pourquoi?" et Grognon répondait: "Pasque."

Il hurlait: "J'ai peur!" et son père demandait: "De quoi?" et Grognon répondait bravement: "Des choses".

Sa mère disait: "Allez, Grognon, c'est l'heure où les petits bonshommes font dodo" et Grognon se laissait tomber en boule sur le plancher. La boule qui s'appelait Grognon ne bougeait plus, mais elle soupirait et gémissait à faire pitié.

À la fin, le père de Grognon l'attrapait et l'emportait hurlant dans son lit. Puis, quand Grognon était enfin tranquille et regardait ailleurs, ses parents s'en allaient furtivement et se cachaient. Mais ça ne servait à rien. Le son les trouvait toujours.

Cela commençait doucement: "... maman?"

Mais si le son n'obtenait pas de réponse, il devenait de plus en plus fort, jusqu'à faire trembler les murs: "MAMMAAAN!"

Alors le son obtenait une réponse: "Oui, Grognon, qu'est-ce qu'il y a?"

Parfois Grognon disait qu'il avait faim ou devait aller à la "challe de bains" ou voulait dire "quéq'chose" à quelqu'un. Quoi que ce soit, il faisait tout le bruit qu'il pouvait jusqu'à ce qu'on s'occupe convenablement du quoi que ce soit.

Grognon s'endormait généralement vers minuit et se réveillait avec le soleil. Ses parents avaient des cernes noirs sous les yeux et traînaient les pieds en marchant.

Un jour, la mère de Grognon Follet s'en alla de la maison et traîna les pieds jusqu'au fond des bois, à la recherche de paix et de tranquillité. Elle avait traîné les pieds pendant plusieurs heures et passait près d'une petite mare pleine de nénuphars et de papillons, quand elle entendit une petite voix de baryton lui demander: "T'es perdue, ou quoi?"

"Qui est là?" demanda-t-elle, étonnée et regardant de tous côtés.

"C'est moi. Baisse les yeux, petite madame."

Et à n'en pas douter, quand elle eut baissé les yeux, il y avait là une grenouille tout à fait ordinaire. Ordinaire, c'est-à-dire hormis le fait qu'elle parlait, ce qui est *très* extraordinaire chez les grenouilles.

Avant que la jeune femme stupéfaite ait pu dire quoi que ce soit, la grenouille reprit la parole, demandant: "Qu'est-ce qui t'amène dans ma cour?"

Et la mère de Grognon se sentit soudain poussée à tout dire à la grenouille; elle lui dit comment Grognon ne voulait pas dormir, lui parla de la boule et du son et de tout le reste, jusqu'à ce que la grenouille, en ayant bien assez entendu, lui dise: "Attends! Tu veux savoir comment envoyer ce petit Grognon au lit et qu'il y dorme?" Après une pause infime, elle continua: "Je vais te le dire. Mais d'abord il faut que tu me promettes de *ne pas* m'embrasser après."

"Mais pourquoi au nom du ciel aurais-je envie de t'embrasser, d'abord?" demanda la mère de Grognon.

"Retiens bien mes paroles, tu en auras envie, et si tu parviens à m'attraper et à le faire, je me changerai en prince, le plus beau et le plus charmant que tu aies jamais vu. Et c'est la pire chose qui puisse *jamais* arriver à une grenouille qui ne veut que passer le reste de sa vie assise sur des nénuphars à manger des insectes."

"D'accord, je ne t'embrasserai pas", promit la jeune femme qui, de toute façon, n'avait encore jamais embrassé de grenouille.

"Dis-le moi! Dis-le-moi!"

"Bon, commença la grenouille, tu fais un livre appelé, voyons, appelé... *Le livre de chevet de Grognon Follet*. Tout ce qu'il te faut, c'est du papier solide, de la colle, un poinçon et du fil.

D'abord, fais une liste de ce que l'on doit faire pour préparer la boule à se coucher.

Puis, rassemble plusieurs magazines et trouves-y des images pour illustrer chacune des choses de la liste. Assure-toi de trouver une image d'enfant endormi, s'il le faut, dessines-en une.

Colle chaque image sur une feuille de papier différente, mets-les en ordre avec l'image de l'enfant endormi en dernier. Perce des trous sur le bord gauche des feuilles, passe un bout de fil dans chaque trou et fais-y une boucle assez lâche.

Puis, écris une histoire pour accompagner les images et, chaque nuit, lis l'histoire à Grognon juste avant de le coucher.

Tu pourrais, par exemple, commencer ton livre comme ça: "Il est vingt heures, c'est l'heure pour Grognon Follet de commencer à se préparer pour le lit. La première chose qu'il fait, c'est de...", et tu lui montres l'image d'un enfant qui prend son bain. Ensemble, toi et le Grognon vous dites: "prendre son bain". À la page suivante, on peut lire: "Après son bain, le Grognon se sèche et met son pyjama" et Grognon voit l'image d'un enfant en pyjama. Continue ainsi jusqu'à la dernière page qui dit quelque chose comme ça: "Et quand tout est fini, la maman et le papa de Grognon le bordent, lui souhaitent une bonne nuit en l'embrassant et Grognon Follet s'endort comme un gentil petit têtard."

Quand elle eut fini sa description, la grenouille regarda la mère de Grognon, en ajoutant: "Quand tu arriveras à la fin, le Grognon devrait être tellement pris par l'histoire qu'il recevra le signal et s'endormira aussitôt."

La mère de Grognon remercia chaleureusement la grenouille, en faisant attention de ne pas l'embrasser et se dépêcha de rentrer à la maison en ne traînant presque plus les pieds. Elle fit exactement ce que la grenouille lui avait dit et, ô merveille!, voici que cette nuit-là, Grognon Follet s'endormit vers vingt heures quarante-cinq.

Chaque nuit dorénavant, Grognon et sa mère lisaient le *Livre de chevet de Grognon Follet* ensemble et il s'endormait vite et tranquillement. Et c'est là que notre histoire devrait s'achever, mais elle n'est pas encore tout à fait finie, car...

Plusieurs années plus tard, la mère de Grognon gambadait un jour dans les bois lorsqu'elle parvint à la mare.

"Alors?" demanda la voix de baryton familière, "Est-ce que ça a marché?"

La mère de Grognon s'arrêta brusquement et, baissant les yeux vit la même grenouille qui ne semblait pas avoir vieilli le moindrement.

"Oui! Oh, oui! Ça a marché, exactement comme tu l'avais dit!" répondit-elle. Puis, se souvenant de ce que la grenouille avait dit à propos de sa transformation en prince charmant, elle l'attrapa et lui planta un gros baiser en plein milieu du visage. Rien ne se passa.

Elle l'embrassa encore, cette fois-ci plus longtemps (et les yeux fermés). Rien non plus.

"Hé! Qu'est-ce qui ne va pas? se plaignit la mère de Grognon. Allez, change-toi en prince!"

La grenouille se contenta de rire, en retournant d'un bond à son coussin de nénuphars.

"Désolé, la belle, mais je ne suis qu'une grenouille parlante qui aime qu'on l'embrasse." Et, sans même lui dire au revoir, elle sauta de son coussin en plein milieu de la mare où elle fit une grosse éclaboussure. On ne la revit plus jamais.

La morale de cette histoire, cher lecteur, est toute simple: n'embrassez jamais une grenouille, quoi que ce soit qu'elle ait pu vous... grenouiller à l'oreille.

Au-delà des apparences

Question: Notre premier enfant a treize mois. Pendant treize mois, je l'ai bercé le soir jusqu'à ce qu'il s'endorme et aussi pour ses siestes. Cela ne me dérange pas, je préfère le bercer plutôt que de l'entendre pleurer, ce qu'il fait si je le mets dans son berceau avant qu'il soit complètement endormi. Bien que j'aimerais qu'il soit au lit vers vingt heures trente, l'heure où il se couche varie: il y a des nuits où il ne semble pas fatigué avant vingt et une ou vingt-deux heures. Mais quelle que soit l'heure où je le couche, il fait toujours ses nuits complètes. Récemment, mon pédiatre m'a dit d'arrêter de le bercer, de le mettre au lit à la même heure chaque soir et de le laisser s'endormir tout seul, même si cela veut dire qu'il va pleurer un peu. Le docteur dit que Benoît est en train d'apprendre que s'il pleure à l'heure du coucher, je vais le prendre. Êtes-vous d'accord avec lui?

Réponse: Presque. Je suis, en tout cas, tout à fait d'accord avec votre pédiatre sur le fait que vous devez cesser de bercer le jeune Benoît jusqu'à ce qu'il s'endorme, fixer une heure de coucher bien définie (avec des permissions spéciales, à l'occasion, lorsqu'il n'est pas possible de lui faire respecter le programme) et le laisser s'endormir tout seul.

Mais il y a là en jeu bien plus que la simple question d'apprendre à relier ses pleurs avec le fait d'être pris. En fait, c'est plutôt ce que Benoît *n*'apprend *pas* qui devrait avoir la part du lion de votre attention et de vos préoccupations.

Par exemple, Benoît *n*'apprend *pas* à s'endormir tout seul. Au contraire, il devient de plus en plus dépendant de vous. Il y a de fortes chances qu'il en arrive même à penser qu'il est essentiel que vous soyez près de lui pour qu'il s'endorme. Qu'un bébé de treize mois pleure pendant quelque temps au coucher, c'est une chose; mais qu'il *se batte* avec vous à ce moment-là, c'en est une autre.

Benoît *n*'apprend *pas* à prévoir quand il est l'heure de se coucher. Il est important que sur ce point il y ait une certitude, parce que le sentiment de sécurité d'un enfant repose, dans une large mesure, sur sa capacité de "lire" l'environnement pour y discerner des signes que certains événements sont sur le point de se produire.

Dans l'univers d'un enfant, *le temps* doit être aussi bien arrangé que les meubles et le reste. De la confusion à propos de l'endroit où sont les choses et du moment où elles se produisent perturbe les tentatives de l'enfant pour donner un sens à son environnement.

Les routines aident l'enfant à développer un sens clair des relations de cause à effet (pensée logique) et elles contribuent à lui donner un sentiment de compétence et de confiance.

Benoît *n*'apprend *pas* que c'est vous qui faites survenir les choses. Au lieu de décider quand c'est l'heure pour Benoît de se coucher vous semblez attendre de *lui* qu'il vous fasse un signe plus ou moins vague pour vous dire qu'il est prêt. Cela lui fait prendre le volant avant même d'avoir appris à être un bon passager.

Mais le pire de tout, c'est que Benoît *n*'apprend *pas* à se séparer de vous quand la journée est finie. Vous non plus, d'ailleurs, n'apprenez pas à vous séparer de lui.

L'importance du coucher a fort peu à voir avec le *moment* où les enfants sont fatigués ou la quantité de sommeil dont ils ont besoin. Mais cela a *tout* à voir avec le besoin des parents de se retrouver ensemble et, par-dessus tout, avec le fait d'apprendre à l'enfant qu'il n'y a rien de mal à se séparer. L'heure du coucher n'est en fait rien d'autre qu'un rituel de séparation.

Pratiquement toute question importante qui se pose entre les parents et l'enfant implique dans une certaine mesure la question de l'attachement et de son contraire. C'est dans la mesure où ces questions sont réglées avec succès qu'un enfant parvient à être moins dépendant de ses parents. En d'autres termes, apprendre à se séparer des parents et de la mère, en particulier, c'est apprendre à grandir.

Les problèmes de coucher posent souvent cette grande question pour la première fois. La façon dont on les règle établit un précédent pour d'autres séparations futures, quelle que soit leur sorte: se faire garder, aller à l'école et ainsi de suite.

C'est à vous qu'il revient, en tant que parents de Benoît, de prendre l'initiative et d'établir un précédent favorable. Si vous hésitez à vous séparer de l'enfant au moment du coucher, il peut interpréter votre hésitation ou votre réticence comme un signe qu'il y a quelque chose de mal dans la séparation. Et, croyez-moi, il y a peu de choses plus stressantes pour une famille qu'un enfant qui s'accroche.

Si vous voulez que Benoît soit couché à vingt heures trente, commencez par établir une routine qui commence à vingt heures et lui fasse savoir que le coucher s'en vient. Couronnez cette habitude par la cérémonie du bordage; puis, quittez la pièce.

S'il pleure (comme il le fera presque sûrement), vous et votre mari devriez, chacun votre tour, retourner dans sa chambre toutes les cinq ou dix minutes pour le calmer et le rassurer en lui montrant que vous êtes toujours là, pour vous occuper de lui. Ne le prenez pas et ne vous attardez pas.

Le coucher, c'est pour les parents

Question: Nous avons un fils de trois ans qui a peur du noir et refuse d'aller au lit si l'un de nous ne reste pas avec lui jusqu'à ce qu'il s'endorme. Cela a commencé il y a environ un an mais à l'époque tout allait bien si la lumière du couloir restait allumée. Maintenant, cela ne suffit plus. Quand nous le couchons (à vingt heures trente chaque soir), il crie qu'il a peur du noir jusqu'à ce que l'un de nous retourne dans sa chambre et reste avec lui. Si nous faisons cela, il reste généralement éveillé jusqu'à vingt-trois heures et parfois même minuit; puis il dort jusqu'à six heures trente du matin et est tout à fait d'attaque. Je ne vois vraiment pas comment il peut avoir assez de sommeil ainsi. Nous avons essayé de lui donner des fessées et de le faire veiller plus tard pour qu'il s'endorme, mais sans succès. Mon docteur m'a dit de le laisser crier, mais la première nuit où nous avons essayé ça, il a crié pendant trois heures. Nous sommes tous en train de devenir fous. Avez-vous des suggestions ou pouvez-vous nous donner quelque espoir pour l'avenir?

Réponse: Je vais tenter de faire les deux. Pour commencer, vidons toute la question des *raisons du coucher*. Une fois que nous l'aurons fait, je crois que tout le reste ira tout seul.

C'est mon devoir professionnel de vous aviser que le coucher *n*'est *pas* là parce que les enfants ont besoin de dormir. Eh! oui, vous vous êtes aveuglés.

La rumeur veut que les enfants de trois ans aient besoin de dix à douze heures de sommeil par nuit. Balivernes. Sauf dans des circonstances vraiment exceptionnelles, les enfants ont tout le sommeil qu'il leur faut, *quelle que soit* l'heure à laquelle ils s'endorment et le temps qu'ils dorment.

En règle générale, un enfant vous fera savoir quand il est fatigué et s'il lui faut douze heures de sommeil, il les prendra. Par ailleurs, il y a certains enfants de trois ans qui n'ont besoin que de huit heures de sommeil par nuit (et certains même moins).

En d'autres termes, les besoins de sommeil de chaque enfant sont différents. Cela a du sens, n'est-ce pas? Pourquoi voudrions-nous que deux enfants dont l'appétit est différent et dont les dispositions et les niveaux d'activité sont différents aient tous deux besoin de dix heures de sommeil chaque nuit?

Il se peut que vous ne compreniez pas comment il fait pour se réveiller ainsi au point du jour, les yeux brillants et des fourmis dans les jambes alors que vous vous sentez comme un vieux débris, mais c'est comme ça. Je vous assure qu'il a tout le sommeil qu'il lui faut.

Mais cela n'a rien à voir avec le temps du coucher, car (je le répète), le coucher n'est pas nécessairement lié au besoin de sommeil des enfants. Le coucher, c'est pour le bien des *parents, pas* pour celui des enfants.

Ce n'est qu'une fois les enfants au lit que les parents peuvent se retrouver l'un l'autre sans être sans cesse interrompus par des: "J'ai faim", "prends-moi" ou la toute dernière formule qui se termine par "moi".

Quelle différence est-ce que cela fait que les enfants ne soient pas endormis? Qui est-ce que ça dérange, s'ils veulent garder la lumière allumée? Pas moi.

Quand Amy, ma fille, avait trois ans et demi, elle refusait absolument de s'endormir à l'heure prévue (vingt heures trente aussi). Elle nous faisait le coup du "pleure-un-peu-et-puis-descend-jeter-un-coup-d'oeil".

— Oui, Amy, qu'est-ce qu'il y a?

— Euhh... J'veux vous d'mander queq'chose.

— Oui, quoi?

— Euhhhhh........

— Nous attendons.

— Allez, Amy, dis-le donc!

— C'est quand ma fête?

Et c'était comme ça nuit après nuit jusqu'à ce que nous réalisions que ce n'était pas de sommeil qu'elle avait besoin et que ce n'était pas nécessairement pour cela d'abord que nous la mettions au lit. Nous la mettions au lit par *luxure*!

Alors, nous lui avons simplement dit qu'elle devait monter dans sa chambre à vingt heures trente. Et y rester. Mais elle n'avait pas besoin de dormir si elle n'avait pas envie. Elle pouvait, après que nous l'ayons eu bordée et embrassée pour lui dire "bonne nuit", rallumer sa lumière, fermer sa porte et jouer tout son soûl pendant que nous nous détendions et renouions notre relation.

Au moment où nous étions prêts à nous coucher, elle était habituellement endormie sur le plancher, au milieu de ses jouets.

Amy a maintenant neuf ans. Elle va *encore* au lit à vingt heures trente, s'endort vers vingt et une heures (habituellement) et je ne me soucie guère d'elle.

Les monstres dans le placard

Question: Notre fille de cinq ans qui vient de commencer la maternelle, a peur d'aller en haut toute seule. Elle refuse de monter les escaliers, le jour ou la nuit, sans que l'un de nous la précède, et elle demande que nous vérifions s'il n'y a pas de monstre dans sa chambre et en particulier dans son placard. Si nous résistons et insistons pour qu'elle monte toute seule, elle devient hystérique. J'ai peur que ce ne soit le début d'un grave problème émotionnel qui, mal réglé, pourrait avoir un effet permanent sur elle. Que faire? Nous avons un autre enfant de quatorze mois.

Réponse: Il y a un monstre dans votre placard aussi. C'est le monstre "quelque chose d'horrible va arriver à l'esprit de mon enfant si je fais la mauvaise chose".

Cette horrible créature vit dans les placards, partout où il y a des parents qui croient que leurs enfants sont de petits Humpty Dumpty qui jonglent avec les oeufs de la vie: un mauvais mouvement et les voilà cassés pour toujours.

Ce monstre dans *notre* placard hante notre relation avec nos enfants, nous sautant dessus quand nous nous y attendons le moins, détruisant notre sens commun et paralysant notre spontanéité.

Il rôde dans nos cauchemars éveillés, chuchotant: "Tes enfants ont des problèmes émotionnels et c'est de ta faute."

Bon, j'ai bien peur de devoir vous apporter de mauvaises nouvelles. *Tous* les enfants grandissent avec des problèmes émotionnels. Les émotions *sont* un problème, particulièrement pour les enfants. Les émotions sont puissantes, imprévisibles, violentes, orageuses, troublantes et souvent douloureuses. La plus grande partie des années de croissance d'un individu se passe à apprivoiser ces monstres intérieurs.

Pendant les premiers vingt ans de sa vie, un être humain s'empêtre dans un bouleversement émotionnel après l'autre: la naissance (le champion toutes catégories), la séparation, être deux, apprendre à partager, aller à l'école, la puberté, la sexualité et le départ de la maison.

Juste quand une crise commence à s'atténuer, une autre survient qui vous renverse, vous met sens dessus dessous et vous prend toutes vos énergies. C'est assez pour installer des monstres dans le placard de n'importe qui.

Mais être un parent peut être tout aussi frustrant, mêlant et émotionnellement douloureux que d'être un enfant. La différence capitale, c'est que, alors que les enfants ont fort peu de contrôle sur la difficulté de leur vie, c'est *nous* qui faisons que le fait d'être parent est dur ou non. Une des façons de rendre ça dur c'est de nourrir le monstre qui attend dans *notre* placard.

La plupart des enfants ont des monstres de type divers qui rôdent dans leur vie. Mais les seuls qui vivent longtemps habitent dans les maisons où les parents ont aussi leur monstre familier.

En lui-même, le monstre d'un enfant n'est guère puissant. Mais qu'il se ligue avec un monstre de parent et c'est l'apocalypse.

Commencez donc par chasser votre monstre à vous. Les enfants ne sont pas des petits oeufs fragiles qu'on ne peut réparer une fois cassés. Si c'était le cas, ils ne survivraient jamais à leur troisième anniversaire.

Les enfants sont des petites personnes solides, résistantes, flexibles qui rebondissent fort bien après des temps difficiles, de la frustration, des traumatismes et "les flèches et les coups d'une atroce fortune", comme disait Hamlet. Avec un peu d'aide de notre part, ils peuvent eux aussi très bien chasser les monstres de leurs *propres* placards.

Certes, la crainte des monstres qu'éprouve votre fille est probablement un signe que son univers est soudain devenu un peu plus difficile qu'il ne l'était avant. Elle doit aller à l'école toute seule et voir toute l'attention se porter sur sa soeur qui reste toute la journée à la maison avec maman, exactement comme sa grande soeur avant elle. Ah!, bon, c'est la vie, pas vrai?

Alors, foncez et faites ce que vous savez déjà qu'il vous faut faire. Refusez de jouer les éclaireurs devant elle. Bordez-la comme d'habitude à l'heure du coucher, et si elle crie pour que vous restiez, dites-lui: "désolée mais je ne reste pas. C'est *toi* qui a mis le monstre dans *ton* placard en prétendant qu'il est là. Maintenant, tu dois prétendre qu'il est parti."

Une fois que vous aurez chassé *votre* monstre, le sien s'évanouira en fort peu de temps. Après tout, on se sent seul à être le seul monstre de la maison.

La bataille du repas

Question: Nous avons un seul enfant, une fille de deux ans et demi. Je l'ai nourrie au sein jusqu'à dix mois. Quand elle a eu cinq mois, notre pédiatre m'a dit de commencer à lui donner de la nourriture solide. J'étais réticente parce qu'elle semblait obtenir de moi toute la nourriture qu'il lui fallait, mais il me dit carrément que j'avais une attitude irresponsable. L'enfant refusa son nouveau régime. Elle recrachait la nourriture, détournait la tête, criait, et ainsi de suite. Sur les instances du pédiatre, je me mis à la nourrir virtuellement de force. En résumé, c'est maintenant encore la même situation. Ma fille refuse de manger quoi que ce soit qui ressemble à un repas. Elle mange des céréales et des toasts le matin et comme collation du fromage, des chips, du maïs soufflé, du beurre d'arachide sur des craquelins et des morceaux de céleri. À midi, peut-être un sandwich. Le souper vire toujours à la bagarre. Nous l'avons *forcée* à s'asseoir à table, nous l'avons fessée, menacée et nous avons littéralement poussé la nourriture dans sa bouche pour quelle mange. Mais si nous lui faisons manger quelque chose qu'elle n'aime pas, elle le rejette après. Résultat, toute notre relation s'en ressent. Que pouvons-nous faire?

Réponse: La nourriture a le don de prendre une importance considérable dans une famille, mettant en jeu des choses qui n'ont rien à voir avec sa valeur nutritive.

Pendant la première année, le transfert de nourriture du parent à l'enfant exige énormément de rapprochement physique et de stimulation, de telle façon qu'en recevant de la nourriture, l'enfant reçoit aussi autre chose.

À mesure que l'enfant avance dans sa deuxième année, le rôle de gardien des armoires que jouent les parents peut facilement devenir une question cruciale dans les luttes presque inévitables pour le pouvoir qui se développent aux environs du deuxième anniversaire.

Successivement l'enfant qui va vers ses deux ans devient de plus en plus verbal, il a tendance à exprimer de façon définitive ses goûts et ses dégoûts concernant telle ou telle nourriture et à demander à manger à des moments qui contredisent la routine familiale.

De plus, le bambin ne dépend plus complètement de ses parents pour la nourriture, et il exerce son indépendance en essayant divers moyens de prendre sa nourriture tout seul. Il découvre comment grimper sur le comptoir, ouvrir le réfrigérateur et enlever le couvercle des marinades.

En bref, le don de la nourriture du parent à l'enfant peut, dans certaines circonstances stressantes, être perturbé par la qualité ou la quantité d'affection qui entre en jeu dans leur relation, la question de savoir qui mène la famille et quel degré d'autonomie on permettra à l'enfant.

Quand la nourriture prend une telle importance, elle commence à "médiatiser la relation". En d'autres termes, elle devient la substance à travers laquelle (ou par-dessus laquelle) le parent et l'enfant essaient de régler certains problèmes.

N'importe qui peut facilement oublier que si l'on s'assied à table ce *n*'est *pas* pour consommer de la nourriture. Le fait de manger est moins important que les aspects sociaux et rituels de l'heure du repas.

Les repas, et tout particulièrement celui du soir, réunissent la famille. C'est une scène au cours de laquelle on réaffirme les valeurs de partage et d'unité. Peu importe *ce que* l'on mange et *en quelle quantité;* ce qui compte, c'est une bonne conversation et le sentiment d'être tous "de la même famille". Alors, l'idée ce *n*'est *pas* de convaincre votre fille de manger. Elle mange suffisamment et sa diète est bien équilibrée. Le but, c'est de la faire participer au rituel d'unification qui se célèbre à table.

Pendant la journée, vous pouvez tenir compte de ses préférences, dans des limites raisonnables, mais gardez le contrôle du *moment* où l'on sert à manger (souvenez-vous que les enfants de deux ans ont généralement besoin d'une collation au milieu de la matinée et d'une autre au milieu de l'après-midi).

Au repas du soir, servez à votre fille une petite assiettée de ce que mange le reste de la famille. Si elle dit qu'elle n'aime pas quelque chose de son assiette, ignorez son intervention mais saisissez l'occasion de la faire entrer dans la conversation en lui disant quelque chose comme: "Raconte à papa ce que nous avons fait aujourd'hui." Encouragez-la à participer à la conversation, bien qu'il doive y avoir des moments où la conversation entre adultes ne lui permette que d'écouter.

Tous les commentaires faits par les adultes à propos de la nourriture doivent être brefs et élogieux. Exigez qu'elle reste à table jusqu'à ce que tout le monde se lève, mais ne lui demandez *jamais* de manger, fût-ce une seule bouchée.

Ne servez pas le dessert comme une simple conclusion du repas. Si quelque chose de spécial est au menu, servez-le une ou deux heures plus tard, peut-être un peu avant l'heure de son coucher. N'utilisez pas le dessert comme un appât pour lui faire manger le reste. Et son droit à partager les gâteries de la soirée ne devrait pas non plus être conditionné à la façon dont elle a mangé au souper.

Un dernier mot: pour votre prochain enfant, trouvez-vous un pédiatre qui encourage à donner le sein et qui en sache plus sur les besoins nutritifs des enfants.

Le gardien des armoires

Question: Ceci peut paraître trivial mais ma fille de quatre ans demande à manger presque tout le temps tout au long de la journée. C'est la règle qu'elle puisse avoir une petite collation vers le milieu de l'après-midi, mais elle ne semble pas comprendre cette limite et elle ne l'accepte pas. Je suis fatiguée de ses demandes et de ses pleurnichages et j'attends de vous une idée.

Réponse: J'ai toute une idée pour vous! Mais d'abord, clarifions les choses. Ce n'est pas une question triviale. Toute question concernant la nourriture est importante. Après tout, qu'y a-t-il de plus essentiel que la nourriture?

Pour cette raison, la nourriture peut revêtir un puissant caractère symbolique dans une famille et les disputes à propos de *ce qu'*ils mangent, quand et *en quelle quantité* peuvent générer beaucoup de conflits parmi les membres de la famille. La nourriture prend encore plus d'importance dans la relation entre le parent et l'enfant.

Sûrement, une des associations les plus fortes et les plus durables lors de sa première année est celle que fait l'enfant entre la nourriture et ses parents (habituellement, surtout la mère). Comme l'enfant grandit, les parents gardent ce rôle de pourvoyeurs de nourriture. Dans cette perspective, il est facile de comprendre pourquoi la nourriture devient si souvent un sujet de choix pour les luttes de pouvoir entre les parents et les enfants. Le conflit peut revêtir diverses formes mais la question cruciale demeure: "Qui contrôle la nourriture?" Et, de façon plus générale, la question sous-jacente est: "Qui contrôle la famille?"

C'est pourquoi, il est tout aussi essentiel que la nourriture elle-même, que les parents exercent un contrôle indubitable sur la distribution de la nourriture dans la famille. Cela ne veut pas dire que le système ne peut pas être assez souple pour donner à l'enfant une certaine liberté de se servir tout seul, mais l'autorité finale doit rester aux parents.

Si les parents ne peuvent pas démontrer leur autorité dans ce domaine comment pourraient-ils prétendre être des autorités?

C'est le légitime et nécessaire exercice de leur responsabilité et de leur autorité qui permet aux parents de limiter le moment de manger à certaines heures de la journée. La plupart des enfants ont besoin d'une collation au milieu de la matinée et d'une autre au milieu de l'après-midi, alors prévoyez-en une ou les deux selon l'âge de l'enfant et l'organisation des repas.

Il existe une façon détendue et éprouvée d'annoncer l'heure de la collation, tout en affirmant votre autorité de gardien du garde-manger. Je suppose qu'il y a bien quelque part dans votre maison, probablement dans la cuisine, un cadran relativement large. Prenez une feuille de papier et dessinez-en un semblable, moins les aiguilles. Puis, décidez de l'heure de la collation. Alors, dessinez les aiguilles sur votre cadran de papier de façon qu'elles indiquent l'heure de la collation. Collez le cadran de papier à côté du cadran véritable, appelez votre enfant et dites-lui: "Quand les aiguilles du vrai cadran seront comme celles du cadran en papier, je te donnerai une collation. Maintenant, tu vois, tu peux dire quand c'est l'heure de la collation."

Il y a peu de chances qu'un enfant d'âge préscolaire fasse immédiatement le lien, alors attendez-vous à ce que ses demandes ne tombent pas juste pendant plusieurs jours. Dans ce cas, montrez-lui simplement les deux cadrans, faites-lui remarquer qu'ils ne sont pas "pareils" et affirmez-lui à nouveau que lorsqu'ils le seront, elle aura sa collation comme promis.

N'oubliez pas de lui montrer ce que vous entendez par "pareil", quand l'heure magique est arrivée.

Des techniques comme celle-ci sont particulièrement efficaces quand vous voulez établir des habitudes avec un jeune enfant. Les enfants ont souvent besoin de choses qui leur rappellent visuellement les règles, les heures et les autres limites qui autrement restent invisibles.

Les couvertures de sécurité

Les grands ne savent vraiment pas grand-chose des enfants. Nous aimons à croire que nous savons tout, mais rien ne contredit plus cette prétention que les choses qui nous perturbent.

Prenez, par exemple, le petit Mario. Il va avoir cinq ans la semaine prochaine et il trimballe encore une couverture partout où il va. C'est-à-dire que ce morceau de tissu déchiré et usé *était* autrefois une couverture. Il y a très longtemps, c'était la couverture qui le tenait au chaud dans son moïse. Puis elle l'a accompagné dans son berceau et puis dans son lit et puis... Où va Mario, va ce-qui-était-autrefois-une-couverture.

"Qu'est-ce qui se passe avec Mario?" demandent ses parents. Il *doit* y avoir quelque chose qui ne va pas, parce que les enfants ne sont pas supposés promener avec eux une couverture pendant cinq ans. D'accord, Linus promène une couverture mais ce n'est que dans les bandes dessinées et là vous trouvez Linus adorable. Mais quand c'est votre petit Mario qui le fait, vous trouvez ça moins drôle.

Peut-être que Mario ne se sent pas en sécurité. Cela veut dire nerveux, n'est-ce pas? "Oh! mon Dieu, s'exclament nerveusement ses parents, nous avons dû faire à Mario quelque chose de terrible pour qu'il soit si nerveux!"

Peut-être lui ont-ils retiré son biberon trop tôt. Ou peut-être l'ont-ils mis propre trop vite. La séparation... oui, ça doit être ça... quand ils ont eu cette grosse dispute et se sont séparés pour trois mois alors que Mario n'avait que vingt mois... Son papa lui manquait tellement. "Qu'est-ce que nous avons bien pu faire? Peut-être devrions-nous l'emmener voir un psychologue!"

Il faut faire quelque chose pour que Mario se sente assez en sécurité pour abandonner sa couverture. Il va à la maternelle l'automne prochain et sa monitrice va savoir quels horribles gens sont ses parents s'il rentre dans la classe en brandissant sa couverture aux yeux du monde entier.

"Allez, Mario, donne-nous cette couverture. Tu es grand garçon maintenant. Tu n'as plus besoin de cette vieille couverture qui sent mauvais. Si tu nous donnes cette couverture, nous t'achèterons une nouvelle bicyclette... Pourquoi ne veux-tu pas, Mario?"

Lui prendre sa couverture pendant qu'il dort? Lui dire que le père Noël l'a prise? Pourquoi ne pas faire venir la fée des couvertures qui lui laissera un peu d'argent en échange?

Non, il ne faut pas la lui arracher; cela pourrait le faire se sentir encore *moins* en sécurité. Et il pourrait alors se mettre à sucer son pouce. Et cela continue ainsi sans arrêt dans la tête des parents de Mario.

Mais le problème avec Mario, ce n'est pas du tout Mario. Le problème, c'est *ses parents*.

Les grands doivent avoir réponse à tout. Plus la réponse est compliquée, plus nous y croyons avec une foi aveugle. En devenant grands, beaucoup d'entre nous oublient comme la vie peut être simple.

Les grands sont perturbés et même effrayés par les choses qu'ils ne comprennent pas, par exemple, les enfants.

Quand les grands ne comprennent pas quelque chose, ils tissent des couvertures de sécurité avec des mots et appellent ça des explications. Parfois ces explications deviennent lourdes et encombrantes. Quand elles deviennent suffisamment compliquées, elles deviennent des fictions.

C'est ce qui est arrivé aux grands de Mario. Ils ne comprennent pas le peu d'importance qu'a la couverture, parce qu'ils ne voient plus le monde de façon simple. Ils ont appris trop de mots.

Ils ne comprennent pas pourquoi Mario veut sa couverture avec lui partout où il va et cela les dérange. Le petit voisin de quatre ans ne traîne pas de couverture, lui. Mario est différent. Les parents de Mario pensent que quelque chose ne va pas, alors ils inventent une fiction pleine de dragons et de démons et, en très peu de temps, la couverture devient la chose la plus importante de la maison. La question de la couverture prend de telles proportions qu'elle étouffe le bon sens de chacun.

— Hé, Mario! Rien qu'entre nous, parle-moi de ta couverture.

— J'l'aime, c'est tout.

C'est pourtant assez simple. D'un autre côté, peut-être en fin de compte que Mario *ne* se sent *pas tout à fait* en sécurité. Après tout, tout le monde essaie de lui prendre sa couverture.

"Chucher chon pouche"

Jusqu'à récemment, ma fille Amy stationnait son pouce dans sa bouche quand elle s'ennuyait, était fatiguée, maussade ou tout simplement renversée. Et cela ne me dérangeait pas. Elle avait commencé à améliorer cette technique le jour de sa naissance.

Ce n'est pas tout le monde qui réagit à cela comme je le fais. Pas mal de gens pensent que quelque chose ne va pas pour toutes les Amy de ce monde.

Sucer son pouce défie les conventions et c'est ce qui met les adultes mal à l'aise. Tant que les adultes trouvent des "raisons" à quelque chose, ça va. Alors, ils en ont inventé quelques-unes pour expliquer pourquoi, occasionnellement, un pouce peut se trouver où il ne devrait pas. Choisissez:

La “Théorie des nerfs” prétend que “chucher chon pouche est un chigne d’inchécurité”. Pour les parents qui avalent ça, un enfant qui suce son pouce leur rappelle constamment quels monstres ils sont. Ils sont particulièrement affolés quand leur enfant suce son pouce en public, faisant connaître ainsi au monde entier sa misérable condition.

Une autre théorie, que d’aucuns attribuent à un certain Sigmund Freud, affirme que les enfants sucent leur pouce parce que, bébés, ils ont subi un traumatisme associé au sein ou au biberon. Ces pauvres enfants grandissent en suçant un sein substitut après l’autre: des cigarettes, des pailles, des tubes, des bonbons, n’importe quoi. Adultes, ce sont eux les pervers qui préfèrent boire leur bière directement à la bouteille.

Il est parfois plus facile aux petites filles de faire accepter leur sucement du pouce qu’aux petits garçons. Il y a même des gens qui trouvent qu’une fille qui suce son pouce est “mignonne” (jusqu’à ce qu’elle aille à l’école). Un garçon qui suce son pouce est en danger mortel de devenir efféminé, du moins c’est ce qu’on dit. La solution? Couvrir le doigt coupable d’un liquide vomitif incolore. Cela lui apprendra à être un homme.

Il y a aussi les histoires d’horreur, histoires de coucher spéciales pour suceurs de pouce: “Il était une fois un prince-grenouille qui suçait son pouce. Quand il fut grand, ses dents étaient de travers, ses yeux louchaient, ses oreilles étaient décollées et flottaient au vent, il attrapa une grave maladie, ses joues devinrent creuses et la princesse ne voulut pas l’épouser.” Le bout des joues creuses les attrape à tous les coups.

J’ai ma propre théorie. C’est grâce à leurs pouces que les gens peuvent construire les choses dont ils rêvent, comme des fusées ou des machines à remonter le temps. Un enfant qui suce son pouce dit: “J’aime mon pouce. J’aime être un humain.” Est-ce que ce n’est pas mieux que l’histoire des nerfs et du visage à la Alfred E. Newman?

En autant que je sache, les enfants sucent leur pouce simplement parce que c’est bon. Sucer son pouce calme et détend l’enfant. C’est une source de plaisirs portative, toujours à portée de main! La réponse à la question de savoir pourquoi certains enfants sucent leur pouce et d’autres non est simplement: “Parce que.” Ce n’est pas plus significatif que d’aimer les épinards ou pas.

Alors, on fait toute une histoire à propos de quelque chose plutôt sans grande signification. Un enfant ne va pas arrêter de sucer son pouce à cause du ridicule, des menaces, des critiques, des supplications ou des punitions. Ces mesures de "persuasion" peuvent, en fait, créer un problème là où il n'y en avait pas au départ.

Un enfant ne peut distinguer les sentiments que nous lui communiquons à propos de son sucement du pouce des sentiments qu'il a à son propre sujet en tant que petite personne. Si on le harcèle avec son pouce, il y a gros à parier qu'il va commencer à se sentir mal dans sa peau. Il peut s'isoler et passer plus de temps tout seul afin de pouvoir sucer son pouce en paix ou tenter de combattre son sentiment d'insécurité grandissant en suçant de plus en plus. Là où il y avait autrefois un enfant sain qui suçait son pouce par plaisir, il y a maintenant un enfant qui suce pour soulager l'anxiété et le malaise qu'il éprouve de penser que quelque chose ne va pas chez lui.

Si votre enfant suce son pouce, laissez-le tranquille. Si vous devez absolument en parler, dites quelque chose du genre: "Hé là! Je vois ton pouce dans ta bouche. Je parie que c'est drôlement bon. Tu sais quoi? Je t'aime."

Un de ces jours, quand il en aura envie et qu'il se sera formé d'autres intérêts, il arrêtera de sucer son pouce, mais ce sera à *son* moment à lui, *pas* au vôtre.

La discipline dans les endroits publics

Maman m'emmène au magasin
Pour acheter et passer le temps
Mais moi j'ai autre chose en tête
Par exemple, ça me dit de jouer!

Pendant qu'elle se cherche une robe
Je me sauve et puis je me cache;
Je me glisse sous une table
Et j'y trouve un autre bambin.

Maman m'a trouvée dans l'maquillage
Je jouais avec mon ami.
Ensemble, on s'amusait bien;
Maman m'a dit: insupportable.

J'ai pleuré pour qu'elle me prenne,
J'ai dit que j'avais mal aux pieds.
J'ai pleuré parce que j'avais faim
Et puis j'ai pas voulu manger.

J'voulais des jouets, elle a dit: "Non!"
Alors j'ai piqué ma crise.
J'ai crié, tapé, tiré mes cheveux:
Quand j'ai eu un jouet, j'ai arrêté.

J'ai enlevé mes souliers là-dedans
Mais j'me souviens pas où.
Maman est devenue toute rouge
Et m'a acheté une autre paire.

À la maison maintenant, maman se repose
Moi je joue avec son stylo
Quand elle s'lèvera, j'vais lui demander:
"Quand est-ce qu'on r'tourne au magasin?"

Contrôler les enfants dans les endroits publics est un problème épineux, sans l'ombre d'un doute. Si vous criez après eux ou leur donnez une fessée, tout le monde vous regarde et vous vous sentez pire qu'un ver de terre. Si vous regardez ailleurs, les enfants jouent à cache-cache avec vous (devinez qui doit chercher l'autre?), ou ils cassent quelque chose ou ils se servent en bonbons ou quelque chose d'aussi horrible que cela. Si vous les tenez par la main, ils se débattent. Si vous ne le faites pas, ils courent partout. Le magasinage peut être du sport.

Essayez ceci. D'abord établissez une liste de règles à observer dans les endroits publics. Ce pourrait être quelque chose comme ça:

1. Tu marches avec moi et tu restes près de moi. Je ne te prendrai pas par la main, sauf si tu le veux.
2. Tu restes tranquille dans le magasin. Tu ne cries pas, tu ne hurles pas et tu ne piques pas de colère.
3. Tu marches. Tu ne cours pas.

Ces trois règles suffisent à couvrir la plupart des passe-temps préférés des enfants dans les endroits publics. De plus, trois c'est probablement tout ce que l'enfant peut se rappeler.

Ensuite, vous découpez des "tickets" dans du carton dur de couleur. Quand c'est fait, vous êtes prête à rencontrer votre jeunot. Vous êtes la présidente (le présiparent?) de cette réunion. Commencez en disant: "Line, tu te demandes probablement pourquoi nous avons cette petite conversation, eh! bien, je vais te le dire. Nous allons parler d'aller au magasin, Line, et après en avoir parlé nous prendrons la voiture et nous irons. Quand nous allons au magasin, je me fâche parce que tu cours partout, tu cries, tu hurles, et tu piques des colères quand tu veux des jouets, et tu t'échappes. Je ne ris pas, Line.

"Je vais te dire quelles sont les règles avant que nous partions pour le magasin. La première est: tu marcheras avec moi et tu resteras près de moi pendant que je ferai mes achats. Je ne te tiendrai pas par la main, sauf si tu le veux. La deuxième règle..." Et ainsi de suite.

Quand vous avez fini d'énoncer les règles, sortez les "tickets" et dites: "Avant de partir, je vais te donner ces tickets. Ils sont à toi, ne les perds pas. Chaque fois que tu enfreindras une règle, je te prendrai un ticket. Si tu perds tous tes tickets au magasin aujourd'hui je ne te laisserai pas sortir pour jouer après dîner (ou une autre activité tout aussi désirable). Il doit te rester au moins un ticket pour pouvoir jouer dehors ce soir. Tu as compris? Bien. Alors, allons au magasin voir si tu respectes les règles."

Une fois au magasin, repassez les règles en revue, dans le stationnement, donnez les tickets à Line, rappelez-lui le marché que vous avez passé et allez-y. Si Line enfreint une règle, dites: "tu as couru. La règle dit que tu dois marcher. Donne-moi un ticket pour avoir enfreint la règle." Si vous devez prendre son dernier ticket, faites-le sans trop d'histoire mais rappelez calmement à Line quelles en sont les conséquences, au cas où elle aurait "oublié".

Le nombre de tickets devrait varier en fonction du temps que vous prévoyez passer au magasin. Commencez par évaluer le nombre d'heures que vous pensez passer hors de la maison, ajoutez un à ce nombre et donnez un nombre de tickets égal au total ainsi obtenu. En d'autres mots, si vous pensez que ce sera une sortie de deux heures, donnez trois tickets.

Essayez de vous rappeler quand vous étiez petite, quelle torture c'était pour vous de magasiner avec vos parents. Quand les enfants s'ennuient ou sont fatigués, ils sont plus susceptibles de se mal conduire. Alors, ne vous attendez pas à ce qu'un enfant d'âge préscolaire vous suive joyeusement pendant plus d'une heure. Amenez une poussette ou prenez le temps d'en chercher une au magasin (beaucoup de magasins en fournissent).

Le marché à propos des tickets devrait porter sur un privilège dont l'enfant s'attend normalement à jouir à la maison, le jour même. Ne proposez pas des récompenses telles que de la crème glacée ou un tricycle pour sa bonne conduite.

Je dois cette idée à Won Sung Lo de la blanchisserie irlandaise Won Sung Lo qui inventa la phrase: "Pas de ticketage, pas de lavage."

Comment survivre en voyage

Un de mes amis a un cauchemar récurrent dans lequel il est menotté au volant d'une voiture qui roule sur une autoroute à quatre voix déserte. Il y a deux enfants sur la banquette arrière qui se gavent de cochonneries. Dans son rêve, l'autoroute n'a pas de voies de sortie. Les enfants sautent sur la banquette, crient qu'ils ont envie d'aller à la toilette, se battent pour des jouets, pleurent et demandent sans arrêt: "Quand est-ce qu'on arrive?"

Mon ami devrait être heureux que ce ne soit qu'un cauchemar. Je connais bien des parents pour qui ce cauchemar n'est que la triste réalité. Les banquettes arrière n'ont pas été conçues pour les enfants. Elles sont oppressantes et ennuyantes, et c'est demander beaucoup à un enfant (à tout être humain) que d'exiger qu'il reste assis tranquillement là-dessus pendant un temps assez long.

L'ambiance de toute une période de vacances est établie pendant le voyage, mais il n'y a aucune raison pour que celle du voyage en auto soit faite de colère et de frustration. Les parents peuvent s'épargner à eux-mêmes et à leurs enfants beaucoup de misères en prévoyant soigneusement les besoins de chacun pendant le voyage.

Pour commencer, remplissez à ras bord un petit réfrigérateur portatif de diverses collations saines et sans sucre. Par exemple, des raisins, des carottes et des morceaux de céleri, des arachides grillées, des craquelins, des sandwichs au beurre d'arachide, des fruits et de bonnes vieilles boissons démodées comme le jus de pomme et le jus d'orange.

Laissez les enfants manger librement: rien que le fait de manger les aidera à rester calmes. Écartez les cochonneries du menu. Le sucre raffiné (et souvent la caféine) qui s'y trouvent bourre les enfants d'une sur-dose d'énergie instantanée qui transforme la voiture en cocotte-minute. Si vous éliminez toute la nourriture et les boissons sucrées du menu de voyage, les enfants n'auront probablement pas aussi souvent besoin d'aller à la toilette. Qu'est-ce que vous dites de ça? D'une pierre deux coups!

Remplissez un sac de toile ou une boîte de livres, de livres à colorier, de crayons de couleurs (les crayons de cire fondent sur la lunette arrière) et d'autres "jouets de voyage" qui retiennent l'attention et l'intérêt des enfants. Gardez le tout sur le siège avant et qu'un adulte fasse office de "bibliothécaire" et de "prêteur de jouets". Quand vous sentez qu'un enfant perd son intérêt pour un jouet, reprenez-le et donnez-lui-en un autre à la place.

Cela peut aider également de varier les places pendant le voyage. Par exemple, les adultes peuvent alternativement prendre le volant et s'asseoir en arrière avec un des enfants. Séparer ainsi les enfants, au moins pendant une partie du temps, peut être une bonne idée. Un enfant plus âgé peut s'asseoir devant avec celui qui conduit, quel qu'il soit, pendant que l'autre adulte occupe les plus jeunes en arrière, en leur racontant des histoires ou en leur faisant tranquillement la conversation.

Les jeux verbaux sont drôles et même le conducteur peut jouer. Les jeux de rimes (qu'est-ce qui rime avec "chat"?), les devinettes (je vois quelque chose de vert. Qu'est-ce que c'est?) et les charades (je suis un animal à long cou qui mange les feuilles des arbres... qui suis-je?) sont de bonnes idées pour garder tout le monde dans un bon état d'esprit.

Prévoyez des arrêts à intervalles réguliers, pour que chacun puisse se dégourdir les jambes et vider sa vessie. Essayer de voyager plus de six à huit heures par jour avec des enfants peut mener facilement au désastre. En partant au milieu de la nuit, ma famille a pourtant réussi une fois à rouler douze heures d'affilée, sans se changer en une bande de crétins délirants. Délirants peut-être mais pas encore jusqu'au crétinisme.

Il y a même une réponse créatrice à la question: "Que faire s'ils se tiennent mal dans la voiture?" C'est un jeu que j'appelle "les tickets". Tout ce dont vous avez besoin pour jouer c'est de petits rectangles de carton coloré.

Avant de monter dans la voiture, expliquez aux enfants les règles qu'ils devront observer pendant le trajet. Que la liste soit brève. Par exemple: 1) on doit boucler sa ceinture; 2) pas de chicane ni de discussion; 3) ni cris ni hurlements; 4) ne rien jeter par la portière et 5) chaque enfant n'a le droit de poser qu'une fois la question: "Quand est-ce qu'on arrive?"

Rappelez aux enfants que des plaisirs spéciaux les attendent au bout du voyage (nager, explorer, jouer avec leurs cousins, par exemple). Puis, le clou: "Je donne cinq tickets à chacun d'entre vous. Chaque fois que vous enfreindrez une règle, je vous enlèverai un ticket. Si vous vous battez, j'enlèverai un ticket à chacun, peu importe celui qui aura commencé la bagarre. Quand nous arriverons à la plage, vous devrez avoir au moins un ticket pour pouvoir vous baigner. S'il ne vous en reste plus, vous devrez rester assis près de moi sur la plage pendant trente minutes."

Ça marche, croyez-moi. Faites bien attention à la punition, c'est bien assez de promettre de supprimer un plaisir spécial pendant un temps assez bref. Les vacances ne sont pas faites pour éprouver de la peine. De plus, si l'un d'entre vous est malheureux, tout le monde le sera. Le nombre des tickets peut varier avec la durée prévue du voyage, peut-être un ticket par heure, jusqu'à un maximum de cinq ou six.

Bonnes vacances! Prévoyez bien, conduisez prudemment et n'oubliez pas l'huile solaire.

Les folies du préscolaire

Question: Mon fils a quatre ans. Il n'a jamais été un enfant parfait et je ne veux pas non plus qu'il le soit, mais il a tout de même toujours été facile à élever. Il se conduit mal parfois mais mon mari et moi faisons respecter les règles et rien n'est jamais hors de contrôle.

Mais il donne du mal à ceux qui s'en occupent à la garderie. Je ne travaille pas mais je le mets à la garderie pour qu'il puisse être avec d'autres enfants. Il y va seulement le matin. Chaque fois que je vais le chercher, la responsable a quelque chose à me dire sur ce qu'il a fait. Il nous semble que ce sont des bricoles mais elle est ennuyée parce que cela se produit très souvent. Par exemple, l'autre jour, il a baissé sa culotte dans la cour de récréation. La semaine précédente, il a tiré la langue à la monitrice et a ri tandis qu'elle le poursuivait autour de la pièce.

Ce que je ne comprends pas c'est pourquoi il n'est pas comme ça à la maison. Est-ce qu'il se révolte pour pouvoir passer plus de temps avec moi? Est-ce que je ne m'occupe pas assez de lui à la maison? Voulez-vous me dire ce que je devrais faire.

Réponse: Tout d'abord, laissez-moi vous dire que les enfants s'arrangent toujours pour qu'on s'occupe suffisamment d'eux, où qu'ils soient. Une partie de l'attention qu'ils obtiennent est positive (félicitations, intérêt, enthousiasme et encouragement) et l'autre négative (critiques, punitions, réprimandes). Les enfants ont plutôt besoin de réactions positives mais ils s'efforceront d'obtenir l'attention qu'ils peuvent, qu'elle soit positive ou négative.

Il semble que vous soyez sensible aux besoins de votre enfant. Vous le mettez à la garderie pour qu'il puisse être avec d'autres enfants, vous faites respecter les règles et ainsi de suite. Je devine qu'il reçoit plus d'attention positive que négative de vous et de votre mari.

Parfois, cependant, c'est plus *drôle* de s'efforcer d'obtenir de l'attention négative. Par exemple, ne serait-il pas drôle de baisser sa culotte pour entendre tout le monde crier et hurler? Et ne serait-il pas drôle de se faire poursuivre dans toute la pièce par la monitrice? Avec certains adultes, cela ne marche pas bien, mais il y en a d'autres au contraire qui mordent à tous les coups. Votre fils ne fait rien de méchant, il ne fait mal à personne et il s'amuse comme un petit fou à faire ce que tous les autres enfants (et la plupart des adultes, également) aimeraient avoir le culot de faire.

On peut appeler ça le syndrome du clown de la classe. Une fois l'enfant piqué, c'est presque impossible à guérir. En fait, je doute que nous voulions même le guérir. Le clown de la classe est doué d'un irrépressible sens de l'humour, d'un goût pour l'absurde et d'une imagination qui défie les conventions.

Ce à quoi tout cela aboutit c'est à un enfant heureux et extrêmement créateur. Les enfants heureux, créateurs, si on ne leur donne pas assez d'occasions d'utiliser leurs talents de façon constructive, s'en serviront de toutes les façons possibles. Qu'y a-t-il de plus excitant et de plus créateur que d'attirer un adulte dans votre jeu et de le battre à ce jeu? Le problème, c'est que certains adultes ne peuvent pas supporter d'être battus par un enfant.

Le comportement de votre fils peut être un signe qu'il est avec le mauvais groupe d'âge, à la garderie. Peut-être irait-il mieux avec des enfants de cinq ans. Ou peut-être le programme de la garderie est-il trop structuré pour lui. En règle générale, les enfants créateurs ont besoin de moins de structures et de possibilités plus ouvertes d'explorer, de découvrir et de faire des expériences sur leur environnement. Peut-être un autre programme serait-il la réponse. Faites un peu de magasinage et voyez ce que d'autres garderies peuvent offrir.

Peut-être la garderie n'est-elle pas la réponse à ses besoins. Explorez d'autres possibilités comme la natation, la danse, la gymnastique (les cabrioles) ou des cours d'art.

Il y a cependant une petite question à considérer: baisser sa culotte et tirer la langue aux adultes, c'est drôle et ça attire l'attention de tout le monde; mais, ce n'est pas un comportement souhaitable en public.

La monitrice pourrait aussi bien ignorer ce comportement. Malheureusement, ce genre d'attitude ne marche tout simplement pas. Il n'y a aucun moyen d'empêcher qu'un groupe d'enfants de quatre ans rie et crie quand quelqu'un baisse sa culotte. Oubliez ça.

La monitrice pourrait isoler votre fils pendant cinq minutes, quand ce genre de comportement se produit. Mais dans ce cas, cependant, je doute que cela suffise. Si votre fils s'ennuie, il a besoin de plus de stimulation et la monitrice doit lui en donner avant qu'il ne s'en donne lui-même en baissant sa culotte à nouveau. Si la monitrice n'est pas capable de le placer davantage dans des situations positives, il vous faut envisager les suggestions que je vous faisais plus haut à propos d'un autre groupe d'âge ou d'un autre programme.

Si vous trouvez que le programme est exactement ce que vous voulez pour lui et que vous vouliez le laisser là, demandez à la monitrice de vous faire quotidiennement un bref résumé de ses mauvaises conduites. À la maison, enlevez-lui alors des privilèges en rapport avec le nombre d'incidents qui se produisent à la garderie. Par exemple, un incident à la garderie, et il ne pourra pas faire de la bicyclette ce jour-là. Deux indicents et il n'ira pas dehors l'après-midi. Trois incidents et il ne pourra pas faire jouer ses disques le soir. Mais quoi que ce soit que vous fassiez, ne lui offrez pas de récompense spéciale pour avoir été "gentil".

Contentez-vous de le prendre dans vos bras, de l'embrasser et de lui dire que vous êtes ravie qu'il se soit trouvé d'autres façons de s'amuser. Parlez-lui de ces autres façons. Après tout, qu'y a-t-il de plus spécial que l'amour et l'attention des parents?

Les gambades du jardin d'enfants

Les professeurs de Richard, au jardin d'enfants, disaient qu'il était "incontrôlable". Le médecin de Richard disait qu'il était "hyperactif". Ses parents le trouvaient "terrible".

La première fois que j'ai vu Richard, il était en train de courir d'un bout de la classe à l'autre, en faisant des bruits déments, comme ceux d'une machine. Et pas seulement courir et faire des bruits, s'il vous plaît, mais pousser et frapper les autres enfants qui avaient le malheur de se trouver sur son chemin.

Le problème, c'était que personne ne savait vraiment ce que Richard allait bien pouvoir faire l'instant d'après, alors vous preniez une chance rien qu'à vous trouver dans la même pièce que lui. Une chose était sûre: ses professeurs méritaient une prime de combattants.

"Vous voyez ce que je veux dire?" me dit le professeur qui m'avait demandé de venir observer Richard.

Je voyais très bien. Quelques secondes plus tard, je l'ai même senti: Richard m'a rencontré sur sa route, a rebondi et s'est remis à courir. Ça y était. L'hyperactivité de Richard était définitivement enregistrée.

D'abord, ses professeurs établirent une liste de toutes les "vilaines" choses que Richard faisait au jardin d'enfants. Cela consistait en descriptions concrètes, spécifiques que Richard lui-même pouvait facilement comprendre. Une fois finie, la liste se lisait un peu comme suit: 1) Richard court dans la classe; 2) Richard frappe les autres enfants; 3) Richard attrape les gerbilles par la queue; 4) Richard dit: "Cause toujours" quand un professeur lui dit de faire quelque chose, et ainsi de suite. Il y avait trente-sept points sur la liste.

Puis, ses professeurs marquèrent dix fiches de un à dix, firent un petit trou au centre en haut de chaque fiche et les suspendirent à un clou au mur de façon que le numéro "dix" soit sur le dessus. Elles plantèrent un second clou dans le mur à côté du premier.

Alors, les professeurs de Richard et moi avons rencontré sa mère. Elle non plus n'en pouvait plus avec Richard. "Je ferai n'importe quoi", assura-t-elle.

"Est-ce que vous êtes prête à venir reprendre Richard pour l'emmener à la maison, les jours où cela ira vraiment mal?" lui demandai-je. (La mère de Richard restait à la maison avec un enfant plus jeune, dans la journée). "Si cela peut aider, je le ferai sûrement", répondit-elle.

Une fois réglés les préliminaires, nous avons expliqué notre plan à Richard, en commençant par une récapitulation attentive de sa liste de "mauvaises actions". Nous lui avons dit que chaque fois qu'il ferait quelque chose d'inscrit sur la liste, il se passerait deux choses: d'abord, il irait s'asseoir pendant cinq longues minutes sur une chaise, dans un coin. Un professeur déclencherait une minuterie de façon que Richard sache quand les cinq minutes seraient écoulées. En plus, un professeur enlèverait la fiche du dessus de la pile et l'accrocherait à l'envers sur le second clou. À mesure que chaque fiche serait ainsi déplacée, Richard pourrait voir combien il lui en restait.

S'il refusait d'aller sur sa chaise ou discutait quand on l'y envoyait, on déplacerait une autre fiche. Même chose, s'il sortait de sa chaise avant que la sonnerie retentisse.

Même chose encore, si, dans sa chaise, il faisait du bruit ou dérangeait d'une façon ou d'une autre.

Si on devait en arriver à la dernière fiche, un professeur téléphonerait à la mère de Richard. Elle viendrait alors le chercher pour le ramener à la maison où il resterait dans sa chambre pour le reste de la journée, à l'exception du dîner avec la famille.

Le plan reposait sur l'idée que Richard préférerait être au jardin d'enfants où tout se passait, plutôt que dans sa chambre où il ne se passait vraiment pas grand-chose.

Le premier jour (un lundi): vers neuf heures quarante-cinq, Richard avait déjà perdu ses dix fiches. Le deuxième jour, elles étaient parties, et lui avec, avant le déjeuner.

Le troisième jour: Richard réussit à tenir jusqu'à quatorze heures trente. Le jeudi et le vendredi, il parvint à s'accrocher à la dernière fiche jusqu'à la fermeture du jardin d'enfants. Cela marchait. Richard était entré dans le jeu.

Alors, quand il arriva au jardin d'enfants, le lundi suivant, il vit la fiche numéro huit au sommet de la pile.

"Comment ça se fait?" demanda-t-il.

"Tu n'as *besoin* maintenant que de huit fiches, Richard. Tu te tiens déjà beaucoup mieux. De plus, l'idée du jeu c'est que tu y deviennes si bon que tu n'aies plus besoin de la moindre fiche."

La mère de Richard ne dut venir le chercher que deux fois cette semaine-là.

Le lundi de la troisième semaine, il n'y avait plus que six fiches dans la pile.

"C'est pas juste!" s'écria Richard.

"Nous t'aimons bien, Richard" répondirent ses professeurs.

Richard ne retourna à la maison qu'une fois cette semaine-là.

La pile n'arrêtait pas de diminuer et Richard continuait à s'améliorer à ce jeu. Deux mois après le début de ce plan, nous avions réussi à supprimer toutes les fiches, étant entendu malgré tout que nous "recommencerions le jeu" si Richard se remettait à ses anciennes facéties. Mais Richard n'eut plus jamais à rentrer à la maison.

Incontrôlable? Hyperactif? Plus maintenant.

Qu'est-ce que vous dites de ça?

L'ahurissement de l'école

Il y a plusieurs années, un professeur de deuxième année me demanda mon avis au sujet d'une de ses élèves, une petite fille de sept ans, qui, six semaines après le début de l'école, avait réussi à remporter le trophée de "la plus grande perturbatrice de deuxième année" simplement, croyez-le ou non, en posant des questions.

Certes, la petite Julie aux yeux bleus posait, d'après le premier estimé de son professeur, pas loin de cent questions par jour. Le professeur, un vétéran de treize campagnes de deuxième année, habituellement patient, montrait des signes indubitables d'ébranlement nerveux tandis que nous parlions tous deux dans le corridor de l'école. Elle n'arrêtait pas de s'excuser de prendre mon temps pour de telles bricoles ("vous devez me trouver stupide"), grinçait des dents, ses mains n'arrêtant pas de sortir et de replonger dans les poches de son manteau telles une paire d'oiseaux-mouches affolés, montrant les symptômes classiques de la démission subite en cours d'année.

À ce moment précis, la porte de la classe s'ouvrit et il en sortit (comme je l'appris rapidement) la célèbre Julie aux yeux bleus elle-même. "Madame Dumont?"

Aussitôt, les mains furieusement agitées, madame Dumont lança les yeux vers le bout du corridor, mesurant, j'en suis maintenant sûr, la distance qui nous séparait de la sortie. Pendant quelques instants, ses yeux n'arrêtèrent pas d'aller de Julie à la liberté, avant de finalement s'immobiliser sur le visage levé de l'enfant.

"Euh, oui, Julie, qu'est-ce que tu veux?" Ses lèvres se crispaient en un mince sourire par-dessus des dents serrées.

"Est-ce que c'est comme ça qu'on écrit mon nom?"

Madame Dumont se crispa et il me sembla voir ses mains se ruer vers l'enfant avant de revenir rapidement vers ses poches, mais ce fut trop rapide pour que j'en sois sûr. "Oui, Julie, balbutia-t-elle, c'est comme ça qu'on fait, euh, qu'on épelle ton nom, qu'on l'écrit plutôt", puis, avec un grand effort: "la façon dont tu dois écrire ton nom, maintenant rentre dans la classe je vais revenir dans une minute."

Comme Julie disparaissait derrière la porte, madame Dumont me regarda avec une des expressions les plus pitoyables que j'aie jamais vues sur le visage d'un adulte.

"Aidez-moi", fut tout ce qu'elle parvint à dire.

Un compte rapide pendant le reste de la journée montra que Julie posait entre six et dix questions par heure et que son rythme ne diminuait jamais. La chose la plus étonnante c'est que madame Dumont ait été capable de tenir ne serait-ce que six jours, et à plus forte raison six semaines.

Presque toutes les questions de Julie étaient inutiles, en ce sens qu'elle connaissait déjà probablement les réponses ou que du moins elle aurait pu les trouver. L'intelligence, ou son absence, *n*'était manifestement *pas* le problème.

En fait, la seule question que posait Julie sous des formes diverses tout au long de la journée, c'était: "Voulez-vous me confirmer que je suis bien quelqu'un d'important ici?"

Le problème allait être de l'amener à poser moins de questions tout en se sentant mieux dans sa peau.

Pour commencer, je suggérai à madame Dumont de dessiner un grand point d'interrogation sur douze fiches différentes.

Un peu plus tard, elle prit Julie à part et lui dit à quel point elle l'appréciait (et c'était vrai, d'ailleurs) mais qu'il fallait que Julie commence à essayer de trouver toute seule les réponses à ses questions. Madame Dumont proposa à Julie de l'aider à pratiquer "la réponse sans aide" en lui donnant les fiches en guise de "pense-bête".

Chaque fois que Julie venait voir madame Dumont avec une question, elle devait lui donner une fiche en échange de la réponse. Quand Julie aurait épuisé ses douze fiches, madame Dumont refuserait de répondre à toute autre question, ce jour-là.

Julie commençait chaque nouvelle journée avec douze fiches. Chaque fois qu'elle avait une question à poser, madame Dumont lui demandait: "As-tu bien réfléchi, Julie?" puis, "Es-tu prête à me donner une fiche pour avoir la réponse?"

Julie comprit très vite. Après une semaine, elle posait moins de dix questions par jour, la plupart "nécessaires".

Julie se sentait importante parce que madame Dumont avait fait quelque chose de spécial, rien que pour elle. Elle avait aussi appris quelque chose d'utile sur l'indépendance.

Les mains de madame Dumont cessèrent de s'agiter et elle finit son année en pleine forme.

La folie matinale

Question: Je vous écris par désespoir. Mon problème peut paraître trivial, mais il me rend complètement folle. Mon mari et moi, nous travaillons tous les deux et il faut que nous quittions la maison vers sept heures quarante-cinq tous les matins. En allant à mon travail, je dépose notre Jeannot, qui a quatre ans et demi, à sa garderie. Le problème c'est que tous les matins Jeannot joue, rêvasse et fait tout ce qu'on peut imaginer, sauf s'habiller.

Je lui prépare ses vêtements quand tout le monde se lève, à six heures trente et la bataille commence. Je commence par lui dire calmement de s'habiller mais je finis toujours par crier et même souvent par lui mettre ses derniers vêtements moi-même. La seule chose qu'il ne puisse pas faire tout seul, c'est de nouer ses lacets. Nous finissons tous par être furieux et la journée de tout le monde commence de cette façon misérable. Le problème, ce n'est pas que Jeannot est fatigué. Il se couche (aucun problème sur ce point) à vingt heures trente (après une histoire, il adore ça) et se lève en forme le matin. Mais il se trouve toutes sortes de raisons pour ne pas s'habiller. Pouvez-vous nous aider?

Réponse: Calmez-vous. Vos problèmes sont presque finis. C'est clair, Jeannot est un malin petit bonhomme. Assez malin pour s'apercevoir que lorsque maman et papa sont occupés et pressés, un moyen sûr d'attirer l'attention de tout le monde, c'est de *ne pas* coopérer. Après tout, à quoi rime cette précipitation? Qui voudrait se dépêcher pour être séparé de maman et papa pour toute la journée?

Vous avez fait deux remarques très importantes. D'abord, Jeannot *peut* s'habiller tout seul. Ensuite, il aime qu'on lui lise des histoires le soir. Si vous achetez une minuterie de cuisine (voir page 54), nous aurons là tous les ingrédients nécessaires à notre recette.

Maintenant, avec la minuterie à la main, que maman et papa s'asseyent avec Jeannot et lui disent: "Hé!, mon vieux, nous n'allons plus continuer à te crier après tous les matins pour que tu t'habilles. À la place, nous allons jouer à un jeu appelé: "Mets tes vêtements". Voici comment on y joue. Quand nous te réveillerons, nous placerons tes vêtements sur une chaise, dans ta chambre. Puis nous déclencherons la minuterie en la réglant sur quinze minutes et nous la placerons sur ta commode.

"Une fois déclenchée, la minuterie va faire tic-tac comme un réveil et quinze minutes plus tard, elle va sonner comme ça (faites sonner la minuterie). Si tu es entièrement habillé avant la sonnerie, tu as gagné. Ton prix c'est que tu choisis une histoire qu'on te lira le soir même. Cela vaut le coup, non?

"Mais si quand ça sonne tu n'es pas habillé, maman et papa t'habilleront. Seulement, comme tu n'auras pas gagné, tu n'auras pas d'histoire le soir."

Faites exactement ça. S'il gagne, faites-lui un triomphe, en lui disant qu'il s'habille très bien et ainsi de suite. Lisez-lui une petite histoire avant la garderie. S'il perd, habillez-le. Si vous devez le faire et qu'il proteste, dites-lui simplement que ce sont les règles et que vous voulez qu'il gagne demain. Il *va* se mettre à gagner, croyez-moi.

Vous pouvez raccourcir graduellement le temps que vous lui donnez jusqu'à ce qu'il puisse s'habiller à un rythme raisonnable. Un "tableau d'honneur" collé sur le réfrigérateur est une façon supplémentaire de le récompenser quand il gagne. On appelle cela la méthode "plus de traces de pas sur les murs" d'éducation des enfants.

Un remède au désordre

Question: Mon fils de sept ans est l'enfant le plus désordonné que vous ayez jamais vu. Il ne met jamais rien à sa place. Il ne pend jamais son manteau, son vélo est toujours en plein milieu de la cour, ses vêtements sales sont en tas là où il les a enlevés, ses livres atterrissent sur le divan quand il revient de l'école... est-ce que je dois continuer? J'ai l'impression d'être toujours en train de crier après lui mais rien ne change. Aidez-moi à ne pas m'arracher tous les cheveux!

Réponse: Les cris sont un piège tapissé de paradoxe. Plus vous criez, moins vous agissez. Un cri, c'est une menace et son volume peut pousser un enfant à suivre les instructions, mais une fois que l'onde de choc est passée, tout redevient comme d'habitude.

C'est aussi un gaspillage d'énergie. Vous investissez une part considérable de vous-même et vous n'obtenez rien de valable ni de durable en retour. Plus vous criez, plus vous vous épuisez, jusqu'à la banqueroute finale. Et votre enfant de sept ans est alors prêt à encaisser toute la monnaie.

Un cri est agressif mais pas assuré. C'est une expression de frustration et un aveu d'impuissance. En fait, le cri abandonne le contrôle de la situation à l'enfant, qui ne demande pas mieux que de se retrouver, au milieu de la tempête, aux commandes de la famille.

Il est essentiel que vous fassiez quelque chose de plus constructif que crier, avant que toute la famille ne se comporte comme si un enfant de sept ans tenait les rênes!

Prenez une feuille de papier et, sur le côté gauche, faites une liste de toutes les choses que votre fils "range mal": le vélo, son manteau, les livres de classe, les vêtements sales, les chaussures, etc. Soyez très spécifique, de façon qu'il n'y ait pas de place pour les méprises ("tu as seulement marqué *manteau;* je ne savais pas que tu voulais dire aussi mon *imperméable!*")

Puis, à droite de la première liste, faites-en une seconde qui dise *exactement* où doit aller chaque chose. Manteau... sur un porte-manteau dans le placard de l'entrée. Vélo... garé contre le mur de côté du garage. Les vêtements sales... dans le panier à linge de la salle de bains d'en haut.

Trouvez un moment de tranquillité pour vous asseoir avec votre fils et repasser les deux listes avec lui: "Toi et moi n'avons pas très bien fonctionné. C'est pourquoi j'ai fait cette liste pour qu'elle nous aide à savoir qu'elles sont les règles concernant les choses à ranger."

Après cette conversation, affichez la liste sur la porte du réfrigérateur ou dans tout autre endroit aussi visible. À côté, affichez une "feuille de pointage": une feuille avec sept cases en ligne représentant les sept jours de la semaine.

"Pendant les sept prochains jours, nous allons marquer la façon dont tu apprends les règles. Si une de tes affaires n'est pas à sa place, je te le dirai. Tu devras alors faire une croix dans la case du jour et remettre la chose en question à sa place. En échange, je promets de *ne pas* crier."

Pendant la semaine, surveillez la façon dont il se comporte, mais ne soyez pas toujours sur son dos. S'il refuse de faire lui-même une croix dans la case, faites-le pour lui. N'oubliez pas d'attirer son attention non seulement sur les choses qui *ne* sont *pas* à leur place mais aussi sur celles qui *y sont*, en lui faisant savoir que vous appréciez son aide. À mesure que la journée avance, parlez-lui de ses progrès, ou de son absence de progrès, de façon optimiste et sans faire d'histoire.

Ne lui offrez aucune gâterie pour un certain niveau de performance, mais si vous êtes vraiment remuée, vous pouvez récompenser plusieurs jours d'amélioration (ou une journée "parfaite") par une explosion spontanée d'affection et de gratitude: "Tu as très bien fait. Que dirais-tu de venir avec moi au restaurant pour une bonne tarte aux pommes?"

D'un autre côté, la semaine peut n'apporter aucun changement perceptible dans sa volonté d'obéir aux règles. Il peut ne pas être encore prêt à cesser de se battre avec vous. Dans ce cas, préparez-vous à lui proposer un "marché", à la fin de la semaine.

Sortez une autre feuille de pointage. Tracez un gros "quatre" en haut. Convoquez une seconde conférence au sommet. Avertissez-le qu'il devra rester trente minutes dans sa chambre quand il aura reçu son quatrième point de la journée et que chaque point additionnel lui vaudra immédiatement un autre trente minutes supplémentaire.

Puis vous n'avez qu'à appliquer les règles. En fin de compte, cela se résume à une question de confiance. Vous lui faites confiance pour respecter les règles et il apprend à vous faire confiance pour les faire respecter.

En suivant ce plan, ou une variante, vous changerez considérablement votre façon de traiter la situation. Vous définirez la nature du problème en termes clairs et précis. Vous lui fournirez des résultats précis, sans porter de jugement, sur la façon dont il respecte les règles. Enfin, vous aurez adopté une attitude d'autorité sur la question en faisant savoir à votre fils, fermement mais gentiment, quelle est votre position.

On peut s'attendre à ce qu'il tente de trouver les faiblesses du système. C'est son droit! Mais si vous tenez bon, il finira par accepter que vous refusiez de vous battre avec lui à propos "des choses et de leurs places".

Le martyre du chat

Question: Notre fils de dix-huit mois est toujours en train de tirer la queue du chat ou de l'attraper par le cou. Le punir et lui parler n'ont rien donné. Comment lui apprendre qu'il ne faut pas faire ça?

Réponse: À cet âge, votre fils est porté à toucher, tâter et presser tout ce qui se présente. Chaque pression, chaque coup est une façon de poser la question: "Qu'est-ce que tu es et qu'est-ce que tu fais?"

Les parents devraient rendre sûr l'environnement du bambin de façon qu'il puisse entrer en contact avec lui librement et sans danger.

Cela augmente également la tranquillité d'esprit des parents qui, sans cela, se battraient constamment pour empêcher l'enfant d'aller dans des endroits où il ne doit pas aller.

Lorsqu'un animal fait partie de l'univers de l'enfant, décidez comment traiter la curiosité de l'enfant à propos de cet animal. Une façon d'empêcher la frustration ou les bobos, c'est de séparer complètement l'animal de l'enfant, mais ce peut être incompatible avec la place que tient l'animal dans la famille.

Une autre solution consiste à tenir la main de l'enfant pour lui montrer comment caresser et manipuler l'animal. Mais ne comptez pas obtenir des résultats immédiats. Apprendre à un bambin à se maîtriser, à se montrer tendre et doux, demande beaucoup de patience.

Une autre façon de réagir à l'intérêt de l'enfant pour l'animal est de les laisser faire ce qu'ils veulent librement (ce qui veut dire généralement que la relation ira aussi loin que l'animal le voudra bien). Mon expérience personnelle me prouve que si l'animal se montre familier avec l'enfant et que l'enfant ne veuille pas lui faire de mal, il y a peu de chances qu'aucun des deux se fasse faire mal.

Quand mon fils avait l'âge du vôtre, nous avions un chat nommé Roy qu'Éric malmenait chaque fois que leurs chemins se croisaient. Au début nous avions peur qu'Éric puisse peut-être faire mal à Roy ou que Roy griffe Éric. Toutes les fois qu'Éric avait attrapé Roy, nous lui disions d'être gentil avec lui ou, un peu énervés, nous les séparions. Nous avons fini par remarquer que chaque fois qu'Éric l'attrapait, Roy devenait tout mou et supportait l'assaut en ayant l'air d'un vieux chiffon à vaisselle de l'année dernière. Après avoir ainsi constaté à quel point Roy se tirait bien d'affaire, nous avons cessé de nous préoccuper de la situation. Manifestement Roy survivait aux attaques et il semblait "savoir" qu'Éric ne lui voulait pas de mal.

Maintenant, écoutez, bonnes gens! Quand nous avons eu cessé de faire toute une histoire avec ça, Éric a arrêté de poursuivre Roy dans toute la maison.

Pour satisfaire ma propre curiosité, j'ai demandé l'opinion de plusieurs vétérinaires. Ils ont tous dit que si les parents s'inquiétaient de la façon dont l'enfant traitait l'animal, il valait mieux s'en séparer. Mais ils ne connaissaient que peu d'exemples d'animaux blessés par des bambins. Plus l'animal est petit (chatons et chiots), plus il est vulnérable aux blessures non intentionnelles. Ces vétérinaires pensaient aussi qu'il y a peu de chance qu'un animal domestique se venge d'un enfant et que, dans la plupart des cas, l'animal est capable de se protéger tout seul.

Une infirmière, responsable de salle d'urgence, me dit que, bien que le personnel de ces salles voie défiler beaucoup d'enfants blessés par des animaux, presque toutes les blessures impliquent des enfants plus âgés ou des animaux soit abandonnés, soit appartenant à une autre famille. Il est très rare, me dit-elle, de voir une blessure infligée à un bambin par l'animal de la famille. En fait, elle était incapable de se souvenir d'un seul incident de ce genre au cours de ses nombreuses années d'expérience.

Les jeunes enfants ont besoin d'être surveillés, animal ou pas. Pour le bien de l'animal, il est probablement à déconseiller d'élever en même temps des bambins et des chatons ou des chiots. Et pour la sécurité de l'enfant, tenez-le éloigné des animaux agressifs, des animaux errants et de ceux d'autres familles: ils peuvent ne pas être très tolérants envers les mains étrangères qui veulent les caresser.

Toutes ces approches ont leurs inconvénients. Mais si les parents choisissent la voie de la moindre résistance et laissent Mère Nature prendre soin de la situation, il y a peu de chance que du mal arrive soit à l'enfant soit à l'animal. Que l'enfant puisse jamais devenir intentionnellement cruel et méchant envers les animaux est encore plus impropable. Le plus important dans ce qui détermine l'attitude à long terme d'un enfant envers les animaux, c'est l'exemple que *nous* lui donnons.

Les fusils à plombs

Question: Mon père veut offrir, pour Noël, à mon fils de huit ans, un fusil à plombs. Je n'aime pas beaucoup cette idée, mais grand-père dit que Laurent est assez vieux pour apprendre à se servir d'un fusil et à le respecter. Quelle est votre opinion?

Réponse: Mon opinion, c'est que les fusils sont des instruments dangereux qui n'ont pas leur place dans la vie d'un enfant. Un fusil à plombs peut blesser sérieusement un être humain et tuer un petit animal. Cette capacité exclut le fusil à plombs du domaine des jouets.

Je mets en doute, par ailleurs, la valeur qu'il peut y avoir à enseigner à un enfant le "respect" d'un fusil. Le respect implique une attitude de révérence et d'estime. Je ne vois pas comment un fusil pourrait bien revêtir un tel sens dans l'univers d'un enfant. En fait, je pense qu'il est impossible d'apprendre le respect de *quoi que ce soit* avec un fusil, à moins de confondre le respect et la crainte.

Peu importe ce que vous avez l'intention d'apprendre à un enfant au moyen d'un fusil. Le résultat final sera déterminé tout autant, sinon plus, par les méthodes et le matériel utilisés que par l'intention. Le médium est le message et le message, dans ce cas, est très dangereux.

Les enfants sont impressionnables, facilement excités et impulsifs et ils font preuve d'une remarquable absence de contrôle de soi et de prévoyance. Dieu donne à chaque enfant un parent pour que quelqu'un puisse tenir les rênes.

Et parce que nous tenons les rênes, les enfants ont relativement peu de contrôle sur leurs propres vies. La croissance est le résultat de la tension dynamique produite par l'opposition de l'enfant aux restrictions que nous lui imposons, et ce conflit inévitable est aussi inévitablement frustrant.

Les enfants traduisent ce conflit et cette frustration en jeux et en rêves éveillés, les deux souvent remplis de thèmes de pouvoir et de contrôle. Dans ses fantaisies, un enfant peut faire semblant sans danger que sa force et son autorité ont grandi dans des proportions fantastiques. Il *devient* lui-même son super-héros préféré, et sa soif de pouvoir se trouve une expression inoffensive sur le tapis magique de l'imagination.

Mettez une arme dans ce contexte et vous avez ajouté là un ingrédient qui peut mettre le feu aux poudres. Le danger, c'est que l'enfant intègre vite l'arme à son jeu, comme un signe tangible de son pouvoir. Faites un pas de plus et vous vous retrouvez avec un enfant qui tient un fusil à plombs et, en face, un autre enfant qui vient de perdre un oeil.

J'ai une idée: si vous voulez donner à votre enfant quelque chose qui l'aide à bien viser et lui permettre de prendre dans sa mire des animaux et même des gens, sans le moindre risque, achetez-lui... un appareil-photo.

Comment répartir votre attention

Question: Étant mère pour la première fois, j'ai de la difficulté à mesurer le genre d'attention en tête à tête qu'il faut accorder à ma fille de trois ans. On dirait que plus nous lui offrons une attention soutenue, plus elle en a besoin. Quelles sont les règles générales à ce sujet? Je m'occupe d'elle toute la journée en faisant mon travail domestique ou en magasinant: je réponds à ses questions, j'arrange les vêtements de ses poupées, etc. Nous essayons d'avoir une histoire à lui raconter, le soir et de jouer pendant un certain temps le matin avec elle, de la façon qu'elle veut, mais ce n'est jamais assez. Avez-vous des suggestions?

Réponse: Avec leur premier enfant, les parents sont enclins à confondre ce dont l'enfant a vraiment *besoin* et ce que simplement il *veut*. C'est un piège dans lequel il est facile de tomber pour plusieurs raisons et la moindre n'est pas notre anxiété d'avoir à faire face à des demandes et des responsabilités relativement peu familières. À cela s'ajoute le désir de tout faire comme il se doit, ce qui obscurcit la frontière déjà ténue entre ce qui est nécessaire au bien-être d'un enfant et ce qui n'est qu'un désir.

Ne comptez pas sur les enfants pour vous aider à clarifier les choses. Ils sont tout autant susceptibles de pleurer pour un camion de pompiers que pour quelque chose à manger quand ils ont faim.

Les enfants ont vraiment *besoin* de nourriture nourrissante et d'eau et de chaleur et d'espace pour explorer et de stimulation et de gens qui parlent doucement et de relations aimantes et de routines qui organisent leurs vies et de caresses et de baisers et de félicitations. Ils ont besoin de parents qui tracent des limites et font respecter les règles et leur donnent beaucoup de chaleur et d'affection.

D'un autre côté, les enfants *veulent* des parents qui soient à leur disposition et répondent au moindre appel et résolvent tous leurs problèmes, les emmènent partout et fassent d'eux le centre de leur attention et les laissent faire et avoir tout ce qu'ils demandent et leur donnent beaucoup de chaleur et d'affection.

Il n'est pas difficile de voir pourquoi beaucoup d'enfants en arrivent à croire que les parents servent absolument à tout. À partir du moment où l'enfant est venu au monde, les parents le baignent, le nourrissent, le portent, le tiennent et le bercent et sont à son entière disposition. Du point de vue d'un jeune enfant, les parents sont des serviteurs. Maman est une gouvernante qui attend les ordres et papa est un valet de pied.

Ah, mais il est difficile de trouver de bons domestiques de nos jours! Parfois les serviteurs deviennent arrogants et refusent d'obéir aux ordres. Mais habituellement ce n'est pas un problème pour un enfant doté de bons poumons. Les domestiques se laissent facilement intimider par les colères.

Beaucoup de parents interprètent les colères de l'enfant comme des cris de douleur authentique, le signe de besoins que l'on a ignorés et négligés. Alors ils font ce que le cri demande et, à la longue, l'enfant apprend que les colères appuient sur tous les bons boutons. En fin de compte, l'enfant obtient une faible partie de ce dont il a besoin et la presque totalité de ce qu'il veut, et dont il n'a pas toujours besoin. Quelle confusion!

La solution? La même que celle qui résoud la plupart des autres problèmes de l'éducation des enfants: établir des règles prévisibles, tracer des limites précises et les faire respecter avec détermination. Prévoyez plusieurs périodes de la journée, par exemple, une le matin, une l'après-midi et une autre le soir, où vous consacrerez trente minutes exclusivement à votre enfant. Donnez un nom à chaque période, par exemple "l'heure du jeu", "l'heure des poupées" et "l'heure des histoires". Un enfant de trois ans et demi n'a pas la moindre idée de ce que représentent trente minutes, alors servez-vous d'une minuterie. Au début de chaque période, déclenchez la minuterie et dites: "Maman va te lire des histoires jusqu'à ce que ça sonne. Après, je ferai mon travail à moi (soyez spécifique)." Quand la sonnerie retentit, vous prenez congé en disant à quel point vous vous êtes amusée et faites au petit une suggestion pour occuper son temps.

Si vous vous en tenez à cette routine et lui faites savoir votre détermination, les choses se mettront en place rapidement.

Les enfants peuvent bien *vouloir* des serviteurs, mais c'est des parents qu'il leur *faut*.

Les coups: deux points de vue

Question: Mon enfant de trois ans a récemment commencé à me frapper quand il est en colère, généralement parce que je ne le laisse pas faire à sa tête. J'ai essayé de lui expliquer pourquoi il ne doit pas me frapper et je lui ai même suggéré d'autres moyens d'exprimer sa frustration, mais il ne m'écoute pas. Je sais que c'est mal de fesser un enfant s'il vous frappe, alors qu'est-ce que je peux faire?

Réponse: Comme vous l'avez déjà constaté, un discours rationnel sur les raisons pour lesquelles il ne faut pas frapper ne produit aucun changement constructif dans son comportement. En premier lieu, il est simplement trop jeune pour comprendre toutes les significations de ce que vous essayez de lui expliquer. De plus, vous donnez trop d'importance à cette question, la rendant plus grave qu'elle n'est en réalité. Plus vous lui parlerez, plus il vous frappera.

Qu'est-ce qu'il doit savoir? Qu'il n'a pas le droit de vous frapper. Comment le lui faire savoir? C'est facile. Ne le laissez pas faire.

Sûrement connaissez-vous suffisamment bien son comportement pour prévoir quand il va vous frapper. Quand l'attaque se produit, protégez-vous et montrez-lui que vous contrôlez la situation en interceptant ses coups. Prenez-lui fermement les poignets et dites-lui qu'en aucune circonstance vous ne le laisserez vous frapper.

Dans la plupart des cas, la fessée n'est probablement *pas* la réaction la plus efficace mais je ne l'écarterais tout de même pas complètement. À la place, emmenez-le immédiatement dans sa chambre et dites-lui d'y rester jusqu'à ce qu'il soit calmé. S'il lui faut plus d'encadrement, réglez une minuterie pour qu'elle sonne dans trois ou cinq minutes.

Votre autorité est en jeu. Défendez-la.

Question: Que dites-vous d'apprendre à de petits enfants à rendre les coups? Notre fils a quatre ans. Nous vivons dans un quartier où il y a beaucoup d'autres petits enfants et un certain nombre de coups sont échangés. Notre fils n'est pas un des plus agressifs, alors il en reçoit généralement plus qu'il n'en donne. Nous ne savons pas trop quoi lui dire de faire.

Réponse: Les enfants doivent savoir que les représailles ne sont qu'une des façons possibles de répondre à une attaque physique. Parmi les autres, citons: le refus de se battre, la fuite, demander l'aide d'un adulte, se trouver quelqu'un d'autre pour jouer et rentrer à la maison.

J'ai dit à mes propres enfants, par exemple, que je ne leur permets de frapper que si un autre enfant les a frappés le premier. Je leur ai aussi parlé des avantages et des inconvénients des autres solutions, en insistant sur le fait que le choix des moyens doit être basé sur les circonstances spécifiques de la situation vécue. J'ai souligné que si rendre les coups est la réaction *la moins* souhaitable, il y a des moments où c'est malgré tout inévitable.

"T'es pas capable!"

Question: Mon fils a presque quatre ans, et il me rend folle. Il ne fait pratiquement rien de ce que je lui dis jusqu'à ce que je me fâche assez pour lui donner une fessée. Et voilà l'enfant que je m'étais bien promis de ne *jamais* fesser. Quand je lui demande de faire quelque chose, il me lance ce regard qui semble dire: "Tu plaisantes!" et il se détourne. Cela me rend folle! Parfois il se contente de dire "Non", froidement et simplement. S'il sait qu'il va avoir une fessée (et il en a presque tout le temps), pourquoi fait-il ça?

Réponse: Votre enfant de quatre ans ne fait que ce que tout jeune enfant finit par faire, il défie votre autorité. Il veut savoir "De quel droit *tu me* dis quoi faire?" Aussi longtemps que la question reste sans réponse, il reste libre de lutter pour le pouvoir avec vous.

Après tout, personne ne lui a dit les règles avant qu'il arrive. C'est *votre* responsabilité de lui décrire ces règles, ce n'est pas à *lui* de les deviner. Si vous ne lui dites pas ces règles clairement, il est libre de faire son propre jeu et ses propres règles. Et il l'a fait. On appelle ce jeu: "T'es pas capable!"

Dans le jeu de "T'es pas capable", les parents commencent la partie en demandant à l'enfant de faire quelque chose, aussi minime soit-elle. L'enfant réplique en refusant de coopérer. Alors les parents répondent par "Oh si, tu vas le faire!" L'enfant dit "T'es pas capable!" et la partie est lancée!

Mais "T'es pas capable!" n'est pas très drôle parce que personne ne gagne jamais. En fait, les deux joueurs se retrouvent toujours perdants. Comme c'est monotone! Mais quand c'est le seul jeu dont on dispose, ma foi...

"Mais il y gagne presque toujours une fessée", dites-vous. Et après? Qui paye *ce* prix. Vous.

Le jeu se répète sans cesse parce qu'il n'a jamais été résolu. Et il ne le sera pas tant que vous ne cesserez pas d'attendre de *lui* qu'il change. Or, il n'arrêtera pas de vous inviter à jouer "T'es pas capable!" avec lui tant que vous continuerez d'accepter l'invitation. En fait, il ne sait même pas *comment* s'arrêter.

Pour commencer à mettre un terme à "T'es pas capable!", arrêtez de *demander* à votre fils de coopérer et commencez à lui *dire* ce que vous voulez exactement qu'il fasse.

Commencez chaque "demande" par la phrase: "Je veux que tu..." et remplissez les points de suspension avec une description claire et concise de la tâche à accomplir. Arrêtez de vous excuser de l'avoir fait naître dans un monde moins que parfait.

Voici deux des nombreuses approches possibles que vous pouvez adopter pour amener la fin de "T'es pas capable!" Choisissez celle qui vous convient le mieux ou servez-vous-en comme modèle pour inventer une solution de votre cru.

Plan A: au lieu d'utiliser la fessée comme *dernier* recours, fessez en *premier* recours. Je n'ai rien contre la fessée en soi, en autant qu'on s'en serve efficacement, pour obtenir quelque chose. Jusqu'à maintenant, vos fessées ont été l'expression de votre frustration et de votre défaite. Servez-vous de vos mains pour affirmer votre autorité et pour arrêter la partie avant même qu'elle ait une chance de s'engager.

Dites-lui ce que vous attendez de lui. S'il manifeste son refus, attrapez-le immédiatement et chauffez-lui les fesses fermement (*ne* lui annoncez *pas* ce qui se prépare par des avertissements ou des menaces). Puis, faites-lui face et répétez-lui ce que vous voulez. Vous souvenez-vous du film *Le Parrain*, au moment où Marlon Brando fait à quelqu'un une offre qu'il ne peut refuser? Utilisez le même ton que lui. Si l'enfant refuse encore (il le fera probablement les premières fois), faites-le asseoir sur une chaise et qu'il y reste jusqu'à ce qu'il cède. Pendant ce temps-là, occupez-vous ailleurs.

Si cela vous paraît trop méchant, alors essayez le plan B: achetez une minuterie de cuisine, si vous n'en avez pas déjà une. Asseyez-vous avec votre enfant de quatre ans et dites-lui: "Hier (toutes les choses du passé se sont produites "hier" pour un enfant de presque quatre ans), quand je t'ai dit de faire quelque chose (donnez un exemple), tu as dit "Non!", je me suis fâchée, j'ai crié et je t'ai donné une fessée. Je n'aime pas ça. Aujourd'hui, si tu dis: "Non!", je te mets dans ta chambre pour cinq minutes. Quand tu seras dans ta chambre, je déclencherai cette minuterie et quand les cinq minutes seront passées, elle sonnera , comme ça. Alors tu pourras sortir et faire ce que je t'ai dit. Tu as compris?"

Il va hocher la tête, ce qui veut dire qu'il ne comprend pas, mais qu'il sait quand hocher la tête.

Vous lui faites ainsi savoir que vous changez de jeu. Vous devez donc lui montrer de quel genre de changement vous parlez.

Maintenant, à *vous* de jouer.

"Regarde-moi!"

Question: Nous avons une fille de quatre ans et demi et un fils de dix-huit mois. Notre problème vient des autres personnes, voisins, amis, et même grands-parents, qui donnent beaucoup d'attention au bébé et très peu au plus âgé, au point qu'ils l'ignorent virtuellement. Quand des gens viennent nous voir, ma fille commence "son numéro": elle interrompt les conversations, et se conduit mal de diverses façons pour attirer l'attention. Comment puis-je faire comprendre aux autres personnes qu'elle aussi a besoin d'attention.

Réponse: Je suis désolé mais la situation de votre fille ne parvient pas à attirer ma sympathie. Il semble évident que le *vrai* problème c'est plutôt sa mauvaise conduite quand vous avez des invités à la maison.

Ce problème ne concerne les autres que dans la mesure où ils sont devenus *son* public et *votre* excuse pour ne pas réussir à la contrôler. Vous lui avez, sans le vouloir, donné la permission de mal se conduire quand il y a du monde et elle a saisi l'occasion pour exiger autant d'attention que possible.

Je soupçonne qu'elle obtiendrait *plus* d'attention si elle se comportait comme il convient à son âge et à la situation. C'est probablement *à cause* de ses performances et non parce que vos invités n'ont pas de coeur qu'ils l'ignorent.

Une des déceptions qu'il y a à être l'aîné c'est que le projecteur s'est maintenant braqué sur le cadet. Les bébés attirent beaucoup d'attention. C'est un fait de la vie que votre fille est capable de supporter. Mais elle ne s'adaptera pas facilement à sa baisse légère d'importance à moins que vous ne cessiez d'essayer de la protéger du terrible sort d'avoir un frère plus jeune.

Choisissez un moment calme pour vous asseoir avec elle et lui parler. Dites-lui que vous comprenez à quel point c'est difficile d'avoir à partager des choses, y compris l'attention des autres personnes. Signalez-lui qu'elle doit malgré tout apprendre à partager et promettez de l'aider.

Faites une liste de ce qu'elle fait de mal quand il y a de la visite: faire la roue, émettre des opinions comme un animateur de télévision et ainsi de suite. Qu'il soit clair pour elle que vous n'accepterez plus ce genre de comportement et qu'elle sache bien comment vous *voulez* qu'elle se conduise.

Quand elle fait bénéficier la compagnie d'un des spectacles de la liste, envoyez-la au "temps mort" (Voir "Une question de synchronisme", page 57) pour cinq minutes. N'oubliez pas de la prendre et de l'embrasser quand elle réussit à contrôler son enthousiasme devant les visiteurs.

Le monde est peut-être un théâtre mais votre fille est encore un peu trop jeune pour y tenir un des principaux rôles.

Le rapportage

"Madame Lemay! Hugue vient de dire un vilain mot à Angéla et pourtant elle ne lui avait rien fait. Il est *méchant*! Vous allez lui donner une fessée, n'est-ce pas?"

Quand des enfants se chicanent, la solution la plus facile pour eux est souvent de faire appel à l'adulte le plus proche pour qu'il leur serve de caution. Parce que c'est la chose la plus facile à faire, c'est aussi celle qui exige le moins de réflexion et d'effort de la part de l'enfant ou des enfants. C'est pourquoi, lorsque nous répondons à un cancan, nous encourageons les enfants à ne pas réfléchir.

Le dictionnaire Robert définit "cancan" comme "bavardage calomnieux, bruit empreint de médisance, de malveillance". Il définit "bavardage" comme "verbiage" sans valeur.

Les cancans n'ont pas de sens et ils sont destructeurs. Non seulement est-ce souvent injuste à l'endroit de l'enfant qui en fait l'objet, mais c'est aussi préjudiciable à l'enfant qui les profère. Le "rapporteur" est généralement l'enfant le moins aimé par les autres enfants, celui que ses pairs évitent et qui s'attire la réprobation des adultes.

C'est nous les adultes qui, sans le vouloir, créons le problème. La victime infortunée de nos actions c'est le "rapporteur", parce que l'enfant qui rapporte aura du mal à attirer la confiance de ses pairs et à se faire accepter d'eux.

Il faut décourager le rapportage. Quand un enfant vient vers vous avec une sombre histoire ou en voulant jouer les "informateurs", faites-lui la faveur de dire: "Je suis désolé que ça se soit produit, Étienne, mais je ne peux pas t'aider. C'est plutôt quelque chose que Jean et toi pouvez arranger tout seuls sans vous chicaner."

Si le rapportage est une habitude chez l'enfant, soyez encore plus net dans l'expression de vos sentiments: "Tu recommences à rapporter. Nous en avons déjà parlé tous les deux et tu sais bien que je ne veux pas régler tes problèmes à ta place. Tu dois régler ça tout seul."

Ne faites pas l'erreur de dire: "Je n'aime pas le rapportage" et de vous précipiter quand même pour régler son objet. Les enfants apprennent plus de ce que nous *faisons* que de ce que nous disons.

Si le problème se produit fréquemment dans un certain groupe d'enfants, prenez le temps de parler à tous les membres du groupe ou de la classe du rapportage et des bons moyens de régler les problèmes. Aidez les enfants à faire la différence entre ce que vous *voulez* savoir (les coupures, les chutes et ainsi de suite) et ce dont vous ne voulez pas entendre parler.

Le rapportage est le commencement d'un long fil qui, si on ne le coupe pas dès le début, va grandir de plus en plus, devenant pour l'enfant un fardeau à subir.

Les vilains mots

"Les vilains mots". Nous les connaissons tous. Pire que ça, nous savons ce qu'ils veulent dire. Ils désignent tous des choses horribles, innommables. Nous ne les utilisons pas... beaucoup. Ou du moins, nous les utilisons "à bon escient", pour des raisons excusables comme "J'étais ivre" ou "J'étais hors de moi."

Dans la vie d'un enfant, il y a trois stades de développement des vilains mots. Le premier stade, c'est quand l'enfant entend ces mots pour la première fois. Il y a des chances qu'ils attirent l'attention de l'enfant plus que les "bons" mots. Les vilains mots se font en effet remarquer par l'emphase que nous y mettons, par le ton et le volume de notre voix.

Prenez la phrase: "ce fichu minable". Dites-la tout haut en remplaçant "fichu" par votre vilain mot préféré, si vous voyez ce que je veux dire! Tout jeune enfant qui entendra ça pour la première fois, se souviendra de "fichu". L'enfant peut même remarquer que si le "fichu" en question est une personne présente, elle va rougir et commencer à se conduire bizarrement. La chose la plus évidente pour un enfant qui est témoin de cela, c'est le pouvoir des mots et l'attention qu'ils commandent. Fin du premier stade.

Deuxième stade. L'enfant se précipite dehors où jouent avec ses amis et dit: "Hé!, Yves, tu sais c'que t'es? T'es un fichu minable."

Yves se tourne vers sa mère et dit: "Matthieu m'a traité de fichu minable." La mère de Yves appelle la mère de Matthieu qui appelle le père de Matthieu qui donne une fichue volée à Matthieu. Et le pauvre Matthieu ne sait même pas ce que "fichu" veut dire!

Ce n'est qu'un des scénarios possibles. Matthieu peut aussi attendre d'être au jardin d'enfants pour lâcher son "fichu". Comme ça, le monde entier est au courant.

Dans tous les cas, quand Matthieu sort ses nouveaux mots, les gens lui font presque toujours voir, en réaction, quelle incroyable importance ces mots peuvent avoir.

Le stade trois nous fait voir Matthieu expérimentant le pouvoir de choc de son nouveau vocabulaire sur un échantillon de gens et découvrant la grande variété de réactions qu'ils peuvent provoquer. Grand-mère s'évanouit, Simon se sauve, Jacques pleure, Daniel cogne, le grand frère de Daniel rigole et le professeur parle à en devenir bleu. Quel bon moment passe Matthieu, à faire des bruits magiques dépourvus de sens*.

En fait, il y aura même un quatrième stade plusieurs années plus tard, quand Matthieu découvrira que "fichu" a un sens, si l'on peut dire. À ce moment, Matthieu pourra commencer à s'en servir "à bon escient", seulement quand il sera ivre ou fâché, par exemple. La vie n'est-elle pas stupéfiante?

Il n'y a rien à faire pour empêcher les stades un et deux d'arriver. Tous les enfants entendent ces mots de la bouche de quelqu'un, à un certain moment. Et tous les enfants s'en servent contre quelqu'un, à un certain moment.

Essayer d'empêcher ça, c'est créer un problème où il n'y en avait pas. J'appelle cela le principe de la loupe. Matthieu dit un vilain mot et les adultes autour de lui sont au bord de l'hystérie. Ces réactions exagérées ont le même effet sur le comportement de Matthieu qu'une loupe peut avoir sur une aile de papillon.

Les vilains mots de Matthieu obtiennent beaucoup d'attention. Isoler ses vilains mots des autres et réagir comme si c'était là l'aspect le plus important de son comportement confirme Matthieu dans son soupçon qu'assurément il s'agit de mots puissants. Peu importe ce que Matthieu peut avoir appris et accompli d'autre dans la journée, il a dit un vilain mot. C'est plus important que tout, n'est-ce pas?

Quand nous isolons ainsi un comportement particulier et que nous y réagissons de façon exagérée, nous en approchons une loupe invisible, faisant en sorte que ce comportement devienne plus important et plus visible.

Si vous ne voulez pas que Matthieu se serve de "vilains" mots, alors, manifestement, il vous faut ne pas les utiliser vous-même,

---

* Autre allusion, plus oblique cette fois, du texte original: *Magical Meaningless Sounds* au *Magical Mystery Tour* des "Beatles" (N.d.t.).

même pas "à bon escient". Ce que vous *faites* aura plus d'influence sur Matthieu que ce que vous *dites*, et plus particulièrement si le "dire" et le "faire" ne s'accordent pas.

Quand Matthieu dit un vilain mot, et il le fera, ne vous étonnez pas. Dites quelque chose comme: "Écoute, Matthieu, je sais bien que certaines personnes disent des mots comme "fichu" en parlant, mais personne ne le fait dans la famille et toi non plus tu ne le feras pas." C'est clair et cela lui fera une impression plus positive que, par exemple, de lui donner une fichue volée.

En nous laissant énerver par les petites choses que font les enfants, nous dressons la scène pour des "bis". Une fois la scène montée, les enfants y jouent les rôles que nous leur donnons.

Les mensonges

Pourquoi les parents posent-ils aux enfants des questions dont ils connaissent déjà la réponse?

Par exemple, un jour, maman découvre qu'il lui manque 20$ dans son sac. Plus tard elle remarque un nouveau couteau de poche qui semble plutôt cher dans le tiroir supérieur de la commode de son fils de douze ans.

En fouillant dans les poches de son pantalon, elle découvre trois billets de 1$ et un reçu de 14,68$ provenant d'un magasin d'articles de sport. Elle va trouver son fils et lui dit: "Où as-tu trouvé l'argent pour ce couteau?"

"Je l'ai trouvé", répond-il.

Des situations de ce genre soulèvent une question intéressante: qui cache la vérité? Le fils parce qu'il ne reconnaît pas avoir pris 20$ à sa mère? Ou la mère pour ne pas admettre qu'elle sait très bien où son fils a trouvé l'argent?

Dans les deux cas, le jeu est le même. D'abord, l'enfant enfreint une règle. Le parent trouve plusieurs indices qui, une fois rassemblés, révèlent que l'enfant l'a fait.

Le parent va ensuite confronter l'enfant et lui donne une occasion de mentir en lui posant une question qui n'est qu'une variation sur le thème de base "Est-ce que tu l'as fait?" L'enfant coopère en niant toute connaissance de la noire action commise. La chasse a commencé et c'est le parent qui est le "gibier".

Il existe une vieille formule, attribuée à un sage du nom d'"Anon". La voici: "Ne me pose pas de question si tu ne veux pas que je te réponde un mensonge." Anon avait sûrement des enfants.

La question "l'as-tu fait?" invite au mensonge et ce mensonge sert l'enfant de deux façons.

D'abord, c'est une diversion. Vous commencez avec une question relativement bien tranchée (l'enfant a enfreint une règle) qui n'exige qu'une seule réaction (que faire à ce sujet?). Mais, en lui posant des questions, vous permettez à l'enfant de soulever une seconde question: où est la vérité? Maintenant vous voilà jonglant avec deux problèmes et deux solutions à trouver. Que tranchez-vous d'abord, la règle enfreinte ou la recherche de la vérité? La plupart des parents réagissent d'abord au mensonge. Et ainsi la *vraie* question (la règle enfreinte) passe à l'arrière-plan où elle peut finir par disparaître complètement.

Ensuite, la question déclenche un jeu de "cache-cache" dans lequel l'enfant contrôle la chose cachée, la vérité. Un parent ne peut jouer à ce jeu sans céder de son autorité à l'enfant, parce que c'est l'enfant qui détermine les règles de ce jeu et sa durée.

Une autre incitation au mensonge, c'est le fait que les chances sont bonnes. Si l'on vous pose vingt questions et que vous répondiez par vingt mensonges, il y a d'excellentes chances qu'au moins un des mensonges marche. Parce que le plaisir de s'en tirer crée une habitude, l'enfant continue de mentir. Avec de la pratique, il devient habile dans le mensonge et commence à améliorer sa moyenne.

Alors, en posant à l'enfant une question dont vous connaissez déjà la réponse, vous ne lui donnez pas la chance de dire la vérité. Vous lui apprenez à mentir. C'est une pensée déplaisante, n'est-ce pas?

Les enfants qui deviennent des menteurs manquent généralement du sens de l'accomplissement. Le mensonge comble le manque et donne lieu à un jeu auquel ils peuvent exceller, quelque chose dont ils peuvent être fiers.

Les parents ne devraient pas avoir de problème à affronter un mensonge occasionnel. Mais, avec un enfant qui ment constamment, vous devez traiter chaque situation comme si l'enfant était coupable jusqu'à ce qu'il ait pu prouver son innocence. Ne lui donnez *jamais* le bénéfice du doute, mais en même temps orientez son besoin d'accomplissement vers des réalisations plus constructives.

La façon d'empêcher le mensonge, que l'enfant en soit un habitué ou non, c'est de dire la vérité sur ce que vous savez déjà. Suivez le conseil d'Anon et affirmez des faits plutôt que de partir à la pêche de fictions.

La mère de notre exemple aurait pu dire à son fils: "Il manque vingt dollars dans mon sac. Tu as un couteau de poche neuf dans ton tiroir et trois dollars dans les poches de ton pantalon. Le couteau de poche m'appartient, les trois dollars aussi et en plus tout ton temps libre de la semaine prochaine m'appartient également."

Un enfant qui ment cache quelque chose de plus que la vérité. Il se cache lui-même. Si on lui permet de jouer à ce petit jeu pendant une longue période, il court le risque d'oublier un jour où il a mis son vrai "moi".

Il faut être deux

L'orage se prépara en haut tandis que je lisais le journal. Cela commença par un concert confus de voix, brusquement ponctué d'un rude et insistant: "SORS D'ICI!" Puis un cri strident. Un autre tour de "qui a commencé?" venait de démarrer chez les Rosemond.

— Papa!

C'était Éric, mon fils de douze ans, appelant du haut de l'escalier. Je continuai à lire.

— PAPA!

— Oui, Éric?

À l'appel de son nom, il dévale les escaliers comme la foudre, une véritable avalanche d'indignation.

— Papa, Wayne et moi on veut jouer dans ma chambre et Amy ne veut pas nous laisser tranquilles.

— Oh!, vraiment? Je suis ici, sur le divan, je lis mon journal.

— PAPA! Elle dérange tout et on ne peut pas jouer!

— Ça m'a l'air compliqué.

— Veux-tu aller lui dire de partir, que Wayne et moi on puisse jouer?

— Non, je n'irai pas.

— Pourquoi?

— Tu sais très bien pourquoi mais je vais te le dire une fois de plus (profonde respiration). Je ne suis pas un arbitre. Vous pouvez régler ça tous les deux sans mon aide.

— Bon, d'accord. Alors, est-ce que je peux la tirer dehors et fermer la porte à clef?

— Tu connais la règle à propos des batailles dans la maison. Personne ne fait de mal à personne. Et laisse Wayne en dehors de ça.

— Je ne lui ferai pas de mal, mais est-ce que je peux l'enfermer dehors?

— Ce n'est pas à moi de te dire ce que tu dois faire.

— C'est bien. Je vais lui demander de sortir une dernière fois et ensuite, je la jette dehors et je verrouille la porte.

— Souviens-toi de la règle.

Le visage tragique, il sort côté jardin. Quelques instants plus tard, j'entends le raclement facilement reconnaissable d'un corps que l'on tire, qui se débat, traîné sur le plancher et atterrissant dans le couloir. Slam! Des petits poings martellent la porte... "LAISSE-MOI RENTRER! J'TE DÉTESTE! T'ES LE PIRE FRÈRE AU MONDE!" Puis, la voilà qui revole dans l'escalier, la seule, l'unique, Amy, les hauts cris.

— Papa!

— Oui, Amyette?

— Éric m'a fait sortir de sa chambre (et voilà les larmes de crocodile) et IL A VERROUILLÉ LA PORTE!

— Vraiment? Je te signale que *je lis* mon journal.

C'est le même message que je leur fais depuis des années, papa n'arbitrera pas leurs chicanes pas plus qu'il ne jugera qui avait "raison" et qui avait "tort". Malgré mon refus d'intervenir, ils continuent à me le demander à l'occasion, et je m'attends à l'invitation.

Je n'avais jamais vraiment compris le sens de "il faut être deux pour un tango" jusqu'à ce qu'Éric et Amy commencent à faire quelques pas de "danse" ensemble. En fait, ce tango-là est probablement une conséquence inévitable de la présence de plus d'un enfant dans une famille.

Cela prend la majeure partie de l'enfance pour apprendre à composer avec les autres. Même si les enfants peuvent avoir besoin de guide à l'occasion, il vaut généralement mieux pour les adultes se tenir à distance respectable de la danse. Il faut être deux pour un tango et il en faut un troisième pour s'y faire "é-tangler".

Les enfants ont un talent particulier pour transformer en mélodrame, peuplé de personnages de carton-pâte sortis tout droit des "malheurs de Sophie", ce qui aurait pu n'être qu'un simple exercice dans l'apprentissage de la vie en commun.

Il y en a un qui est le méchant, héritier du trône de Faussenie-Knoutzefouëtine. Un autre est la victime, opprimée, tyrannisée et assurée de s'attirer des tonnes de sympathie. Et nous les adultes, nous jouons généralement un personnage stéréotypé, à mi-chemin entre le pape et Henry Kissinger. C'est une offre généreuse que je refuse toujours. Mais ils continuent à me la faire, parce que chaque fois qu'ils s'affrontent, le trivial devient du grandiose et un autre mélodrame commence. C'est l'alchimie de l'enfance.

Je suppose que la transformation de personnes réelles en stéréotypes bidimensionnels fait paraître leurs conflits moins menaçants, moins personnels et ainsi moins durables. Cela peut avoir quelque chose à voir avec la façon dont les enfants peuvent si facilement pardonner et oublier.

Ah-ha! Le truc dans la croissance c'est d'apprendre à maintenir le conflit à un niveau personnel et d'être *encore* capable malgré tout de pardonner et d'*apprendre* plutôt que d'oublier.

Je reste en dehors de leurs conflits parce que je leur fais confiance pour régler les choses par eux-mêmes. Je reste en dehors parce que toute solution qu'*ils* pourront trouver sera plus valable et durable que celle que *je* leur imposerais. Je reste en dehors parce que je ne veux pas qu'ils grandissent pour finir par croire aux mélodrames. Je reste en dehors parce que je veux qu'ils se développent *en dehors* de leurs stéréotypes, pas *dedans*. Dans l'intervalle, je continue d'attendre le dernier tango.

Les jumeaux

Si vous avez la chance d'avoir des jumeaux, voici quelques recommandations, plus de "ne faites pas" que de "faites".

Avant tout, ne leur collez pas des prénoms qui riment. C'est peut être joli et tous vos amis peuvent bien s'y attendre, mais plus tard cela peut créer des problèmes.

Des jumeaux identiques ont tout autant droit à des identités distinctes que n'importe quelle paire d'enfants. Des noms tels que "Julien" et "Lucien" cachent le fait que, bien qu'ayant des caractéristiques physiques identiques, ils sont fondamentalement des personnes différentes.

Des noms qui riment peuvent aussi créer de la confusion. Les jeunes enfants ont de la difficulté à différencier deux sons semblables. Quand vous demandez à un enfant de deux ans de "rendre le râteau" il peut tout aussi bien aller prendre le gâteau! Cela peut être drôle mais s'il y a un problème dont n'ont pas besoin des jumeaux c'est de ne pas être très sûrs du nom qu'ils portent ou de ne pas savoir lequel des deux vous avez appelé.

Ne les habillez *jamais* de la même façon, même pour une photo de famille. Vous en aurez plus pour votre argent si vous achetez deux ensembles interchangeables plutôt que deux fois le même. Quand les ensembles sont interchangeables, chaque enfant en partage deux et même peut-être quatre, si l'on agence les vêtements différemment. Quand les ensembles sont pareils, chaque enfant n'en a qu'un.

Non seulement des vêtements semblables ne sont pas pratiques mais ils mêlent les jumeaux et les autres personnes. Cela confirme l'idée fausse qu'ils sont une seule et même personne dans deux corps différents.

Ne leur achetez pas des cadeaux identiques pour les occasions spéciales. Des jouets identiques, cela peut paraître juste et impartial, mais cela ne fait que créer plusieurs problèmes et n'en résoudre aucun. Des jouets identiques, comme des vêtements identiques et des noms qui riment créent du trouble et des conflits. Peut-être que vous, vous savez quel jouet revient à chacun mais les jeunes enfants, eux, ne le savent pas. De plus, c'est une extension de l'idée morbide "vous êtes une seule personne".

Leur acheter des jouets identiques n'empêchera pas non plus les chicanes. Les enfants se battent pour des jouets, quoi que vous fassiez, jusqu'à ce qu'ils soient assez grands pour voir la valeur du partage. Et cela n'arrivera pas avant qu'ils aient au moins quatre ans. Ils apprendront l'art de partager bien avant cela si chacun a son propre ensemble de possessions. Que veut dire partager si tout est pareil?

Il y a plusieurs années, j'ai parlé aux parents de deux jumelles identiques qui avaient alors neuf ans. Elles avaient des noms qui rimaient, portaient les mêmes vêtements et possédaient les mêmes choses. À l'époque, Élise avait une personnalité ouverte alors que Lise était devenue très tranquille et timide et comptait sur sa soeur pour faire les choses pour elle. Je persuadai les parents d'appeler Lise par son autre prénom, de veiller à ce que les petites filles ne portent jamais de vêtements identiques et de ne pas leur acheter les mêmes jouets. Quelques semaines plus tard, les parents me dirent qu'ils avaient remarqué une grande transformation dans le comportement de Lise qui s'appelait maintenant "Josée". Elle était devenue aussi indépendante et ouverte que sa soeur. Au cours d'une réunion de famille, Josée s'était précipitée vers sa tante préférée en s'écriant: "Regarde-moi, tante Hélène, je suis une personne toute neuve!"

Si vous avez des jumeaux, encouragez-les tous deux à se donner une identité propre. Appréciez et consolidez leur séparation. Les transformer en copies au carbone l'un de l'autre c'est semer les germes de la compétition, du ressentiment ou de la dépendance.

Les foyers brisés

Question: Mon mari et moi nous sommes séparés il y a trois mois dans des circonstances amères. Depuis ce temps, notre fille de cinq ans s'est montrée très collante et pleurnicharde. Elle veut s'asseoir sur mes genoux s'il y a des étrangers présents et veut tout le temps être dans la même pièce que moi. Si je lui dis de s'asseoir dans sa propre chaise ou d'arrêter de me suivre partout, elle pleure. Ce n'est plus la petite fille ouverte et heureuse que j'ai déjà connue.

Elle s'est également mise à trop manger et à prendre du poids à l'excès. Ses questions me posent un autre dilemme. Presque chaque jour, elle veut savoir si son papa va revenir. Ma mère pense que je devrais répondre: "Peut-être" ou "Je ne sais pas", de façon, selon ses propres termes, "à donner à Anne quelque chose à espérer". Rien ne pourrait me ramener vers mon ex-mari mais j'ai peur que la vérité sans apprêt ne rende les choses pires. Aidez-moi!

Réponse: Après une séparation brutale, il n'est pas rare que les jeunes enfants s'accrochent presque désespérément au parent qui reste.

Les enfants d'âge préscolaire sont souvent plus proches et plus dépendants de leurs mères. Mais ils dépendent aussi de leurs pères.

La présence prévisible de votre mari dans la famille était essentielle au sentiment de sécurité de votre fille, à son "image" de la famille comme une unité constante, sans changement. Le départ soudain et incompréhensible de son père a altéré cette image et l'a exposée à un degré d'instabilité menaçant et parfois même intolérable. Pour réduire son anxiété, elle s'accroche à vous, le parent qui reste.

Il se trouve que c'est un moment où vous-même êtes extrêmement vulnérable. Votre sentiment de stabilité et d'ordre est menacé et vos ressources émotionnelles sont réduites à leur limite. Il peut être difficile pour vous de répondre au besoin de réconfort intense et parfois trop exigeant de votre fille.

Plus un enfant dans cette situation devient anxieux, moins le parent qui reste se sent sûr, ce qui provoque encore plus d'anxiété chez l'enfant.

Si vous êtes prise dans ce cercle vicieux vous feriez mieux de voir un conseiller familial d'expérience (un psychologue ou un travailleur social). Un professionnel compétent peut fournir une assistance inestimable à un parent unique en aidant à restabiliser la famille modifiée.

Dans de telles circonstances, il n'est pas rare qu'un enfant montre plusieurs formes de régression, retournant à un objet ou à un comportement qui correspondent plutôt à un stade antérieur de son développement. La façon dont votre fille s'accroche à vous en est un exemple, de même que le fait qu'elle mange trop.

Pendant les deux premières années de la vie, la nourriture est étroitement liée à la satisfaction des besoins aussi bien physiques qu'émotionnels. Dans les situations de stress, les enfants (et beaucoup d'adultes également) mangent trop, dans une tentative vouée à l'échec de retrouver la sécurité de ces premières années.

Vous *ne* devez *pas* permettre à votre fille de croire que manger est une façon de régler le malaise éprouvé. Dans la mesure où elle en arrivera à se rabattre sur la nourriture pour affronter les crises, le développement de son autonomie et de son autosuffisance en sera perturbé.

Mais, se contenter de l'empêcher de trop manger n'est pas assez. Votre fille doit aussi voir que vous *seule* êtes capable de satisfaire ses besoins. Et, évidemment, vous l'êtes.

Faites-lui savoir qu'il y a des moments pour être proche l'une de l'autre et des moments où toutes les deux vous avez besoin de vous trouver dans des endroits différents, à faire des choses différentes. Si vous ne voulez pas qu'elle s'asseye sur vos genoux ou qu'elle vous suive partout, soyez claire et ferme à ce sujet. Si elle pleure, c'est parce qu'elle ne sait pas quoi faire d'autre face à son anxiété. Donnez-lui un endroit à elle pour pleurer.

Répondez à ses questions clairement et honnêtement. Si papa ne doit jamais revenir, dites-le-lui et expliquez-lui quel rôle papa *va* continuer à jouer dans sa vie.

Les pères absents

Question: Je suis divorcée et mère d'une fille de cinq ans. Mon ex-mari voit notre fille une fin de semaine sur deux. Il a assez d'argent pour faire pour elle des choses que je ne peux tout simplement pas me permettre, alors le temps qu'elle passe avec papa est en général très excitant, ce qui, en revanche, veut dire que j'ai des difficultés à la reprendre en main après chaque visite.

Pendant un jour ou deux, elle est maussade, irritable, très active et veut parler sans cesse de ce qu'"elle et papa ont fait", ce qui est bien la dernière chose que je veuille entendre. Elle a commencé récemment à me crier des choses comme: "J'aime mieux mon papa que toi" et "je veux aller vivre avec mon papa!", quand elle est en colère après moi. Cela me bouleverse et je ne sais pas comment la prendre à ces moments-là. J'ai essayé de lui parler calmement, mais elle doit probablement voir que je suis troublée. Que me suggérez-vous?

Réponse: Les problèmes et les frustrations que vous décrivez font partie de ce que j'appelle "le syndrome de la mère séparée".

Vous êtes irritée de la liberté et de la variété de choix dont jouit votre ex-mari dans sa relation avec votre fille. Vous êtes irritée par le fait qu'il a les moyens de remplir son temps avec elle de gâteries, tout en n'ayant pas à investir de son temps dans les responsabilités quotidiennes qu'assume un parent à temps plein. Votre arrangement semble vous donner tout le travail alors que lui obtient la plupart des plaisirs.

Alors, naturellement, la dernière chose dont vous vouliez entendre parler c'est bien le bon temps que votre fille prend avec papa. Mais vous en entendrez parler de toute façon, parce qu'elle revient gonflée à bloc, ayant déjà hâte à la prochaine fois. Vous vous sentez comme quelqu'un qui se contente de boucher les trous entre des "vacances" et les prochaines.

Cela aiderait si vous acquerriez une plus grande compréhension du point de vue de votre fille. Par exemple, il est courant qu'un enfant de parents divorcés place le parent absent (habituellement le père) sur un piédestal. Aux yeux de l'enfant, papa devient un héros sans fautes et sans reproches. Rapidement l'idéal devient un substitut de la réalité. L'enfant se fait lui-même Gardien de l'Image qu'il polit et garde sans tache d'une visite à l'autre.

Cette adoration du héros est bien assez pour déborder le seuil de tolérance de n'importe quelle mère séparée. Après tout, vous vous rappelez probablement papa comme un être véritablement inqualifiable.

Malheureusement, plus vous êtes irritée par ses histoires à propos de papa et des choses fantastiques qu'il peut faire, plus votre fille défend et protège sa relation avec lui. De plus, elle ressentira le pouvoir que le nom de papa lui donne. Quand les choses n'iront pas comme elle voudrait, elle laissera tomber: "J'aime mieux mon papa que toi!"

La meilleure chose que vous puissiez faire pour vous-même c'est d'*écouter* quand votre fille veut vous décrire ses aventures au paradis. En fait, ne vous contentez pas d'écouter, posez des questions et demandez des détails. Prenez le contrôle de la conversation, de façon à pouvoir dire, après un temps approprié: "Eh! bien, tout ça est très excitant à discuter et je suis contente que tu t'amuses bien avec ton papa. Maintenant, maman va arrêter d'en parler et aller finir son magazine et je veux que tu ailles jouer dans ta chambre." De cette façon vous commencez à redéfinir les termes de votre relation aussitôt qu'elle est revenue à la maison.

Acceptez le fait qu'elle a beaucoup de plaisir avec papa. C'est comme ça que *ça doit être.* Vous ne souhaiteriez tout de même pas qu'elle passe un mauvais moment toutes les deux fins de semaine, n'est-ce pas? De plus, papa a le droit de l'envoyer au ciel chaque fois qu'il la voit. Sa joie et son enthousiasme donne *presque* du sens au fait d'être un papa une fois toutes les deux semaines.

La difficulté que vous avez à la reprendre en main quand elle revient n'est pas la faute de papa. C'est votre ressentiment qui vous fait du mal. Il paralyse votre autorité, creuse un fossé entre votre fille et vous et provoque la confrontation.

Tout repose sur votre volonté de déposer vos armes et d'écouter. En écoutant (et en parlant), vous l'invitez à redevenir participante dans votre relation et il y aura moins de chances qu'elle brandisse l'étendard de papa dans la maison.

Plus vous lui témoignerez d'intérêt, plus il sera facile de reprendre le contrôle et plus elle appréciera et aura hâte de retrouver le calme, la sécurité et la routine du foyer. Après tout, rien ne vaut un foyer, et elle le sait bien.

L'adoption

Question: Il y a sept ans, je me suis retrouvée enceinte sans être mariée et j'ai eu un fils. Quand il a eu quinze mois, j'ai épousé un homme merveilleux qui a adopté mon fils et s'entend remarquablement bien avec lui. Nous avons maintenant un autre fils qui a trois ans. Nous n'avons pas encore dévoilé à l'aîné les circonstances de sa naissance, mais nous pensons qu'il faut qu'il sache. Mais plusieurs personnes (amis et parents) nous ont plutôt recommandé de ne pas le lui dire, prétendant que cela va lui faire du mal ou qu'il est encore trop jeune. Nous voulons être honnêtes avec lui mais nous ne savons trop que faire maintenant. Quelle est votre opinion?

Réponse: Il a besoin de savoir, il a le droit de savoir, il a besoin de l'entendre de vous avant qu'il ne le devine ou l'entende de la bouche de quelqu'un d'autre et c'est maintenant un excellent temps pour le lui dire.

Un enfant de sept ans sera capable de saisir les subtiles complexités de la situation. Un enfant de cet âge peut penser de façon plus souple qu'un enfant ne serait-ce que de deux ans plus jeune. C'est pourquoi il n'a pratiquement pas la moindre chance d'être perturbé.

Les caractéristiques émotionnelles d'un enfant de sept ans sont plus clairement établies et moins vulnérables que celles d'un enfant plus jeune. Il se montre plus capable d'affronter avec succès les conflits émotionnels qui peuvent faire surface, pour un temps seulement, quand on lui révélera les circonstances de sa naissance.

Il y a une excellente raison pour ne pas attendre plus longtemps. En effet, à moins que les vieilles luttes pour le pouvoir n'aient pas encore été résolues, les premières années d'école sont une période relativement calme. Mais un retour des attitudes rebelles commence à se manifester à neuf ou dix ans et atteint son maximum quelque part pendant la préadolescence.

La réaction d'un enfant qui découvre qu'il a été adopté par un de ses parents (ou les deux) a des chances d'être plus extrême si les parents attendent pour le lui dire jusqu'à la période de rébellion dont je parlais plus haut. Il peut en effet interpréter ce retard comme un signe de manque de confiance de ses parents dans leur relation avec lui. Cela pourrait bien être l'excuse qu'il lui fallait pour pousser sa révolte à des extrêmes, peut-être même déviants.

Alors, maintenant que j'ai établi que c'était en ce moment pour vous le temps idéal pour lui donner cette information, j'ai quelques suggestions qui peuvent empêcher que tout le monde ne tombe en vrille:

- Assurez-vous que votre fils comprend bien les principes de la conception, de la grossesse et de la naissance et qu'il sait ce que veut dire "adoption". S'il n'a pas les idées claires là-dessus, il faut que vous lui donniez un petit cours d'éducation sexuelle, avec des explications sur les divers types de famille (naturelle, monoparentale, mixte) et la différence entre les parents naturels, les parents adoptifs et les beaux-parents. Donnez-lui l'exemple de gens qu'il connaît pour que cela soit encore plus clair et donnez-lui plusieurs semaines pour que tout cela pénètre bien.

- Attendez-vous à ce qu'il puisse réagir en devenant pendant un certain temps maussade et renfermé. Il y a aussi une chance qu'il montre des changements d'humeur, devenant brusquement furieux, accusateur et plus facilement frustré.

On peut aussi parier qu'il va ruer un peu dans les brancards pour voir comment le système familial résiste à la pression qu'il peut lui faire subir.

Il peut lui sembler que bien des choses ont changé, y compris la définition qu'il a de lui-même et de sa "place" dans la famille. Ces nouvelles peuvent causer des difficultés temporaires. Si c'est le cas, vous pouvez, par la force et la solidarité de votre mariage, lui montrer que rien n'a changé. Il est *le même*, dans *la même* famille, avec *les mêmes* règles, partageant *le même* amour qu'avant.

- Organisez des vacances en famille prévues quelques jours après votre explication. Utilisez ce temps passé ensemble pour réaffirmer les liens qui vous unissent. Pendant ces vacances, il sera possible aux deux parents d'être presque tout le temps disponibles l'un pour l'autre, ce qui empêchera l'enfant de "tasser dans un coin" l'un d'entre vous. Et ainsi, les clarifications, la discipline, le réconfort et tout ce qui devra être fait pourra l'être immédiatement par les deux parents ensemble.
- Il peut poser des questions sur son père biologique, par exemple: "Quand est-ce que je pourrai le rencontrer?" Répondez à tout de façon simple et honnête. Il ne serait pas sage de permettre à l'enfant de rencontrer son père biologique immédiatement. Expliquez-lui que son père naturel a sa vie, peut-être même une famille et que des contacts qu'il n'aurait pas sollicités seraient une atteinte à sa vie privée.

Si l'enfant s'obstine, assurez-lui que vous lui dévoilerez l'identité de son père biologique plus tard, peut-être après ses années de collège. À ce moment-là, il sera assez vieux pour prendre une décision mûrement réfléchie quant à l'utilisation de cette information.

Par-dessus tout, faites-lui savoir que *vous* êtes ses vrais parents, *tous les deux*. Et, souvenez-vous, presque tout le monde peut être une mère ou un père, mais il n'y a que des gens vraiment spéciaux pour être des mamans et des papas.

Quatrième partie

Quelques questions controversées

La télévision

L'enfant américain moyen d'âge préscolaire passe plus de temps à regarder la télévision qu'à toute autre activité de veille. Entre deux et six ans, il la regarde trente-deux heures par semaine, soit 6656 heures pendant quatre des années les plus importantes de sa vie. Au moment où il entre en première année, il aura passé près d'un tiers de ses heures de veille devant un téléviseur.

Depuis la fin des années soixante, des groupes comme l'"Action for children's television" (ACT)*, situé à Boston, se sont battus pour l'amélioration des programmes destinés aux enfants. L'ACT a réussi à faire supprimer les messages publicitaires concernant les vitamines en pilule visant les enfants de même que les annonces publicitaires faites par les animateurs de ces programmes et à faire réduire de quarante pour cent le temps de publicité des programmes du samedi matin.

Mais une meilleure télévision *n*'est peut-être *pas* ce qu'il faut à nos enfants. Un nombre croissant de preuves suggèrent fortement que le mal que fait la télévision aux enfants, et aux enfants d'âge préscolaire en particulier, a peu sinon rien à voir avec *ce qu*'ils regardent.

Peu importe ce qu'il y a sur l'écran. Le mal vient de l'*action de regarder* elle-même.

Quand un enfant regarde la télévision, en effet, il est inerte, physiquement et mentalement. Il est passif, non engagé (ou engagé seulement de façon momentanée et superficielle). Il peut choisir parmi un éventail restreint de programmes (souvent de nature semblable), mais il ne peut déterminer ce qu'il voit, ni sous quel angle ni dans quel ordre il le voit.

Quand il regarde la télévision, ses pupilles sont fixées sur un point immobile du champ visuel. Au lieu de balayer du regard, il a les yeux fixes. La plupart du temps ses mains sont immobiles sur son

* Groupe d'action pour la télévision destinée aux enfants (N.d.t.).

ventre. Il est un spectateur, un badaud, parcourant une rue à sens unique.

En bref, regarder la télévision revient à ne rien faire. C'est peut-être la technologie la plus démocratique qu'on ait jamais inventée. N'importe qui peut la regarder, et presque tout le monde le fait. Pas de prérequis nécessaires, pas de talent particulier, pas d'expérience préalable. Des pupilles qui fonctionnent, c'est tout ce qu'il vous faut.

Même les prétentions de programmes soi-disant éducatifs tels *La rue de Sésame* et *La compagnie électrique* sont suspectes. Une étude effectuée par la Fondation Russell Sage et résumée dans "Sesame Street Revisited"* (Fondation Russell Sage, 1975) a établi que les spectateurs assidus de ce programme font en fait des progrès moins grands dans le raisonnement et la capacité de résoudre des problèmes que les enfants qui ne le regardent que de temps en temps.

Les années préscolaires forment la période de formation la plus critique de la vie d'un être humain. Pendant cette brève période, l'enfant développe une façon personnelle durable d'être en rapport avec le monde, socialement, émotionnellement, intellectuellement et quant à ses perceptions. Des recherches ont clairement démontré l'importance de l'exploration, du jeu et de l'imagination dans le développement de l'enfant.

Mais, au lieu d'être un stimulant de l'activité intellectuelle et physique, la télévision agit comme un narcotique. Le docteur T. Berry Brazelton, un pédiatre de Cambridge (Massachusetts), auteur de *Bébés et mères*, écrit que la télévision met les jeunes enfants dans un état qui ressemble à une transe. "(Elle) agresse et submerge l'enfant" qui "ne peut y répondre qu'en (devenant) encore plus passif", ajoute-t-il.

Les partisans de la télévision pour enfants ne sont pas d'accord. Le docteur Edward Palmer, directeur de la recherche au "Children's Television Workshop"* (qui produit *La rue de Sésame* et *La compagnie électrique*) prétend que regarder la télévision est une "remarquable activité intellectuelle".

"Pendant tout le temps qu'ils regardent, écrit Palmer, ils font des hypothèses, ils anticipent, généralisent, se souviennent et rattachent de façon active ce qu'ils voient à leur propre vie."

---

* "Revisiter la rue de Sésame" (N.d.t.).

* Atelier de télévision pour enfants .

Mais un simple coup d'oeil à l'expression vide, au regard vitreux d'un jeune enfant plongé dans un programme de télévision me prouve que regarder la télévision est assez peu remarquable, à peine intellectuel et que ce n'est en aucune façon une activité.

Contrairement à ce que les partisans de la télévision pour enfants voudraient nous faire croire, la télévision n'est pas, et ne saurait jamais être la meilleure amie d'un enfant. C'est au contraire une de ses pires ennemies. Un enfant occupe bien mieux son temps à faire à peu près tout sauf regarder la télévision.

Depuis 1955, le nombre d'heures passées devant la télévision par des enfants d'âge préscolaire a plus que triplé. Pendant cette même période, les résultats scolaires ont baissé régulièrement, le niveau d'alphabétisation national s'est détérioré et les écoles publiques ont été ravagées par une épidémie de jeunes enfants qui ont d'énormes difficultés à apprendre à lire.

Une étude récente portant sur un demi-million d'écoliers californiens conclut que plus les enfants regardent la télévision les soirs d'école, moins leurs résultats scolaires sont bons. Wilson Riles, directeur de l'instruction publique de Californie, a déclaré que les résultats de cette étude faisaient apparaître un lien indiscutable entre la télévision et les faibles résultats académiques, ce que, jusqu'alors, les éducateurs n'avaient fait que "soupçonner... et discuter".

Regarder la télévision n'est en rien comparable à lire. On n'*apprend* pas à regarder la télévision, on le fait, tout simplement. La lecture exige que l'on participe, une qualité remarquablement absente de l'expérience de celui qui regarde la télévision. Lire est un exercice actif de l'art de résoudre les problèmes, une rue à deux sens. On ne saurait "regarder" un livre.

L'évolution nous a donné un cerveau idéalement adapté à ce défi. Mais le cerveau d'un enfant de six ans qui arrive à l'école avec 6000 heures de télévision sous les paupières est potentiellement en sérieuses difficultés. À moins qu'on ne lui impose des changements draconiens, il se peut qu'il ne soit pas désireux ou même capable d'abandonner l'habitude qu'il a prise d'être un "spectateur" passif.

Les chercheurs de l'Institut national de la santé mentale ont établi des preuves que les cellules du cerveau se développent par l'exercice et par la stimulation intellectuels (cela ressemble beaucoup à la façon dont les cellules musculaires répondent à la stimulation physique) et qu'elles s'atrophient ou s'affaiblissent par manque d'exercice et de stimulation.

Ces recherches font surgir la possibilité que beaucoup d'enfants qui ont des "difficultés d'apprentissage" ne soient en fait que des enfants vidéo moyens dont les cerveaux, affaiblis par trop d'heures passées à regarder la télévision, ne peuvent affronter le défi de l'apprentissage de la lecture.

Une recherche récente sur les enfants qui ne savent pas lire indique également que la télévision habitue l'oeil à regarder fixement plutôt qu'à balayer un champ visuel. Le docteur Edgar Gording, un expert en apprentissage de la lecture pour enfants qui éprouvent des difficultés dans ce domaine, affirme que bien des enfants avec qui il travaille n'ont jamais appris à bouger leurs yeux de gauche à droite. Cette habileté visuelle de base se serait sans doute développée si ces enfants avaient passé lors de leurs années préscolaires moins de temps à regarder la télévision et plus à jouer et à participer à d'autres occupations actives.

Ce qui est tout aussi effrayant, c'est le caractère de drogue que revêt la télévision. Plus les enfants la regardent, plus ils veulent la regarder. Si on les en empêche, ils traversent souvent une période de désengagement émotionnel qui se révèle stressante non seulement pour eux mais aussi pour leurs parents. Ils deviennent renfrognés, maussades et irritables. La télévision devient pour eux une véritable obsession et ils font des tentatives répétées de "reprise de contact". Ils deviennent agressifs, insubordonnés et anxieux. Leur frustration et leur anxiété augmentent, étouffent leur capacité à adopter un comportement constructif.

Quand les enfants "drogués" ne sont plus branchés sur le poste de télévision, ils vont probablement se brancher sur un de leurs parents ou les deux, exigeants et pleurnichards: "Fais-le pour moi! Fais-le pour moi!"

Après avoir atteint les limites de leur patience, il y a des chances que les parents les remettent devant le téléviseur, espérant gagner ainsi un moment de paix. Ils ne réalisent pas que l'incapacité que montrent leurs enfants de s'occuper tout seuls est due en partie au temps qu'ils passent collés au téléviseur. La télévision vide les enfants de toute initiative, de toute motivation, leur enlève leur autonomie et affaiblit leur tolérance au stress.

Mais pourquoi la télévision peut-elle être une drogue alors que la radio, par exemple, n'en est pas une? C'est une question de technologies différentes. Normalement, les émissions de télévision, en direct ou filmées, sont réalisées avec plusieurs caméras, chacune enregistrant l'action sous un angle différent.

Les chaînes de télévision ont découvert que les spectateurs regardent plus longtemps l'écran si la scène passe d'une caméra à une autre. Alors, pour changer, ça change, à des intervalles de quatre secondes, en moyenne.

C'est pour cela que les petits enfants restent assis pendant de longues périodes, rivés à des programmes qu'ils ne peuvent absolument pas comprendre. Le déplacement constant du point de vue submerge le besoin de comprendre. Cela n'intéresse pas l'enfant, ça l'hypnotise.

Paradoxalement, un enfant qui regarde un écran de télévision pendant plusieurs heures apprend en fait à *ne pas* faire attention. Il s'adapte constamment à de petites périodes d'attention de quelques secondes.

Après 6000 heures de cet entraînement insidieux, l'enfant arrive à l'école où son professeur s'aperçoit qu'il ne peut se concentrer assez longtemps pour finir son travail. Le professeur remarque aussi que l'enfant bouge presque constamment. Finalement, le professeur le réfère au psychologue de l'école qui le classe comme "hyperactif".

Mais de telles étiquettes cachent plus qu'elles ne révèlent. L'habitude de regarder la télévision a rendu cet enfant incapable de supporter un champ visuel stable. Dans l'ennui relatif de la salle de classe, il essaie de retrouver le niveau de stimulation auquel il est habitué lorsqu'il est assis. Ses yeux bougent d'un objet à un autre et, dans bien des cas, son corps suit.

Comme regarder la télévision n'a jamais rien exigé de lui, il ne finit rien de ce qu'il commence. Il ne sait pas pourquoi il ne peut pas rester assis tranquille, faire attention ou terminer son travail; il sait seulement qu'il *ne* peut *pas*. Et ainsi, "J'suis pas capable" fait de plus en plus partie de l'image qu'il a de lui-même.

Des vieux professeurs m'ont dit que, en tant que groupe, les enfants d'aujourd'hui sont bien moins imaginatifs et inventifs que ceux de la génération précédente, quand les enfants regardaient la télévision deux fois moins qu'aujourd'hui. Cette observation n'est guère surprenante. Le caractère explicite de la télévision laisse peu de place à l'imagination de l'enfant. En fait, cela décourage plutôt l'enfant d'exercer ses ressources créatrices.

Au cours des trente dernières années, nous avons permis aux chaînes de télévision de créer leurs propres mythes, parmi lesquels les expressions "programme pour enfants", "programme pour la famille" et "programme éducatif".

Des programmes comme *Capitaine Kangourou* et *La rue de Sésame* sont censés être des "programmes pour enfants". Mais la télévision n'est pas un bon passe-temps pour les enfants, et en particulier pour ceux d'âge préscolaire. La télévision est un handicap pour l'enfant, pas une aide. Il n'existe pas, en vérité, de programme pour enfants. Les programmes qu'on appelle ainsi existent et se développent à cause des *parents*, pas des enfants. Ces programmes tiennent les enfants "occupés", mais, contrairement à ce que leurs producteurs voudraient faire croire aux parents, ils n'offrent rien de valable. Ce ne sont pas non plus des programmes pour la famille. Les termes *famille* et *programme* sont incompatibles, parce qu'au moment où un groupe de gens qui se considère comme une famille s'assied pour regarder la télévision, la vie familiale s'arrête.

Les termes *regarder* et *ensemble* sont eux aussi incompatibles. On ne regarde pas la télévision ensemble. On regarde seul. Quel que soit le nombre de gens qui regardent la même télévision dans la même pièce, chacun s'est enfermé dans un tunnel audio-visuel où il est seul.

Il se peut que la télévision ne fasse pas vraiment naître les problèmes de communication, mais elle devient certainement une excuse pour les faire durer. Plus les membres d'une famille s'éloignent les uns des autres, plus la télévision devient un moyen commode de supporter consciencieusement la présence des autres tout en évitant dans le même temps d'en tenir compte; tout cela sous prétexte que la télévision est une "affaire de famille".

"Toute forme de télévision est éducative, dit Nicholas Johnson, ex-membre de la Commission fédérale des communications, la question est de savoir ce qu'elle nous enseigne".

En apparence, un enfant qui regarde un dessin animé du samedi et un autre qui regarde "Au royaume des animaux" regardent deux programmes de nature entièrement différente: l'un est une pure distraction, l'autre est supposément éducatif. Mais aucun programme ne mérite, plus qu'un autre, d'être dit "éducatif". Un enfant qui regarde un dessin animé et un autre qui regarde "Au royaume des animaux" sont tous deux exposés au même message éducatif: *tu peux avoir quelque chose pour rien.*

Les enfants sont de petites personnes impressionnables. Ils n'ont aucun moyen d'évaluer l'insidieux message de la télévision et ne peuvent donc lui résister.

Ils acceptent. Ils absorbent. Ils s'adaptent. Et ils deviennent ce que le message-massage les fait devenir, quelle que soit l'influence de leurs milieux.

Les jouets

J'ai essayé de me souvenir des jouets avec lesquels je m'amusais quand j'avais quatre ou cinq ans, mais le seul qui me revienne à l'esprit c'est un train électrique que m'avait offert l'oncle Ned, pour la Noël de 1952.

Je dois devenir gâteux. J'avais sûrement plus de jouets que ça! Après tout, j'étais enfant et les enfants ont beaucoup de jouets. Alors, je devais avoir beaucoup de jouets!

Quels étaient-ils?

Cela me rend fou. Je vais téléphoner à ma mère.

— Écoute, maman, j'essaie de me rappeler mes jouets d'enfant. Tu sais, ceux avec lesquels je jouais quand on habitait Charleston et...

— Des jouets? On ne t'achetait pas de jouets.

— Pas de jouets? Aucun?

— Attends, voyons voir. En y repensant, Ned t'a offert un train électrique un Noël et tu avais aussi des soldats de plomb et un jeu de blocs Lincoln. Mais tu ne jouais avec que quand il pleuvait.

— Et qu'est-ce que je faisais quand il ne pleuvait pas?

— Tu jouais dehors. À chasser des lézards ou à d'autres grandes aventures. Tu n'étais jamais en peine de savoir quoi faire. J'avais toujours du mal à te retrouver. Je me souviens qu'un jour...

La chasse aux lézards. Les grandes aventures. Parti tout l'après-midi. Quelle vie! Je me souviens maintenant. Mes jouets, c'étaient les choses de la nature. Des pierres et des flaques d'eau, des bouts de bois et du tissu. Je ne m'ennuyais jamais. Je ne savais pas *comment* m'ennuyer.

Est-ce que c'est mon imagination ou est-ce qu'aujourd'hui beaucoup d'enfants n'ont-ils pas du mal à se désennuyer?

Combien de fois n'avez-vous pas entendu un enfant dire: "J'sais pas quoi faire!"

Les enfants d'aujourd'hui s'attendent à ce qu'on les distraie, ils le demandent même, parce qu'ils *ont été* distraits. Chaque jour, de toutes les façons possibles et imaginables. Ils forment, en fin de compte, une génération obstinément inerte.

Des parents qui leur donnent trop de leur temps, trop de télévision et une chambre pleine de jouets: tels sont les défauts de l'environnement des enfants d'aujourd'hui. Telles sont les choses qui les empêchent d'apprendre à s'occuper de façon créatrice. Ce sont des barrières au libre exercice de l'intelligence.

Paradoxalement, les enfants deviennent vite dépendants de ces barrières, causant sans le savoir leur propre perte.

Prenez les jouets, par exemple. L'enfant d'aujourd'hui est, de façon générale, un drogué des jouets. Il les lui faut. Des nouveaux. Tout le temps.

Il vit dans un capharnaüm de jouets. Ils sont partout. Des morceaux de jouets brisés emplissent jusqu'au fond une énorme boîte à jouets. Ses étagères en sont pleines, son placard et ses meubles en sont bourrés, le plancher en est couvert. Chaque fois que ses grands-parents viennent le voir, il faut qu'ils lui en apportent d'autres. Chaque fois que ses parents vont faire des courses, il reçoit un jouet.

Et pourtant, il se lamente: "J'sais pas quoi faire!"

Il a presque raison! Il y a bien trop de choix. La masse de jouets dont il dispose brouille son imagination, bouche sa vision et empêche son développement. Il évite la frustration en évitant cette masse. La seule chose qu'il sache faire, c'est d'ajouter encore maladivement à cette masse. "J'sais pas quoi faire", traduit, veut dire: "J'ai oublié comment m'occuper par moi-même."

Plus il a de jouets, plus il dépend d'eux et plus il en veut. Au bout du compte, les jouets eux-mêmes n'ont pas la moindre valeur. Il les ignore. Il n'en prend pas soin. C'est ce qui se produit quand l'approvisionnement dépasse le besoin. La visite rituelle au magasin de jouets devient une fin en soi: son but.

Plus il a de jouets plus il attend des *choses* et moins il attend de lui-même. Il se montre impuissant et nous continuons à entretenir son impuissance, renforçant ainsi lentement mais sûrement une attitude générale de "J'suis pas capable" à l'endroit des défis de l'existence.

Voici quelques-unes de mes opinions à propos des jouets:

- Le meilleur jouet, c'est celui que l'enfant fait lui-même. Emmenez votre enfant dehors et montrez-lui comment faire des forts avec des bouts de bois, creuser des douves avec une vieille cuiller à soupe, faire des bateaux en papier, construire des murs avec des pierres, faire des arbres avec des pommes de pin; les possibilités sont infinies!

- Les meilleurs jouets commerciaux sont ceux qui sont flexibles (que l'on peut combiner de diverses manières) et encouragent le jeu de l'imagination. Les petites figurines et autres miniatures sont très bien. Les ensembles de construction simples, l'argile, les crayons, la peinture à l'eau, la peinture au doigt, etc. sont également très bien.
- Évitez la plupart des jouets dits éducatifs. En général, ils ont peu ou rien à voir avec les besoins du développement de l'enfant. Les "problèmes" qu'ils posent sont plutôt oiseux et tendent à empêcher plutôt qu'à encourager la réflexion créatrice.
- Au lieu de leur acheter des jouets qui "font" des choses, donnez à vos enfants un petit nombre de choses élémentaires qu'ils peuvent manipuler. Laissez l'imagination de l'enfant "faire" les choses.
- Ne bornez pas l'enfant aux jouets traditionnellement considérés comme propres à un seul sexe. Si un garçon veut jouer à la poupée, achetez-lui des poupées. Si une fille veut jouer au baseball, achetez-lui un bâton et une balle. Plus ils sont libres d'explorer les possibilités qu'offre la vie, plus ils deviendront des personnes capables de choisir avec discernement.

En conclusion, *moins* c'est *plus*.

Les difficultés d'apprentissage

S'il existait une recette pour la "difficulté d'apprentissage" elle se lirait probablement en gros comme suit: prenez en proportions égales un mythe, des lubies, de la confusion et de l'impatience. Mélangez ces ingrédients vigoureusement jusqu'à ce qu'ils prennent. Prenez un enfant qui ne réussit pas bien à l'école. Couvrez-le soigneusement avec ce mélange et servez tout chaud un enfant qui a des "difficultés d'apprentissage".

Maintenant, voyons comment fonctionnent ces divers ingrédients. *Le mythe:* Personne n'a encore réussi à découvrir ce qu'est vraiment une difficulté d'apprentissage. On a fabriqué cette expression pour expliquer pourquoi certains enfants ont plus de difficultés à l'école qu'ils ne "devraient" présumément en avoir. L'opinion qui prévaut est que ces enfants gênants ont quelque défectuosité mineure du cerveau qui nuit à leur capacité de lire, d'écrire ou de calculer. Mais il n'y a aucune preuve qu'un tel défaut du cerveau existe vraiment. C'est donc un mythe (que l'on appelle aussi une "théorie", si vous préférez une aura de respectabilité scientifique).

Les lubies: Au cours des deux dernières décennies, nous avons vu apparaître et disparaître plusieurs approches "progressistes" dans le domaine de l'éducation. Chacune présentée comme l'amélioration définitive. Le docteur Allan Cohen, un éducateur auteur de plusieurs receuils de textes de lecture pour l'élémentaire, appelle cela l'ère du char allégorique, plein de lubies et de trucs mais fort peu de véritable savoir-faire. Il affirme que beaucoup de livres et de méthodes utilisés pour apprendre à lire sont confus et ne tiennent pas compte de ce que l'on sait de la façon dont les enfants apprennent à lire. En d'autres termes, nous créons un milieu d'apprentissage équivoque et prétendons ensuite qu'il y a quelque chose qui ne va pas chez les enfants qui se montrent déconcertés.

La confusion: Quand j'étais écolier, il n'y avait ni enfants "en difficulté d'apprentissage" ni dislexiques. Il y avait ceux qui réussissaient très bien à l'école, ceux qui réussissaient assez bien et ceux qui ne réussissaient pas trop bien. Ces derniers restaient après la classe avec le professeur, on leur donnait des devoirs plus faciles, des livres plus simples, et ainsi de suite. Très souvent, ils redoublaient une année ou l'autre. Beaucoup de mes copains redoublaient. Presque tous réussirent tout de même à finir leur secondaire et quelques-uns allèrent jusqu'au collège. Ils apprirent *tous* à lire.

Maintenant, nous avons une épidémie nationale d'enfants en difficultés d'apprentissage (E.D.A.) et de dislexiques. Mais les experts ne parviennent pas à s'entendre sur les définitions à donner à ces termes, pas plus que sur la façon de reconnaître les enfants auxquels ils peuvent s'appliquer ou sur les moyens de régler le problème. Les définitions sont si vagues que presque tout enfant qui ait jamais écorché un mot, mal prononcé ou qui ait multiplié au lieu d'additionner peut faire partie du lot. Lors d'une récente étude menée en Indiana, on a découvert que tous les enfants du même district scolaire avaient des difficultés d'apprentissage. La chasse aux E.D.A est ouverte. Les éducateurs et les psychologues sont persuadés qu'il y en a des foules qui se promènent dans la nature alors ils collent cette étiquette sur des foules d'entre eux.

L'impatience: Tout est branché sur "vite", "plus vite", "tout de suite". Certains historiens contemporains affirment que nous ne sommes plus capables de nous adapter confortablement à l'accélération rapide du progrès. Notre enthousiasme pour l'amélioration et le changement constant a commencé à influencer notre réflexion sur les enfants.

Nous agissons souvent comme si les enfants étaient des produits sujets aux mêmes principes et aux mêmes attentes que ceux qui s'appliquent aux produits manufacturés. Nous pouvons aller de New York à Paris en moitié moins de temps qu'il y a vingt ans, mais est-ce bien raisonnable d'attendre de nos enfants qu'ils puissent apprendre les trois apprentissages de base de façon tout aussi écourtée?

La lecture, l'écriture et le calcul sont lancés au visage des enfants de trois et quatre ans. Peu importe si cela ne cadre pas avec ce que nous savons de ce que les enfants peuvent réellement apprendre ou de la façon dont ils apprennent: on est au vingtième siècle, que diable!

Heureusement, il existe des programmes spéciaux qui offrent des instructions individualisées pour les enfants qui ont besoin de ce coup de pouce supplémentaire, ceux qui ne réussissent pas trop bien. Malheureusement, pour avoir droit à ces programmes, l'enfant doit généralement être étiqueté D.A.* pour les archives.

Cette étiquette indique que l'enfant est handicapé et c'est potentiellement dangereux pour son amour-propre. Il y a aussi le danger très réel que cette étiquette devienne un prétexte à refuser les responsabilités et à excuser les échecs personnels plus tard dans la vie.

L'aptitude à lire et à écrire apparaît plus tôt chez certains enfants et plus tard chez d'autres. Tous les enfants sont différents, apprennent à des rythmes différents et *de façons différentes*. Quand on mesure à la même aune les progrès de chaque enfant, l'individualité propre de chaque enfant est perdue.

Mais cette méthode a ses avantages. Si un enfant ne cadre pas avec les mesures, on peut en déduire qu'il y a quelque chose qui ne va pas chez lui. Cela protège l'image de notre système d'éducation et tout Américain sait que le système est plus important que l'individu. Ou est-ce que c'est le contraire?

La véritable différence qu'il y a entre un enfant qui sait lire et un autre qui ne sait pas, c'est des parents qui s'engagent, des professeurs dévoués et beaucoup de bons livres.

---

* Difficulté d'apprentissage.

L'hyperactivité

L'expression "défectuosité mineure du cerveau" ou "dysfonction mineure du cerveau" (DMC) a été forgée dans les années cinquante par un groupe de chercheurs qui avaient comparé les capacités d'enfants au cerveau atteint à celles d'enfants normaux. Ils avaient remarqué que certains enfants normaux avaient de la difficulté à accomplir des tâches qui étaient également difficiles pour les enfants au cerveau atteint. Ils ont résolu ce paradoxe en décidant que le cerveau de certains enfants normaux ne devait pas fonctionner convenablement. Ce mauvais fonctionnement n'affecte que certaines habiletés spécifiques, comme lire ou écrire, et ne produit pas de handicap physique. C'est pourquoi il est mineur.

Il y a plusieurs symptômes possibles de DMC et aucun ne tranche particulièrement. Certains enfants DMC ont des difficultés avec la lecture et d'autres matières scolaires. Certains ont une mauvaise coordination. D'autres ont des problèmes à comprendre ce qu'on leur dit ou à s'exprimer clairement. Et certaines difficultés sont étiquetées DMC parce que les enfants qui les éprouvent sont "hyperactifs".

L'hyperactivité a ses symptômes propres. Les enfants hyperactifs, comme le terme l'indique, sont généralement décrits comme étant très actifs: "je n'arrive pas à le tenir en place", agités: "il n'est pas capable de s'asseoir tranquillement", facilement distraits: "le plus petit bruit, le plus petit mouvement attirent son attention" et ne pouvant maintenir leur attention: "il ne paraît pas capable de terminer quoi que ce soit".

L'hyperactivité, comme DMC, est un terme médical. Seul un médecin, de préférence un pédiatre neurologue, devrait l'appliquer à un enfant. Mais le terme est tellement entré dans notre vocabulaire de tous les jours que la plupart des cas de prétendue hyperactivité n'ont probablement jamais été diagnostiqués à la suite d'un examen médical.

Quand un enfant fait grimper son professeur dans les rideaux, le professeur dit à sa mère qu'il doit être hyperactif. Une mère qui n'aime pas l'enfant très animé du voisin dit à ses amis que cet enfant est hyperactif. Lorsque vous allez voir votre tante Maude, son enfant de deux ans pique une colère après l'autre plusieurs heures d'affilée. En rentrant, votre conjoint et vous tombez d'accord: c'est un enfant hyperactif.

Je me souviens du temps où les enfants étaient "indisciplinés" ou "de vrais petits diables". Ces temps-là sont révolus. L'enfant indiscipliné d'autrefois, c'est l'hyperactif d'aujourd'hui.

Nous avons abusé du terme "hyperactif" de telle façon que son vrai sens s'est perdu. Une étiquette, après tout, c'est une simplification extrême, une sorte d'abréviation verbale. C'est une façon de concentrer une explication plus complexe.

Suggérer qu'un enfant est hyperactif uniquement parce qu'il est difficile n'explique rien. Appliqué de façon très large, comme c'est le cas présentement, le terme ne décrit pas tant le comportement d'un enfant qu'il ne reflète l'impatience, la frustration et le manque de compréhension que quelqu'un d'autre manifeste à son endroit.

Habitués que nous sommes à vivre dans un monde où tout, des prêts bancaires aux plats chauds, s'obtient en appuyant sur un bouton, nous pensons d'une certaine façon que les enfants ne grandissent pas assez vite. Mais il n'y a aucun moyen d'accélérer le processus naturel de développement d'un être humain. On n'accélère pas le débit d'une rivière.

Il nous faut absolument reconnaître que chaque enfant est un individu unique. Nous avons cette idée en tête mais nous ne parvenons pas à mettre en pratique ce que nous prêchons. Il n'est pas d'enfant semblable au mien, il n'en est pas non plus de semblable au tien, pas plus qu'il n'y a deux enfants hyperactifs semblables. Néanmoins, nous avons tendance à réagir à l'étiquette plutôt qu'à l'enfant.

Il est facile de voir pourquoi ce terme est devenu si populaire. Il implique un état neurologique dont personne ne peut être tenu pour responsable. Il n'y a en lui aucune indication de négligence, de problèmes émotionnels ou d'un défaut des parents d'assumer leurs responsabilités. L'enfant hyperactif n'est plus "vilain" (un "vrai petit diable"). Il est légèrement handicapé et mérite notre sympathie. Ainsi, le terme fait plaisir à toutes les personnes concernées.

Il y a plusieurs années, j'ai offert un jour un biscuit à l'un des amis d'Éric pour me faire dire: "Je ne dois pas manger de biscuits parce que je suis hyperactif." En contemplant son expression qui voulait dire "n'est-ce pas que je fais pitié?" et en pensant à son comportement généralement violent, j'éprouvais certes de la pitié pour lui, non pas parce qu'il *était* hyperactif et ne pouvait manger de biscuits mais parce que quelqu'un lui avait *dit* qu'il était hyperactif et que cela devenait son excuse.

Il est assez intéressant de remarquer que personne n'a encore trouvé de preuve tangible de ce supposé défaut neurologique. Si bien que l'idée que l'hyperactivité a quelque chose à voir avec un problème dans la matière grise de l'enfant n'est finalement qu'un soupçon distingué.

De plus, les définitions de l'hyperactivité sont vagues et on s'entend assez peu sur les critères en fonction desquels on peut la diagnostiquer. Tout enfant turbulent, dans la lune, rebelle, plein de curiosité et d'énergie peut bien être classé hyperactif.

En fait les descriptions qu'on donne d'enfants hyperactifs sont semblables à celles que l'on fait d'enfants d'âge préscolaire sains et normaux en général. Cela évoque la possibilité que les enfants d'âge préscolaire hyperactifs aient pu être victimes de l'impatience de quelqu'un et que beaucoup d'hyperactifs plus âgés ne soient que des "petits diables" indisciplinés qui n'ont pas mûri.

Il existe probablement un petit nombre d'enfants qui ont effectivement des problèmes neurologiques que l'on peut traiter avec succès au moyen de médicaments ou d'une thérapie physique. Mais il est dans le meilleur intérêt aussi bien de l'enfant que de sa famille d'essayer d'autres approches pour y remédier avant de faire appel à une médication quelconque. Et même avec l'emploi de médication, la famille devrait être en contact avec un thérapeute.

Tout enfant a besoin des meilleures chances que nous puissions lui donner. Si nous manquons à cette responsabilité, l'étiquette que nous lui accolons, c'est à nous qu'elle renvoie.

Hyperactivité et régimes alimentaires spéciaux

En 1973, le docteur Benjamin Feingold, un allergiste californien, a publié un rapport qui établissait un lien entre l'hyperactivité et le régime alimentaire des enfants. Il y affirmait que le comportement agité qui caractérise l'hyperactivité est stimulé par les additifs artificiels incorporés dans la plupart des aliments industriels. Parmi ces additifs, les salicylates, famille de produits chimiques qui, outre leur emploi industriel, se retrouvent naturellement dans les tomates, les pommes, les oranges, entre autres.

Les recherches de Feingold ont tracé les lignes de bataille d'une controverse qui continue à faire rage. Ses acteurs comprennent des pédiatres, des éducateurs, des psychologues, des nutritionistes, l'industrie de la conserve et l'administration des aliments et drogues des États-Unis. Au milieu du conflit, des milliers de témoignages de parents d'enfants hyperactifs qui jurent que la diète de Feingold a été leur salut.

Une chose est claire, des milliers d'enfants hyperactifs ont essayé la diète de Feingold et, si l'on accepte les preuves anecdotiques fournies par leurs parents, un nombre étonnamment élevé d'entre eux s'en est trouvé spectaculairement mieux. Ces parents ne gagneraient rien à mentir, alors je les crois.

Mais, quant à savoir si ces résultats peuvent être attribués à la diète sans additif ni salicylate de Feingold, c'est une autre question. Il y a d'autres façons d'interpréter les faits.

Le problème est en partie une question de définition. Demandez à quinze experts de vous donner une définition de l'hyperactivité et vous avez des chances de recevoir quinze réponses différentes, toutes sans critère vérifiable. Il n'existe pas un seul symptôme qui puisse la définir, ni prise de sang ni quelque autre moyen médical de la diagnostiquer infailliblement. Qu'un enfant actif et agité puisse ou non être appelé hyperactif, cela semble parfois dépendre d'aussi peu que de sa capacité à faire les mauvaises choses aux mauvais endroits, aux mauvais moments et sous les yeux des mauvais témoins.

La communauté des spécialistes concernés ne s'entend guère sur l'emploi de l'appellation. Le docteur Jon Rolf, directeur du projet "Développement de l'enfant" du Vermont, a déclaré récemment que, d'après les descriptions courantes, la plupart des enfants d'âge préscolaire pouvaient être dits hyperactifs. L'hyperactivité, on dirait, peut bien n'exister que dans l'oeil de celui qui regarde.

Les enfants hyperactifs peuvent bien ne pas avoir grand-chose en commun mais les questions dominantes qui se posent dans leurs familles respectives sont généralement les mêmes. Par exemple, la question de savoir "qui mène" n'y est en général pas réglée. Classiquement, les parents n'y sont pas assez unis en tant que dépositaires du pouvoir exécutif et ils n'ont pas trouvé les moyens efficaces de faire face à l'énorme responsabilité qu'est l'éducation des enfants. De bien des façons, le comportement instable de l'enfant semble refléter l'instabilité d'une vie familiale où il n'y a pas de centre stable.

Bien que personne ne soit aux contrôles, la *question qui contrôle tout*, c'est le comportement chaotique de l'enfant, et presque tous les aspects de la vie familiale, social, éducationnel, occupationnel, financier, émotionnel, en sont affectés. La tension pénètre tout et personne n'est à l'aise.

De façon compréhensible, les parents d'un enfant hyperactif ont un besoin éperdu de réponses, une solution qui rendrait le comportement de l'enfant tolérable et un peu plus facile à affronter. Mais aux yeux des parents, leur enfant n'est pas un enfant ordinaire. Si on leur propose une approche ordinaire, basée sur le bon sens, ils la rejettent souvent en disant: "Nous l'avons essayée, ça n'a pas marché", alors qu'en fait, ça aurait pu peut-être marcher si les deux parents avaient travaillé ensemble à la faire marcher.

Ce qui est nécessaire, c'est une approche qui permette aux parents de coopérer sans les forcer à reconnaître qu'ils en ont été incapables jusque-là. La diète pour hyperactifs remplit cette exigence. Elle épargne les parents en confirmant que le comportement de l'enfant n'a aucun rapport avec leur relation. Elle embellit aussi l'image de l'enfant, autrefois un méchant, maintenant une victime.

Enfin, et c'est le plus important, la diète fournit un cadre rassurant à l'intérieur duquel les parents peuvent structurer et stabiliser leurs relations avec l'enfant. La diète enlève les projecteurs de ce que *fait* l'enfant et les braque sur ce qu'il *mange*. Les limites et les règles, autrefois vagues, sont maintenant clairement définies et le problème de leur respect est considérablement moins complexe et émotionnel. À l'intérieur de ce cadre, les parents sont capables d'assumer leurs responsabilités décisionnelles de façon efficace et simple. En bref, la diète devient un exercice sûr d'éducation des enfants.

Dans presque tous les cas, nous dit-on, l'enfant coopère avec ce plan et apprend même finalement à l'appliquer lui-même. En d'autres termes, l'enfant apprend l'autodiscipline qui est le résultat souhaitable de tout programme efficace de discipline.

Après avoir dit tout cela, vais-je suggérer que ces enfants retournent aux additifs et aux salicylates? Pas du tout. Je suggère simplement que l'on donne crédit à ce qui l'a mérité.

Feingold a sonné l'alarme au sujet des additifs artificiels et il a forcé la communauté scientifique à considérer sérieusement le tort qu'ils peuvent causer à notre santé et à notre bien-être. Tant mieux.

Mais des études sérieuses n'ont pas réussi à prouver de façon concluante que la diète de Feingold avait un effet positif valable sur le comportement des enfants hyperactifs. Peut-être, comme je l'ai déjà dit, le problème est-il de définir qui est hyperactif et qui ne l'est pas. Cela nous laisse avec quelques milliers de parents qui ont employé la diète de Feingold de façon rigoureuse et suivie consciencieusement, et qui ont appris, en cours de route, à être de meilleurs parents.

Je pense que ce sont *eux* qui méritent tout le crédit des améliorations qu'ils décrivent. J'espère qu'ils ne m'en voudront pas d'affirmer cela.

Doué et talentueux

Dou-é (dwe), adj. qui a un don ou une aptitude naturelle; talentueux. Ex.: "Est-ce que mon enfant est doué?"

Bien sûr qu'il l'est! Ton enfant a des dons, mon enfant a des dons, tous les enfants du bon Dieu ont des dons, des dons!

Tout être humain naît avec des dons au départ. Cette qualité très spéciale, bien que très sous-estimée, mal comprise, mal utilisée et négligée, donne à chacun de nous le potentiel d'être et de faire quoi que ce soit à quoi nous aspirons et transpirons.

Notre don est comme une graine qui doit germer à la naissance. Si le germe est nourri, il va se développer et devenir fort et ses branches s'étendront dans beaucoup de directions, pour embrasser bien des choses.

Malheureusement, un mauvais génie semble nous pousser à faire tout ce que nous pouvons pour ignorer, supprimer et restreindre l'honneur que Dieu et Mère Nature nous ont ainsi fait. Même nos efforts pour le mettre en valeur semblent souvent confus ou mal dirigés.

Prenez par exemple le cas des programmes spéciaux des écoles publiques pour les enfants "doués et talentueux". Ils étaient conçus expressément pour combler les besoins prétendument spéciaux des élèves qui ont des capacités académiques exceptionnelles.

Mais en réalité ils renforcent la croyance fondamentalement nocive, largement répandue, selon laquelle les "dons" sont rares.

Au lieu de reconnaître les capacités, ces programmes souvent les ignorent. Ceux qui y participent sont choisis sur la base des notes, des résultats aux tests de quotient intellectuel et de l'évaluation que font les professeurs de concepts comme la motivation et le leadership. Sur vingt élèves pris au hasard, *un seul* va peut-être rencontrer les exigences, ce qui laisse les dix-neuf autres à quoi?, la poursuite de leur piétinement sans talent?

Dire qu'un enfant est doué parce qu'il obtient un A alors qu'un autre ne l'est pas parce qu'il n'obtient qu'un C est une façon d'amener les *deux* à se faire des idées fausses d'eux-mêmes.

Au lieu d'offrir à *tout* élève la possibilité de découvrir ses dons et de trouver des moyens créateurs de les exprimer, ces programmes créent, de la façon la plus arbitraire possible, une distinction artificielle entre ceux qu'on suppose "en avoir" et ceux que l'on décrète "ne pas en avoir".

Après quoi, ceux qui n'en ont pas doivent se résigner à vivre avec des mots comme "régulier" et "dans la moyenne" alors que ceux qui en ont sont élevés à un statut spécial à l'intérieur du système. À la longue cependant, s'occuper spécialement de ceux qui en ont est insidieusement nuisible plutôt qu'utile.

Pour commencer, l'étiquette "doué et talentueux", parce qu'elle restreint les attentes de l'enfant, diminue plutôt qu'elle n'augmente ses options. Au bout du compte, au lieu d'agrandir l'image que l'enfant a de lui-même, l'étiquette l'emprisonne.

Ces programmes sont fondamentalement antidémocratiques et confinants plutôt qu'ouvrant des horizons. Ils restreignent le libre échange de l'information et du talent entre les enfants et sépare prématurément la minorité des privilégiés de leurs camarades moins chanceux.

En bref, ces programmes manipulent les enfants plutôt qu'ils ne les enrichissent. Au bout du compte, tout le monde en souffre et les dons de chacun sont amoindris.

Quelle ironie! Quelle honte!

Question: Sur la suggestion de son professeur, nous avons récemment fait tester notre fille de six ans pour voir quel est son Qi. Le psychologue nous a dit qu'elle est "douée". Que nous suggérez-vous de faire à la maison pour développer ses capacités?

Réponse: Dire que quelqu'un est "doué" c'est comme dire que quelqu'un est "charmant". Les deux termes n'ont guère de sens et, pire, ils peuvent induire en erreur et créer de fausses impressions.

Par exemple, si je vous dis qu'Untel est charmant, vous aurez probablement hâte de le rencontrer. Supposez que le jour de cette rencontre, il ait eu une chicane avec sa femme et vienne d'apprendre qu'il a fait une mauvaise affaire et qu'une commission d'enquête va l'interroger. Peut-être que dans de telles circonstances il n'apparaîtra pas aussi charmant, après tout. Vous pouvez très bien revenir de votre rencontre avec Untel en pensant que c'est un type revêche et sarcastique. C'est une honte qu'Untel n'ait pas une autre chance de faire meilleure impression, mais c'est comme ça la vie. Vous auriez pu devenir de grands amis, si seulement vous vous étiez rencontrés la semaine *précédente*.

Et c'est pareil avec les dons. Si Pénélope est "douée" elle peut tout faire bien; elle est créatrice, comme Mozart; elle est manifestement sûre d'elle et va devenir célèbre. Pas vrai? Non! Elle peut aussi bien ne rien devenir de tout ça.

"Doué" veut seulement dire que quelqu'un a bien fait dans une série de tests. Les tests qui durent environ trois heures, consistent en une série de questions et de problèmes. Comme une liste de tous les problèmes possibles n'aurait pas de fin, ceux qui font partie des tests ne sont rien de plus que des *exemples* et ainsi les tests n'évaluent que des *échantillons* des capacités et habiletés générales d'un individu.

Un pointage élevé (un fort Qi) veut dire simplement que la personne a bien réussi les tests. Rien de plus. Mais on se sert de ce pointage pour *déduire* d'autres choses au sujet de cette personne, par exemple la façon dont elle réussira avec d'autres problèmes, dans d'autres circonstances. Mais tout échantillonnage et les prévisions qu'on fonde dessus ont des défauts intrinsèques.

Un sondage Gallup, par exemple, est un échantillonnage. En 1976, il prédit que la majorité des Américains allaient voter pour Jimmy Carter et c'est exactement ce qui s'est produit. Mais en 1948, un sondage semblable avait prévu que Dewey battrait Truman. L'échantillonnage ne garantit pas les résultats.

De la même façon, un pointage élevé aux tests de Qi n'est pas une garantie que la personne réussira tout ou qu'elle est créatrice. Exactement comme les gens "charmants" peuvent avoir leurs mauvais jours, les personnes "douées" ont des hauts et des bas. Par exemple, une personne avec un fort pointage peut réussir remarquablement bien en mathématiques mais être incapable de composer une belle mélodie ou de jouer autre chose qu'*Au clair de la lune* au piano.

Le problème c'est que les gens qui trouvent cette personne "douée" peuvent attendre d'elle qu'elle écrive des romans et joue Beethoven. Si elle ne le fait pas, ils peuvent se sentir "dupés" et faire l'erreur de dire "elle n'est pas différente des autres", ce qui n'est pas vrai non plus.

En d'autres mots, le terme "doué" peut empêcher de voir une personne comme l'individu unique qu'elle est, avec ses forces et ses faiblesses.

Pour répondre à la question de ce que vous devriez faire maintenant que votre fille a bien réussi les tests qui vérifiaient un échantillonnage de sa capacité à résoudre diverses sortes de problème, je dirai: rien. Laissez-la vivre selon ses propres normes et non selon celles de quelqu'un d'autre.

Les écoles ouvertes

"Comme sa majesté a de l'allure dans ses nouveaux vêtements" s'exclamaient les gens tout autour. Personne n'aurait laissé paraître qu'on ne lui voyait rien de nouveau, parce qu'alors l'empereur n'aurait pas été digne de son rang ou alors c'est que c'était un fou". Extrait de *Les nouveaux vêtements de l'empereur* de Hans Christian Anderson.

"N'importe quoi pourvu que ça change", dit-elle, secouant tristement la tête. Je parlais à un professeur à la retraite qui avait consacré vingt-cinq ans de sa vie à l'idée que tous les enfants devraient être bons dans le langage des nombres.

Elle me permettait de sonder ses opinions sur l'état actuel de l'éducation publique. Ses pensées allaient tout droit au coeur de chaque question.

"Je n'ai jamais enseigné dans une école ouverte, dit-elle, mais j'en ai observé plusieurs et toute cette idée me semble avoir bien peu de sens. Selon moi, écouter est la base de l'apprentissage."

Je n'avais pas besoin d'être convaincu. Six ans plus tôt, mon fils avait commencé sa première année dans une école ouverte. C'était un bâtiment tout neuf, plein à craquer des équipements les plus récents: centres audio-visuels individuels, équipements scientifiques, livres d'enseignement programmé, aquariums, petites serres, instruments de musique; une foule de choses à faire qui n'attendaient que les quelques deux cent soixante-dix élèves, répartis dans des classes de la première à la troisième année, tous réunis sous le même toit en dôme d'un seul espace de la dimension d'un entrepôt.

Éric adorait cette école. Nous n'avions jamais de problème à le faire lever le matin et il ne se plaignait jamais ni de son travail ni de ses professeurs.

J'étais ravi mais sceptique. Sa salle de classe avait l'air d'une cour de récréation. Il y avait du mouvement partout, tout le temps. En fait l'expression "salle de classe" ne convenait pas puisque seules des bibliothèques et des cloisons en treillis de bois qui montaient à hauteur de poitrine séparaient un groupe du groupe voisin.

Pendant les sept mois qu'y passa Éric, je fis plusieurs visites à l'école mais je ne fus jamais capable, ne serait-ce qu'une fois, de trouver l'endroit où se trouvait mon fils sans avoir à demander mon chemin à quelqu'un. L'environnement lui-même était complexe. Je fus alors peut-être le plus près de me sentir "en difficulté d'apprentissage" que je ne le serai jamais.

Les professeurs d'Éric employaient des formules comme "automotivé", "capacité d'être prêt" et "possession de sa responsabilité". Ils resplendissaient d'enthousiasme et n'avaient jamais l'air affligés par ne serait-ce que le plus petit cas de "mauvais jour".

Éric était très intelligent, me disaient-ils. Il était mûr, créateur et c'était un meneur. Ils me faisaient plaisir. En retour, je gardais mon scepticisme pour moi.

Puis nous avons déménagé. Il ne restait plus alors que cinq semaines d'école mais nous n'avions pas d'autre choix que d'emballer nos affaires et partir.

Éric fut transféré dans une école traditionnelle, très semblable à celle que j'avais connue moi-même à son âge. Chaque classe avait sa propre salle et chaque enfant son propre pupitre. L'école était calme et en ordre. Je pouvais trouver la classe d'Éric sans aide. Quel soulagement de me trouver spontanément débarrassé de mon inquiétude de départ!

Deux jours après l'arrivée d'Éric dans cette école, son professeur demanda à me voir. Elle ne perdit ni son temps ni ses mots.

"Éric ne sait pas lire, me dit-elle, je ne pense pas qu'il soit prêt à passer en deuxième année."

Encore un coup du progrès. Le cas d'Éric n'est pas isolé. Des milliers d'autres enfants capables ont été sacrifiés à une idée qui s'est dégonflée très loin de ce qu'elle avait promis au départ.

Éric passa tout de même en deuxième année comme prévu, grâce à un cours d'été privé d'apprentissage de la lecture. Il lui fallut trois ans pour reprendre complètement le terrain perdu lors de ces sept premiers mois. Je pourrais ajouter que peu avant qu'il parte, ses professeurs de l'école ouverte m'avaient assuré qu'Éric lisait aussi bien que n'importe lequel des enfants de sa classe.

Je suis convaincu, à la suite de nombreuses conversations avec des professeurs, des administrateurs, des psychologues scolaires, des parents et, naturellement, après mon expérience avec Éric, que l'école ouverte est l'éléphant blanc de l'éducation publique.

Les écoles ouvertes ont gaspillé le précieux talent et le temps de bien des enfants, pour ne rien dire du précieux argent des contribuables. Le problème ne vient ni des professeurs ni des directeurs mais du concept lui-même.

Par exemple, il n'y a pas dans une classe ouverte de saine émulation. Les enfants y "visent leur propre niveau d'accomplissement" et ils sont habituellement évalués en fonction des buts (contrats) qu'ils ont eux-mêmes aidé à fixer. Tout cela paraît très bien, mais la vraie vie est faite de compétition et la frustration y est souvent le catalyseur de la réussite. Sans cet esprit d'entreprise, la médiocrité est la norme et parler du "potentiel de l'enfant" a aussi peu de sens qu'un portefeuille vide.

L'environnement d'une école ouverte est, pour bien des enfants, surchargé de stimulations et de choix. Il exige que l'enfant s'adapte à une absence relative de limites, aussi bien spatiales que de conduite, et à un haut niveau de distraction visuelle et auditive, un "bruit de fond" presque constant. C'est exactement ce qu'il faut à l'enfant pour qu'il développe une capacité d'attention très brève.

Et pourtant, les élèves d'écoles ouvertes réussissent aussi bien aux tests d'évaluation standards que les élèves des écoles plus traditionnelles. Mais les chiffres ne font pas apparaître que les études en question sont pleines de ce que les statisticiens appellent des "erreurs d'échantillonnage".

Dans la plupart des cas, les écoles ouvertes sont offertes comme des *possibilités* à l'intérieur d'un système, à part elles, conventionnel. Cela signifie que les parents *choisissent* d'y demander l'admission de leurs enfants. Non seulement la population étudiante des écoles alternatives est-elle plus sélectionnée qu'à l'ordinaire, mais il est également raisonnable de supposer que les parents qui choisissent cette option participent généralement plus à l'éducation de leurs enfants que ceux qui *ne* font *pas* cet effort supplémentaire.

On peut dire la même chose des professeurs qui demandent à enseigner dans des écoles ouvertes (là encore, l'école ouverte est généralement un poste que l'enseignant doit choisir). Selon toute probabilité, ces professeurs sont plus idéalistes, plus enthousiastes et plus engagés dans leur propre conception de l'éducation que ceux qui sont moins réticents sur l'endroit où ils pratiquent leur profession.

Les parents d'un enfant qui ne réussit pas bien dans une école ouverte peuvent choisir de le transférer dans une école plus traditionnelle. Dans l'ensemble, les enfants qui restent dans les écoles ouvertes pendant plus d'un ou deux ans sont ceux qui y réussissent bien. Ce qui crée l'*illusion* d'une équivalence dans les succès scolaires (les chiffres des inscriptions font apparaître dans les dernières années qu'il y a un retour à l'école traditionnelle).

En bref, les écoles ouvertes ont toutes les cartes de leur côté. Quand on fait intervenir tous les éléments cachés, il y a toutes les raisons du monde de s'attendre à ce que les élèves d'écoles ouvertes obtiennent des résultats nettement supérieurs à ceux des élèves d'écoles conventionnelles. Le fait qu'ils n'obtiennent que des résultats *égaux* peut signifier que les écoles ouvertes ont non seulement permis aux élèves de réussir moins que ce qu'ils auraient pu faire mais qu'elles les ont *même récompensés* pour cela.

En 1975, le docteur Robert Wright a mené une enquête méticuleuse sur l'éducation ouverte par rapport à l'éducation traditionnelle (avec un contrôle des erreurs d'échantillonnage). Dans un article publié dans la *Revue américaine de recherches en éducation*, il fait état de résultats scolaires nettement supérieurs dans l'école traditionnelle.

Wright ne découvrit aucune différence dans la créativité verbale ou l'auto-estime des élèves des deux groupes. C'est une gifle en plein visage des partisans de l'école ouverte qui prétendent que leur approche "permissive, centrée sur soi-même" produit chez l'élève davantage de créativité et une image plus positive de soi-même.

Peu des nombreuses innovations culturelles qui ont fleuri au cours des années soixante portaient de plus grandes promesses que l'éducation alternative et peu se sont révélées aussi décevantes.

Une partie du problème, comme le reconnaissent beaucoup d'éducateurs, vient du fait que les écoles ouvertes ont eu tendance à attirer des individus qui étaient plus soucieux d'*échapper* à ce qu'ils considéraient comme l'atmosphère oppressive de l'éducation conventionnelle que de définir et d'atteindre des objectifs éducatifs concrets.

Il y a probablement place, dans l'éducation américaine, pour l'école ouverte mais cette place ne sera pas trouvée tant que ses partisans n'affronteront pas les dures réalités et n'abandonneront pas leur prétention d'être capables de tout faire pour tous les enfants.

Après qu'un enfant ait appris les bases et ait acquis un sens de l'autodiscipline fiable, il *peut* être bon d'"ouvrir" graduellement son expérience d'apprentissage. Mais dans la plupart des écoles ouvertes, on a lâché les enfants dans un cadre flou avant que leur développement les ait rendus prêts à affronter une telle liberté. La plupart des écoles ouvertes ne comprennent que les niveaux élémentaires, ce qui est un cas patent de charrue mise avant les boeufs.

Avant de donner aux parents le privilège de choisir parmi plusieurs possibilités d'éducation, les éducateurs ont la responsabilité de déterminer, par des recherches rigoureuses, quelle option convient mieux à chaque enfant.

L'éducation publique est un domaine où le consommateur ne devrait *jamais* avoir à faire attention.

Les parents adolescents

Une jeune fille de dix-sept ans sur dix est une mère dans ce pays. L'an dernier, plus de 250 000 jeunes filles de dix-sept ans ou moins ont mis au monde un enfant, quinze pour cent d'entre elles pour la deuxième ou troisième fois. La seule classe d'âge de maternité où le niveau des naissances augmente actuellement est celle des jeunes de douze à dix-sept ans.

Les grossesses d'adolescentes présentent un important risque pour la santé des mères et des enfants également. Les bébés de mères adolescentes ont des chances d'être des prématurés, d'être sous le poids normal et de présenter des défauts congénitaux à la naissance. Les mères quant à elles sont très vulnérables aux complications qui peuvent survenir pendant la grossesse, le travail et l'accouchement.

Les estimés du taux de mortalité infantile et maternelle dans de tels cas sont 30 pour 100 plus élevés que pour les mères de plus de vingt ans. En outre, ces enfants ont plus de chances d'avoir plus tard des problèmes de développement, dans un domaine ou l'autre.

À quelques très rares exceptions près, les adolescents ne sont pas prêts sur les plans émotionnel, éducationnel, social et économique à devenir des parents.

Une grossesse précoce conduit fréquemment à un mariage précoce, à des grossesses répétées (non voulues), à une vie familiale instable, à des divorces rapides et au bien-être social. Qu'ils soient mariés ou non, les parents adolescents sont enclins à abandonner leurs études et à n'acquérir que des compétences professionnelles très marginales.

Essayer d'élever un enfant au milieu des troubles émotionnels de l'adolescence est plus que ne peuvent en supporter la plupart des adolescents. Parce que les adolescents, quelles que soient leurs protestations à ce sujet, sont encore eux-mêmes des enfants, ils ont tendance à penser à "avoir un enfant" de façon enfantine.

Presque inévitablement, la réalité disparaît derrière un tourbillon de drame, de fantaisies et de voeux à combler. Pour certains, avoir un bébé (et se marier) devient une façon de sortir de ce qu'ils peuvent percevoir, du moins à ce moment-là, comme une situation familiale intolérable.

Pour d'autres, être parents est une preuve qu'ils sont "devenus adultes", une façon décidément insatisfaisante d'essayer de sauter par-dessus les dernières années d'indépendance qui leur restent encore.

Et pour certaines adolescentes, avoir un enfant devient la façon de réaliser le voeu qu'elles faisaient d'être nécessaires, désirées et aimées et, ce qui est plus dangereux, d'être *plus fortes* que les autres.

De toute évidence, avec de telles illusions, la chute sera rapide et dure. Une étude récente a révélé les attentes irréalistes qu'avaient ces jeunes parents à propos de leurs enfants et concluait que les enfants nés d'un mariage d'adolescents avaient bien plus de chances d'être battus et négligés.

Mais les adolescents ne sont en aucune façon les seules personnes à éprouver d'énormes difficultés à élever des enfants. Beaucoup de nouveaux parents, sinon même la plupart, ne se trouvent pas assez bien préparés à affronter le changement de rôle et de responsabilité que cela nécessite.

Malheureusement, nous les humains, nous ne recevons pas de mère nature autant d'aide que les autres animaux quand il s'agit d'élever un enfant et c'est ainsi depuis que nos instincts ont été refoulés dans le cortex cérébral, il y a plusieurs millions d'années.

De plus, quand il est arrivé à la famille extensive ce qui est arrivé aux tramways, les aides familiales naturelles qui autrefois permettaient aux jeunes mariés de passer confortablement à travers les premières années traumatisantes du rôle de parent ont disparu avec elle.

Quoi qu'il en soit, la majorité de ceux qui sont aujourd'hui des enfants deviendront eux-mêmes un jour des parents et notre système d'éducation continue pourtant à ignorer leurs besoins dans ce domaine. Même s'il est vrai qu'on offre depuis longtemps dans les écoles publiques des cours sur le développement de l'enfant, le mariage, la famille et le reste, la plupart sont inintéressants, sans expérience pratique pour stimuler et orienter la recherche de la classe. Ces cours sont habituellement confinés à des programmes d'éducation familiale et attirent peu de garçons.

La continuité de la stabilité de la famille est essentielle à la continuité de la stabilité de notre société. Si l'on tient compte de cela, il semble évident que l'enseignement public du métier de parent devrait devenir une priorité nationale.

Nos écoles publiques, quels que soient leurs problèmes actuels et leurs échecs, représentent encore le cadre idéal pour une telle expérience d'éducation. Elle pourrait commencer au niveau collégial afin de préparer les futurs parents de notre pays, les gardiens de notre futur.

Tout collège de ce pays devrait offrir un programme d'apprentissage du rôle de parent d'une durée de quatre ans et incorporé au programme-cadre. Il devrait être obligatoire pour tout étudiant à partir de la neuvième année et devrait recevoir un statut académique entier.

Tout collège devrait aussi posséder une garderie de démonstration où les étudiants pourraient acquérir une expérience de première main avec des enfants en chair et en os.

Les programmes d'éducation sexuelle n'empêcheront pas les jeunes d'avoir des enfants. (Au contraire, si le taux des naissances et celui de maladies vénériennes peuvent donner une indication, la valeur générale des programmes d'éducation sexuelle offerts dans les écoles est fortement sujette à caution.) Mais un programme national solide d'éducation au rôle de parent pourrait faire beaucoup pour assurer le bien-être des enfants qu'ils *ont* de toute façon, *quel que soit le* moment où ils les ont.

En 1974, l'ancien vice-président des États-Unis Walter Mondale déclara: "Les gens les plus faciles à ignorer dans la société américaine, ce sont les enfants. Ils acceptent généralement de bon coeur d'être dupés. Ils ne font pas grève, ils se contentent d'être là." Cette année, des millions de dollars de nos impôts ont été consacrés à apprendre aux étudiants des collèges à être de bons conducteurs, une dépense très valable. Mais virtuellement rien n'a été dépensé pour préparer ces mêmes étudiants à leur futur rôle de parents.

Doit-on dès lors s'étonner que tant de parents adolescents s'occupent mieux de leur voiture que de leurs enfants?

Le choix d'un programme préscolaire

Un enfant qui va à la garderie à temps plein passe, en général, quarante-cinq pour cent de ses heures de veille aux soins d'autres personnes que ses parents. Quiconque passe autant de temps avec un enfant exerce une influence considérable sur sa croissance et son développement en tant qu'être humain.

Compte tenu de cela, le choix d'une garderie est une des plus importantes décisions que puissent prendre des parents. Malheureusement, on accorde rarement à ce choix l'importance qu'il devrait avoir. Il y a des chances que la décision soit plutôt fondée sur des questions de localisation (commodité) et de dépense. Pour le choix d'une garderie, les parents *devraient* avoir en tête les éléments suivants:

Une garderie devrait être stimulante autant qu'orientée vers l'apprentissage. En fait, si l'environnement stimule l'imagination de l'enfant et son envie d'expérimenter et de découvrir, elle *est* orientée vers l'apprentissage.

Les garderies qui se vantent d'apprendre aux enfants leur ABC *ne* sont *pas* nécessairement orientées vers l'apprentissage.

Les maternelles qui offrent des programmes de lecture et d'autres matières académiques ont fait un bon bout de chemin dans la solution d'un des problèmes chroniques de la profession, c'est-à-dire, l'art de garder les coûts bas et les revenus élevés.

Dans l'ensemble, les "Kollèges de Kulture Enfantine de l'Enfant frit Kentucky, Inc." manquent de personnel, de stimulation (on s'y ennuie ferme) et sont trop enrégimentés. Les problèmes de bris et de perte sont évités par le faible nombre de petits jouets offerts aux enfants. La plupart des jouets y sont "éducatifs", ce qui justifie qu'on les enferme dans des armoires ou quelque autre endroit auquel seul le professeur a accès.

Les programmes qui sont censés fournir aux petits enfants une longueur d'avance dans le jeu d'"être à la tête de la classe" plaisent à bien des parents anxieux qui confondent de façon erronnée l'"accomplissement" avec des choses comme les A sur un bulletin scolaire.

L'édifice est moderne, les pièces sont grandes, l'équipement est nouveau, l'environnement est net et rangé et l'atmosphère est ennuyeuse. En bref, ce type de garderie est conçu plus pour impressionner des clients éventuels que pour imprimer quelque chose de valable sur les esprits des enfants.

Le ratio professeur/élève est généralement aussi élevé que la loi le permet (et les violations de la loi ne sont pas rares). On maintient l'ordre en faisant asseoir les enfants à des tables et en leur apprenant des choses qui n'ont rien à voir avec leurs âges et leurs besoins, par exemple, écrire correctement les lettres et les chiffres. Tout est soigneusement organisé pour maintenir le niveau de bruit et d'activité aussi bas que possible.

Mais ce qui est, de loin, le pire type de garderie, c'est ce que j'appelle une "zone de garde" où l'on "tient" et "surveille" les enfants sans prêter véritablement attention à leurs besoins au niveau du développement. Des études ont montré que ce type de garderie peut en fait *nuire* aux enfants en les ennuyant et en les déprimant même. Ces enfants-là seront plus enclins à détester l'école et à y réussir mal.

Le matériel disponible dans une garderie devrait être si intéressant qu'il ne soit pas nécessaire de "faire" faire quoi que ce soit aux enfants. Toutes les possibilités d'apprentissage qui y sont offertes devraient reconnaître le fait que les jeunes enfants apprennent en jouant. Toutes les expériences, sans exception devraient y être plaisantes. Les enfants devraient y être poussés à explorer, expérimenter, éprouver et découvrir.

Il devrait y avoir une variété suffisamment grande de jouets, de jeux et de matériaux incitant à la création pour réduire les chances de dispute entre les enfants. Le régime alimentaire devrait être équilibré et ne contenir que très peu d'aliments sucrés.

Il devrait y avoir une vaste cour de récréation à l'extérieur munie, elle aussi, d'équipements variés. La salle intérieure ne devrait pas être encombrée ni surpeuplée et elle devrait être bien éclairée. Quand une intervention spéciale doit se faire pour la discipline, elle devrait l'être rapidement, calmement et avec autorité.

Il y a des garderies où les enfants sont très actifs, crient et s'excitent. Mais le niveau d'activité et de bruit n'est en aucune façon un signe de la qualité de l'expérience. L'environnement le plus impressionnant est celui où les enfants sont occupés et calmes. Ils parlent au lieu de crier, marchent au lieu de courir (à moins, bien sûr, qu'ils ne soient dehors).

Où est la monitrice? Elle peut être assise et ne rien faire de plus qu'observer. Cela me dérange qu'une monitrice bouge plus que les enfants. Elle devrait être toujours disponible pour les enfants mais ne pas trop participer à ce qu'ils font. Elle doit certes s'assurer que chaque enfant est engagé dans une activité qui met en jeu son appétit de découverte et de création, mais les enfants devraient pouvoir jouer de façon assez indépendante.

Les enfants ont parfois besoin d'être encadrés à l'intérieur d'un groupe dirigé par la monitrice. Mais cette sorte d'activité ne devrait pas occuper la majeure partie de la journée. La monitrice devrait superviser, diriger et guider mais en ne faisant que ce qui est nécessaire. Une bonne monitrice n'est pas toujours en train de rebondir d'un enfant à l'autre pour s'assurer que chacun des quinze enfants reçoit bien exactement un quinzième de son temps.

En résumé, une garderie ne devrait se préoccuper de rien de plus ni de moins que de donner à chaque enfant les plus grandes chances de découvrir qu'apprendre est la plus agréable et la plus excitante de toutes les activités humaines.

Les pressions en faveur de l'alphabétisation préscolaire

Il y a quelques mois, je suis tombé sur un article consacré à une dame de Miami appelée Sally Goldberg qui a conçu et s'apprête à mettre en marché un ensemble de jouets éducatifs pour petits enfants. Elle prétend que les parents pourront se servir de ces jouets pour apprendre les habiletés académiques de base à des enfants d'âge préscolaire.

Ses idées lui sont venues du travail qu'elle a accompli avec son propre enfant qui, à deux ans, connaissait toutes les lettres de l'alphabet et avait un vocabulaire de lecture de cent mots. Goldberg faisait aussitôt remarquer que sa fille n'est pas un prodige et affirmait que tout enfant de deux ans a le même potentiel.

Goldberg a raison, et c'est *ça* le problème.

Imaginez le monde comme un immense entrepôt rempli de toutes les choses innombrables qui forment l'univers connu. Dans un coin, des rochers, dans un autre des fougères, et ainsi de suite.

Lorsqu'un enfant franchit la porte principale, on lui donne un couple de guides dont la fonction est de lui fournir toute l'assistance dont il peut avoir besoin pour devenir instruit des choses de l'entrepôt. S'ils font bien leur travail, les guides se contentent d'appuyer le désir inné de l'enfant de devenir compétent.

Apprendre à lire à un enfant d'âge préscolaire est comme le mener vers un endroit particulier, la "section de lecture", et lui dire: "Voici l'endroit le plus important de l'entrepôt. Nous voulons que tu y passes beaucoup de temps."

Au lieu d'élargir la relation qu'a l'enfant avec le monde, lui apprendre à lire c'est en fait *restreindre* le flot d'information qui lui est disponible, limiter son expérience de l'environnement et c'est contraire aux principes les plus fondamentaux de la croissance et du développement humains.

Un enfant que l'on entraîne à accorder une attention disproportionnée à *un seul* aspect, quel qu'il soit, de son environnement n'accordera pas assez d'attention à d'autres aspects, tout aussi pertinents. Dire qu'il est plus important pour un enfant de quatre ans d'apprendre à lire que de collectionner des feuilles, de sauter dans des flaques d'eau ou de jouer avec le chien de la famille est extrêmement nuisible. Écarter de cette façon certains éléments de l'environnement ou arbitrairement et artificiellement exagérer l'importance d'autres éléments fausse au bout du compte la perception qu'a l'enfant de l'univers et donc le sentiment de la "place" qu'il y tient lui-même.

Certes, comme le dit Goldberg, il *est* possible, avec certaines méthodes, d'apprendre à lire à de très jeunes enfants. Mais la question n'est pas "Peut-on le faire?" mais "Doit-on le faire?"

Un nombre croissant de théoriciens du développement, parmi lesquels Hans G. Furth qui a écrit plusieurs livres sur l'intelligence des enfants, insistent sur le fait qu'apprendre à lire à un enfant d'âge préscolaire nuit sérieusement à sa croissance intellectuelle, pour au moins plusieurs années.

Joseph C. Pearce, l'auteur de *L'enfant magique* affirme que la lecture exige d'un enfant de cet âge qu'il commence à manier des abstractions avant même d'avoir fini de comprendre de façon cohérente l'univers tangible. L'alphabétisation prématurée, dit-il, perturbe le développement de l'intelligence de la même façon que la naissance prématurée perturbe la croissance physique et neurologique.

Si l'enfant ne bénéficie donc pas de cet entraînement précoce, qui le fait? Manifestement ses parents qui peuvent s'enorgueillir d'avoir "l'enfant le plus rapide du pâté de maisons", ce qui est presque aussi satisfaisant que de conduire une nouvelle Mercedes.

Une constatation désagréable mais guère surprenante prouve que l'avance de départ du lecteur préscolaire disparaît complètement vers la seconde ou la troisième année. Plus on regarde attentivement ces pressions en faveur de l'alphabétisation précoce, plus elles prennent l'allure d'une blague monstrueuse.

Si un enfant d'âge préscolaire apprend à lire tout seul (comme beaucoup le font), c'est une expression créatrice de *son* initiative et cela s'insère dans sa découverte générale du monde et de ses mécanismes.

Que beaucoup d'enfants apprennent à lire spontanément sans qu'on le leur apprenne jamais de façon formelle, voilà un témoignage sur la nature étonnante de l'intelligence humaine.

D'un autre côté, apprendre à lire à un jeune enfant avant qu'il soit suffisamment préparé à retirer tous les avantages de cette instruction, ce n'est rien de plus qu'un abus que l'on fait subir à son potentiel créateur et intellectuel.

Question: Nous avons une fille de dix-huit mois. C'est notre premier et peut-être notre seul enfant. Nous avons déjà hâte, comme, j'imagine, beaucoup de parents, qu'elle aille à l'école. Plusieurs de nos amis sont des enseignants et ils nous racontent des cas d'enfants qui éprouvent beaucoup de difficultés et de frustrations à apprendre à lire. Y a-t-il des choses que nous puissions faire, d'ici qu'elle aille à l'école, pour empêcher que notre fille ait plus tard des problèmes de lecture? Quand devrions-nous commencer à lui apprendre l'alphabet et les chiffres et jusqu'où devrions-nous aller dans ce domaine?

Réponse: N'allez nulle part dans ce domaine. Si vous voulez que votre fille sache lire, faites-lui la lecture. Il n'y a rien que vous puissiez faire qui la fera plus avoir envie de lire et continuer à aimer la lecture tout au long de sa vie.

En fait, il n'y a peut-être rien de plus totalement enrichissant que ces moments tendres et expressifs. Le temps que vous passez à lui faire la lecture est plein de vie et déborde d'amour et de merveilles de confiance.

Bien à l'abri dans vos bras, regardant et écoutant tandis que de nouveaux mots se développent, repoussant les limites de sa compréhension et de son imagination, elle apprendra que lire est très agréable. C'est le cadeau le plus précieux que vous puissiez lui faire.

Le reste de mes conseils sera une série de *contre-indications*, à commencer par la télévision.

Un ensemble sans cesse croissant de preuves suggère de façon forte et convaincante qu'une des raisons majeures pour lesquelles Jeannot a de la difficulté à apprendre à lire c'est que ce même Jeannot a passé plus de temps, pendant ses années préscolaires, collé au téléviseur que dans toute autre activité.

En réalité, regarder le mouvement de la télévision peut difficilement être considéré comme une "activité" et c'est précisément pour cela qu'il s'agit d'une grave menace à la capacité de développement d'un enfant.

La rue de Sésame et autres programmes pour enfants "nouvelle vague", parce qu'ils essaient si fort et avec succès d'accrocher les spectateurs préscolaires sont, à mon sens, les principaux coupables.

Mais qu'est-ce que cela peut faire que les enfants apprennent leur ABC et d'autres bribes de connaissances académiques en regardant *La rue de Sésame*? Quel est le problème?

"Mais voyons, John, pouvez-vous penser, aujourd'hui si un enfant va à l'école sans savoir au moins son ABC et ses chiffres, il sera perdu dès le premier jour."

Balivernes! Je ne suis pas impressionné par des enfants d'âge préscolaire qui peuvent réciter l'alphabet, compter jusqu'à cent, ajouter une décimale et ainsi de suite. Ce n'est pas être prêt. Ce ne sont que des broutilles!

Les besoins du développement d'un enfant d'âge préscolaire n'ont *absolument rien* à voir avec l'apprentissage de ces absurdes jeux de mémoire. Ces récitations font du bien aux parents, pas aux enfants.

Les enfants de cet âge ont besoin de jouer, d'explorer, d'imaginer, de créer, de faire. Ils ont besoin d'apprendre à partager et à attendre leur tour. Ils ont besoin d'apprendre que leur indépendance ne soit pas menacée par le respect de l'autorité. Ils *n'ont pas* besoin d'apprendre l'ABC, à moins qu'ils ne le demandent. Si leurs propres recherches les amènent à ces questions, alors là, oui, il leur faut les réponses. Mais qu'à tout prix les "leçons" restent informelles et sans pression.

Laissez l'enfant commencer les parties. Laissez-*lui* ses recherches.

Question: Il y a deux ans, ma fille qui a maintenant quatre ans et demi, pouvait réciter son alphabet et compter jusqu'à dix. Elle écrivait son nom depuis qu'elle avait trois ans et identifiait correctement chaque lettre de l'alphabet. Maintenant j'ai un problème avec elle et je ne sais pas comment m'en tirer. Chaque jour nous nous asseyons ensemble pour au moins trente minutes et nous travaillons sur les lettres, son nom et le reste. Mais depuis quelques mois, ou bien elle refuse de travailler avec moi et se plaint que c'est trop difficile ou bien elle agit comme si elle avait oublié la majeure partie de ce que je lui ai appris. Je suis de plus en plus frustrée. Se peut-il qu'elle oublie vraiment? Qu'en pensez-vous?

Réponse: Je pense qu'elle est en train d'essayer de vous dire quelque chose. Les jeux qu'elle aimait jouer avec vous auparavant ont cessé de l'amuser. Quelque chose dans la façon dont maman joue a changé. Les règles sont différentes.

À mesure que se rapproche ce premier jour d'école fatidique, vous êtes devenue de plus en plus déterminée à vous assurer que, lorsque la course pour la tête de la classe sera lancée, elle sera dans un bon couloir de départ.

Quant à elle, elle est devenue de plus en plus incertaine et mal à l'aise à propos de vos attentes. Ce n'est plus un jeu, c'est une affaire sérieuse, le "à prendre ou à laisser" de la vie. Ce qui avait commencé comme une aventure amusante, il y a deux ans, est maintenant devenu une demande répétée et ennuyeuse que l'on ne devrait pas imposer à un enfant de quatre ans et demi.

Où diable avez-vous pris que savoir ses lettres et ses chiffres est essentiel à un enfant de quatre ans et demi? Peu importe, je connais la réponse. J'y suis passé aussi.

Être parent, c'est une entreprise hasardeuse. Personne ne vient vous dire, "Bon travail, maman!" Les normes sont vagues et indéfinies, ce qui rend presque impossible de savoir si l'on fait bien.

Quelque part, en cours de route, nous nous mettons à évaluer notre propre performance en fonction de la qualité et de la rapidité avec laquelle nos enfants "accomplissent" le processus normal de la croissance et du développement. Christiane, qui parlait à douze mois est plus "brillante" que Judith qui a seize mois et qui dit encore "ga-gou". Donc les parents de Christiane doivent savoir créer un meilleur environnement que ceux de Judith.

Cet absurde souci de savoir qui a l'enfant le plus avancé du voisinage n'est que trop répandu. Quelle vie mènent nos enfants? La leur ou la nôtre?

Tout enfant normalement développé peut apprendre à réciter et même à reconnaître les lettres de l'alphabet vers l'âge de quatre ans. C'est vrai aussi pour les chiffres. Mais cela ne veut absolument rien dire. Apprendre à dire: "EFF" quand on vous montre la forme F n'est pas un tour de force plus étonnant que d'apprendre à dire "chien" quand une créature à quatre pattes pleine de poils se précipite pour vous lécher le visage. La différence fondamentale, cependant, c'est que la signification de "chien" peut être éprouvée directement, alors que celle de “eff” est tout à fait abstraite. Cela ne signifie *rien* pour un enfant de quatre ans.

De plus, la tête d'avance que vous espérez donner à votre fille a peu de chance de lui donner quelque avantage durable. L'enfant qui entre à l'école déjà armé de son ABC (et ainsi de suite) peut jouir d'un certain avantage lors du jardin d'enfants ou de la première année mais dans deux ans il y a de fortes chances qu'il soit au même niveau que celui qu'il aurait de toute façon atteint, même si on ne l'avait pas poussé.

Tenez-en compte et arrêtez de travailler si fort. Vous n'êtes pas un professeur, vous êtes une mère, n'est-ce pas? Et elle n'a que quatre ans et demi. Si elle possède ce qu'il faut pour exceller, tout ce dont elle a besoin de votre part c'est de chances données, de votre support et de votre confiance en elle.

Au lieu des “travaux forcés” quotidiens, allez faire ensemble une petite promenade dans le voisinage. Allez au parc. Donnez à manger aux canards. Elle n'aura quatre ans et demi qu'une fois, et ça ne durera guère.

Postface

Comme j'ai commencé ce livre en parlant de mes enfants, je pense qu'il est bon de le terminer de la même façon.

Au moment où j'écris ces derniers paragraphes, Éric, qui a maintenant douze ans et demi, fait un stage de soccer à l'université Celmson. Je sais qu'il s'amuse bien parce qu'il ne nous a pas téléphoné depuis quatre jours. Il va revenir bronzé et fatigué avec plein d'histoires sur les actions héroïques menées sur le terrain et sur les classiques aventures survenues hors du terrain. Puis ce sera un été de nage, de golf, de patin à roulettes, de bicyclette tout-terrain et de filles (pas nécessairement dans cet ordre) avant qu'il ne commence son secondaire.

Amy a neuf ans, est pleine de minauderies et de tralalas, du Hollywood pure laine. Elle me stupéfie sans cesse par les personnages qu'elle peut faire surgir à volonté ou par caprice ou tout ce qui s'agite dans ces dansants yeux bleus: le lutin pétulant, le cygne mourant, la demoiselle en détresse, la danseuse de cabaret, la savante, l'ingénue, etc. La petite fille à son papa? Parfois je le penserais presque, mais elle n'en dit jamais rien.

Au risque de paraître vantard, je vais me vanter. Éric et Amy sont des enfants Numéro-Un-Super-Deluxe. Ils sont intelligents, polis, bien élevés, sensibles, ouverts, créateurs et curieux. Mais, ce qu'il y a de mieux, c'est qu'ils sont du petit monde heureux.

Il y a neuf ans, personne n'aurait pu prédire que cela tournerait si bien. Quand Willie et moi avons appris qu'Amy était en route, la vie avec Éric était encore passablement agitée (voir l'introduction). Il était dans le trente-troisième mois des "deux ans terribles" qui apparaissaient être chez lui virtuellement congénitaux. Nous vivions dans la crainte de sa prochaine colère, prêts à faire presque n'importe quoi pour l'empêcher ou l'arrêter. Il ne faisait pas encore ses nuits, mais semblait infatigable, un état auquel ses parents avaient fini par s'habituer. Alors, qu'est-ce qui s'est passé?

Willie et moi avons opéré plusieurs changements fondamentaux dans notre façon de penser, voilà ce qui s'est passé.

Pour commencer, au lieu de nous torturer le cerveau pour essayer d'imaginer quelque chose pour rendre Éric heureux, nous avons commencé à nous demander: "Qu'est-ce que *nous* voulons?" et à *agir* en conséquence.

Nous avons arrêté de tourner autour du pot et nous avons commencé à dire "Non", quand nos réflexes (ou nos inclinations) nous portaient à le dire. Nous avons vite découvert qu'après une protestation initiale, Éric paraissait plus à son aise avec un "Non" ferme qu'avec une ballade de papa et maman autour du pot.

Nous avons incorporé à notre vocabulaire quelques "je te l'ai dit" et "parce que c'est comme ça". À ceux qui s'objecteront en disant: "Il y a une raison à toute chose", je réponds: "Oui, m'sieurs dames, et parfois la raison est: "parce que je l'ai dit".

Nous avons décidé que c'était fort bien que les enfants pleurent et que les parents les laissent pleurer. Nous avons identifié deux types de pleurs. L'un qui se produisait quand Éric avait mal ou était triste. Dans ce cas, nous le réconfortions. L'autre survenait quand le monde ne tournait pas selon les voeux d'Éric. Dans ce cas, nous le laissions pleurer, l'envoyant parfois dans sa chambre jusqu'à ce qu'il s'arrête. Et voyez, ô merveille! Voici qu'il se mit à moins pleurer et à commencer à supporter bien mieux "les flèches et les coups" mineurs de la fortune de l'ami Hamlet.

Nous avons cessé de faire dépendre notre bien-être de ses imprévisibles états d'âme. Nous avons cessé de nous inquiéter de lui et nous avons commencé à nous occuper des affaires courantes. Nous avons cessé de nous flageller pour chaque erreur commise, bien que nous ayons continué à en faire (et maintenant encore).

Nous avons commencé à faire plus attention l'un à l'autre qu'à Éric. Nous avons rétabli l'équilibre de notre famille en plaçant notre mariage en son centre. Nous nous sommes donnés à nous-mêmes la permission d'être inconséquents, de fesser par colère et, en premier recours, d'être "pas justes". Et cela a fait toute la différence.

J'espère avoir réussi ce que je voulais réaliser avec ce livre: avoir un peu secoué vos idées, les avoir libérées du labyrinthe permissif dans lequel elles erraient peut-être et vous avoir aidé à rendre votre vie familiale plus profitable et plus agréable.

J'ai deux pensées finales à vous offrir.

D'abord, élevez vos enfants à *votre* façon. Comprenez bien que les gens qui écrivent des livres, des articles et des chroniques dans les journaux sur la façon d'élever les enfants ne vous offrent que des suggestions et des idées et *non* le mot de la fin. Si vous n'êtes pas d'accord avec eux, donnez-vous le bénéfice du doute à *vous-même*.

Enfin, mais non le moins important, quelque chose que nous avons tous tendance à perdre de vue quand le lait se renverse et que les enfants nous font grimper dans les rideaux...

Ayez du plaisir!

Bibliographie

BRAZELTON, T. Berry, M.D., Infants and Mothers — Differences in Development (*Les bébés et leurs mères — différences de développement*), New York, Delacorte Press/Seymour Lawrence, 1969.

BRAZELTON, T. Berry, M.D., Toddlers and Parents — A Declaration of Independence (*Les bambins et leurs parents — une déclaration d'indépendance*), New York, Delacorte Press/Seymour Lawrence, 1974.

"The First Year of Life" ("La première année de la vie"), American Baby Magazine, octobre, 1980.

FURST, Hans G., Piaget and Knowledge (*Piaget et la connaissance*), Englewood Cliffs, N.J., Prentice-Hall, 1969.

FURST, Hans G., *Piaget for Teachers (Piaget à l'usage des professeurs*), Englewood Cliffs, N.J., Prentice-Hall, 1970.

KELLER, Martha A., "The Myth of the Learning — Disabled Child" ("Le mythe de l'enfant en difficulté d'apprentissage"), Parents' Magazine, février, 1976: 42.

La Leche League International: The Womanly Art of Breast Feeding (*L'art féminin de donner le sein*), Franklin Park, IL, 1963.

PEARCE, Chilton, Joseph, Magical Child (*L'enfant magique*), New York, E.P. Dutton, 1977.

PRYOR, Karen, Nursing your Baby (*Prendre soin de votre bébé*), New York, Pocket Books, 1973.

SMITH, Lendon, M.D., Improving your Child's Behavior Chemistry (*Améliorer la chimie du comportement de votre enfant*), Englewood Cliffs, N.J., Prentice-Hall, 1976.

WHITE, Burton, L., The First Three Years of Life (*Les trois premières années de la vie*), Englewood Cliffs, N.J., Prentice-Hall, 1975.

WILLIAMS, Jay, The Cookie Tree (*L'arbre aux biscuits*), Parents' Magazine Books, épuisé.

WINN, Marie, The Plug-in Drug (*La drogue que l'on branche: la télévision*), New York, Viking Press, 1977.

WRIGHT, Robert, "The Affective and Cognitive Consequence of an Open Education Elementary School" ("Les conséquences affectives et cognitives d'une école élémentaire d'éducation ouverte"), *American Education Research Journal*, 12, 449-68.

Table des matières

Achevé d'imprimer sur les presses de
Métropole Litho Inc.

IMPRIMÉ AU CANADA

Ouvrages parus aux ÉDITIONS DE L'HOMME

* **Pour l'Amérique du Nord seulement.**
** **Pour l'Europe seulement.**

ALIMENTATION — SANTÉ

* **Allergies, Les,** Dr Pierre Delorme
* **Apprenez à connaître vos médicaments,** René Poitevin
* **Art de vivre en bonne santé, L',** Dr Wilfrid Leblond
* **Bien dormir,** Dr James C. Paupst
* **Bien manger à bon compte,** Jocelyne Gauvin
* **Boîte à lunch, La,** Louise Lambert-Lagacé
* **Cellulite, La,** Dr Gérard J. Léonard
Comment nourrir son enfant, Louise Lambert-Lagacé
Congélation des aliments, La, Suzanne Lapointe
* **Conseils de mon médecin de famille, Les,** Dr Maurice Lauzon
* **Contrôlez votre poids,** Dr Jean-Paul Ostiguy
* **Desserts diététiques,** Claude Poliquin
* **Diététique dans la vie quotidienne, La,** Louise Lambert-Lagacé
En attendant notre enfant, Yvette Pratte-Marchessault
* **Face-lifting par l'exercice, Le,** Senta Maria Rungé
* **Femme enceinte, La,** Dr Robert A. Bradley
* **Guérir sans risques,** Dr Émile Plisnier
* **Guide des premiers soins,** Dr Joël Hartley
Maigrir, un nouveau régime... de vie, Edwin Bayrd
* **Maman et son nouveau-né, La,** Trude Sekely
** **Mangez ce qui vous chante,** Dr Leonard Pearson et Dr Lillian Dangott
* **Médecine esthétique, La,** Dr Guylaine Lanctôt
Menu de santé, Louise Lambert-Lagacé
* **Pour bébé, le sein ou le biberon,** Yvette Pratte-Marchessault
* **Pour vous future maman,** Trude Sekely
* **Recettes pour aider à maigrir,** Dr Jean-Paul Ostiguy
Régimes pour maigrir, Marie-José Beaudoin
* **Soignez-vous par le vin,** Dr E.A. Maury
Sport — santé et nutrition, Dr Jean-Paul Ostiguy

ART CULINAIRE

* **Agneau, L',** Jehane Benoit
* **Art d'apprêter les restes, L',** Suzanne Lapointe
Art de la cuisine chinoise, L', Stella Chan
* **Bonne table, La,** Juliette Huot
* **Brasserie la mère Clavet vous présente ses recettes, La,** Léo Godon
* **Canapés et amuse-gueule**
* **Cocktails de Jacques Normand, Les,** Jacques Normand
* **Confitures, Les,** Misette Godard
Conserves, Les, Soeur Berthe
* **Cuisine aux herbes, La,**
* **Cuisine chinoise, La,** Lizette Gervais
* **Cuisine de maman Lapointe, La,** Suzanne Lapointe
* **Cuisine de Pol Martin, La,** Pol Martin

* **Cuisine des 4 saisons, La,** Hélène Durand-Laroche
* **Cuisine en plein air, La,** Hélène Doucet-Leduc
* **Cuisine facile aux micro-ondes,** Pauline St-Amour
Cuisine micro-ondes, La, Jehane Benoit
* **Cuisiner avec le robot gourmand,** Pol Martin
* **Du potager à la table,** Paul Pouliot et Pol Martin
* **En cuisinant de 5 à 6,** Juliette Huot
* **Fondue et barbecue**
Fondues et flambées de maman Lapointe, S. et L. Lapointe
* **Fruits, Les,** John Goode
* **Gastronomie au Québec, La,** Abel Benquet
* **Grande cuisine au Pernod, La,** Suzanne Lapointe
* **Grillades, Les**
* **Hors-d'oeuvre, salades et buffets froids,** Louis Dubois
* **Légumes, Les,** John Goode
* **Liqueurs et philtres d'amour,** Hélène Morasse
* **Ma cuisine maison,** Jehane Benoit
* **Madame reçoit,** Hélène Durand-Laroche
* **Omelettes, 101,** Marycette Claude
* **Pâtisserie, La,** Maurice-Marie Bellot
* **Petite et grande cuisine végétarienne,** Manon Bédard
* **Poissons et crustacés**
* **Poissons et fruits de mer,** Soeur Berthe
Poulet à toutes les sauces, Le, Monique Thyraud de Vosjoli
* **Recettes à la bière des grandes cuisines Molson, Les,** Marcel L. Beaulieu
* **Recettes au blender,** Juliette Huot
* **Recettes de gibier,** Suzanne Lapointe
* **Recettes de Juliette, Les,** Juliette Huot
* **Recettes de maman, Les,** Suzanne Lapointe
* **Sauces pour tous les plats,** Huguette Gaudette et Suzanne Colas
Techniques culinaires, Les, Soeur Berthe Sansregret
* **Vos vedettes et leurs recettes,** Gisèle Dufour et Gérard Poirier
* **Y'a du soleil dans votre assiette,** Francine Georget

DOCUMENTS — BIOGRAPHIES

* **Architecture traditionnelle au Québec, L',** Yves Laframboise
* **Art traditionnel au Québec, L',** M. Lessard et H. Marquis
* **Artisanat québécois 1,** Cyril Simard
* **Artisanat québécois 2,** Cyril Simard
* **Artisanat québécois 3,** Cyril Simard
* **Bien-pensants, Les,** Pierre Breton
* **Chanson québécoise, La,** Benoît L'Herbier
* **Charlebois, qui es-tu?** Benoit L'Herbier
* **Comité, Le,** M. et P. Thyraud de Vosjoli
* **Deux innocents en Chine rouge,** Jacques Hébert et Pierre E. Trudeau
* **Duplessis, tome 1: L'ascension,** Conrad Black
* **Duplessis, tome 2: Le pouvoir,** Conrad Black
* **Dynastie des Bronfman, La,** Peter C. Newman
* **Écoles de rang au Québec, Les,** Jacques Dorion
* **Égalité ou indépendance,** Daniel Johnson
Enfants du divorce, Les, Micheline Lachance
* **Envol — Départ pour le début du monde,** Daniel Kemp
* **Épaves du Saint-Laurent, Les,** Jean Lafrance
Ermite, L', T. Lobsang Rampa
* **Fabuleux Onassis, Le,** Christian Cafarakis
* **Filière canadienne, La,** Jean-Pierre Charbonneau
* **Frère André, Le,** Micheline Lachance
* **Grand livre des antiquités, Le,** K. Belle et J. et E. Smith
* **Homme et sa mission, Un,** Le Cardinal Léger en Afrique
* **Information voyage,** Robert Viau et Jean Daunais
* **Insolences du Frère Untel, Les,** Frère Untel
* **Lamia,** P.L. Thyraud de Vosjoli
* **Louis Riel,** Rosenstock, Adair et Moore
* **Maison traditionnelle au Québec, La,** Michel Lessard et Gilles Vilandré

* **Maîtresse, La,** W. James, S. Jane Kedgley
* **Mammifères de mon pays, Les,** St-Denys, Duchesnay et Dumais
* **Masques et visages du spiritualisme contemporain,** Julius Evola
* **Mon calvaire roumain,** Michel Solomon
* **Moulins à eau de la vallée du Saint-Laurent, Les,** F. Adam-Villeneuve et C. Felteau
* **Mozart raconté en 50 chefs-d'oeuvre,** Paul Roussel
* **Musique au Québec, La,** Willy Amtmann
* **Objets familiers de nos ancêtres, Les,** Vermette, Genêt, Décarie-Audet
* **Option, L',** J.-P. Charbonneau et G. Paquette
* **Option Québec,** René Lévesque
* **Oui,** René Lévesque

OVNI, Yurko Bondarchuck

* **Papillons du Québec, Les,** B. Prévost et C. Veilleux
* **Petite barbe. J'ai vécu 40 ans dans le Grand Nord, La,** André Steinmann
* **Patronage et patroneux,** Alfred Hardy

Pour entretenir la flamme, T. Lobsang Rampa

* **Prague l'été des tanks,** Desgraupes, Dumayet, Stanké
* **Premiers sur la lune,** Armstrong, Collins, Aldrin Jr
* **Provencher, le dernier des coureurs de bois,** Paul Provencher
* **Québec des libertés, Le,** Parti Libéral du Québec
* **Révolte contre le monde moderne,** Julius Evola
* **Struma, Le,** Michel Solomon
* **Temps des fêtes, Le,** Raymond Montpetit
* **Terrorisme québécois, Le,** Dr Gustave Morf

Treizième chandelle, La, T. Lobsang Rampa

* **Troisième voie, La,** Émile Colas
* **Trois vies de Pearson, Les,** J.-M. Poliquin, J.R. Beal
* **Trudeau, le paradoxe,** Anthony Westell
* **Vizzini,** Sal Vizzini
* **Vrai visage de Duplessis, Le,** Pierre Laporte

ENCYCLOPÉDIES

* **Encyclopédie de la chasse, L',** Bernard Leiffet
* **Encyclopédie de la maison québécoise,** M. Lessard, H. Marquis

Encyclopédie de la santé de l'enfant, L', Richard I. Feinbloom

* **Encyclopédie des antiquités du Québec,** M. Lessard, H. Marquis
* **Encyclopédie des oiseaux du Québec,** W. Earl Godfrey
* **Encyclopédie du jardinier horticulteur,** W.H. Perron
* **Encyclopédie du Québec, vol. I,** Louis Landry
* **Encyclopédie du Québec, vol. II,** Louis Landry

LANGUE *

Améliorez votre français, Jacques Laurin
Anglais par la méthode choc, L', Jean-Louis Morgan
Corrigeons nos anglicismes, Jacques Laurin
Notre français et ses pièges, Jacques Laurin
Petit dictionnaire du joual au français, Augustin Turenne
Verbes, Les, Jacques Laurin

LITTÉRATURE *

Adieu Québec, André Bruneau
Allocutaire, L', Gilbert Langlois
Arrivants, Les, Collaboration
Berger, Les, Marcel Cabay-Marin
Bigaouette, Raymond Lévesque
Bousille et les justes (Pièce en 4 actes), Gratien Gélinas
Cap sur l'enfer, Ian Slater

Carnivores, Les, François Moreau
Carré Saint-Louis, Jean-Jules Richard
Cent pas dans ma tête, Les, Pierre Dudan
Centre-ville, Jean-Jules Richard
Chez les termites, Madeleine Ouellette-Michalska
Commettants de Caridad, Les, Yves Thériault
Cul-de-sac, Yves Thériault
D'un mur à l'autre, Paul-André Bibeau
Danka, Marcel Godin
Débarque, La, Raymond Plante
Demi-civilisés, Les, Jean-C. Harvey
Dernier havre, Le, Yves Thériault
Domaine Cassaubon, Le, Gilbert Langlois
Doux mal, Le, Andrée Maillet
Emprise, L', Gaétan Brulotte
Engrenage, L', Claudine Numainville
En hommage aux araignées, Esther Rochon
Exodus U.K., Richard Rohmer
Exonération, Richard Rohmer
Faites de beaux rêves, Jacques Poulin
Fréquences interdites, Paul-André Bibeau
Fuite immobile, La, Gilles Archambault
J'parle tout seul quand Jean Narrache, Émile Coderre
Jeu des saisons, Le, M. Ouellette-Michalska
Joey et son 29e meutre, Joey
Joey tue, Joey
Joey, tueur à gages, Joey
Marche des grands cocus, La, Roger Fournier
Monde aime mieux..., Le, Clémence DesRochers
Monsieur Isaac, G. Racette et N. de Bellefeuille
Mourir en automne, Claude DeCotret
N'tsuk, Yves Thériault
Neuf jours de haine, Jean-Jules Richard
New Medea, Monique Bosco
Ossature, L', Robert Morency
Outaragasipi, L', Claude Jasmin
Petite fleur du Vietnam, La, Clément Gaumont
Pièges, Jean-Jules Richard
Porte silence, Paul-André Bibeau
Requiem pour un père, François Moreau
Séparation, Richard Rohmer
Si tu savais..., Georges Dor
Temps du carcajou, Les, Yves Thériault
Tête blanche, Maire-Claire Blais
Trou, Le, Sylvain Chapdelaine
Ultimatum, Richard Rohmer
Valérie, Yves Thériault
Visages de l'enfance, Les, Dominique Blondeau
Vogue, La, Pierre Jeancard

LIVRES PRATIQUES — LOISIRS

* **Abris fiscaux, Les,** Robert Pouliot et al.
* **Améliorons notre bridge,** Charles A. Durand
* **Animaux, Les — La p'tite ferme,** Jean-Claude Trait
* **Appareils électro-ménagers, Les**

Art du dressage de défense et d'attaque, L', Gilles Chartier
* **Bien nourrir son chat,** Christian d'Orangeville
* **Bien nourrir son chien,** Christian d'Orangeville
* **Bonnes idées de maman Lapointe, Les,** Lucette Lapointe
* **Bricolage, Le,** Jean-Marc Doré

Bridge, Le, Viviane Beaulieu
* **Budget, Le,** En collaboration
* **100 métiers et professions,** Guy Milot
* **Collectionner les timbres,** Yves Taschereau
* **Comment acheter et vendre sa maison,** Lucile Brisebois
* **Comment aménager une salle de séjour**
* **Comment tirer le maximum d'une mini-calculatrice,** Henry Mullish
* **Comment amuser nos enfants,** Louis Stanké
* **Conseils aux inventeurs,** Raymond-A. Robic
* **Construire sa maison en bois rustique,** D. Mann et R. Skinulis
* **Crochet jacquard, Le,** Brigitte Thérien
* **Cuir, Le,** L. Saint-Hilaire, W. Vogt